Dictionnaire des délicatesses du français contemporain

(*A-H*)

D1260669

Renaud Camus

Dictionnaire des délicatesses du français contemporain

(*A-H*)

Chez l'auteur

ISBN 979-10-91681-66-7
Dépôt légal : février 2021

à Mes Rimokh et Bonichot,
en espérant ne pas leur donner,
cette fois,
trop de travail

— As-tu compris, bouffi? C'est du fran-
çais, moi, que je te cause.
— Non, dit Béhanzigue : c'est du chagrin.

Paul-Jean Toulet, *Les Trois Impostures*

Préface au Répertoire des délicatesses du français contemporain, 2000

Par délicatesses *on doit entendre ici, bien entendu,* subtilités, *et de préférence agréables : finesses, élégances, raffinements.* Mais on ne peut pas ne pas *entendre* aussi, *et peut-être surtout,* délicates questions, points sensibles, occasions de débats, *peut-être même de* disputes. *En ce sens, c'est l'auteur d'un tel livre qui risque fort, le publiant, de se mettre en délicatesse avec ses contemporains...*

Les délicatesses impliquent les indélicatesses, en effet ; et les indélicatesses les erreurs, les fautes, voire les grossièretés, qui toutes renvoient implicitement à une norme. Or la norme ni la faute ne sont des concepts très aimés, de nos jours ; et moins qu'ailleurs dans le domaine du langage. On leur préfère la notion d'usage, qui a l'avantage d'éviter les jugements de fond, et donc les occasions de fâcheries.

L'usage, néanmoins, présente l'inconvénient d'être purement tautologique : tout ce qui se dit couramment se dit à bon droit, si c'est l'usage qui fait loi. Et tel qui consulte un dictionnaire d'usage, pour connaître la légitimité d'une expression ou d'une autre qu'il rencontre souvent, n'y apprend rien d'autre que ceci, qu'en effet elle se rencontre souvent — en somme qu'elle est bien dans l'usage.

Pour tourner cette difficulté logique, les vieux grammairiens (dont un certain nombre vivent encore, heureusement, et continuent d'exercer leur art) avaient inventé un concept commode, celui de bon usage. *Mais il réintroduit* sous une forme aggravée, au deuxième degré, si l'on peut dire, le problème qu'il croit avoir évacué au premier. On ne butte plus sur une tautologie, dont d'aucuns peuvent d'accommoder, mais bel et bien sur une aporie. Car s'il existe un bon et un mauvais usage — un bon qu'il faut suivre, suppose-t-on, et un mauvais qu'il faut fuir —, c'est que l'usage en tant que tel ne fait pas la loi. Il fait même si peu la loi que le stéréotype, la scie, le lieu commun de langage, qui par définition sont ce qu'il y a de mieux installé et de plus répandu dans l'usage (c'est vrai que..., par exemple), sont justement ce qu'il paraît le plus impérieux d'éviter, du moins si l'on se reconnaît quelque exigence de style. Chassé par la porte, le jugement revient par la fenêtre.

Aux difficultés logiques, qui sont irritantes mais ne mettent personne en péril, se greffent des difficultés idéologiques et sociales, qui sont autrement plus dangereuses, ne serait-ce que par le ridicule dont elles vous menacent, ou l'antipathie à laquelle elles vous exposent. Le bon et le mauvais usage, en effet, ont été de tout temps des concepts de classe.

Au XVIIe siècle, le bon usage c'est l'usage de la cour, et plus précisément de la partie la plus éclairée de l'aristocratie. C'est un usage résolument anti-bourgeois. En 1693, dans ses Mots à la mode, petit ouvrage qui connut un grand succès, le diplomate et académicien François de Callières écrit par exemple :

« Les gens du monde ne disent point qu'un homme est défunct, pour dire qu'il est mort ».

Et quelques lignes plus bas, sans que la différence d'orthographe entre deux occurrences du même mot semble troubler l'auteur ou son imprimeur :

« Pour le pauvre deffunct, c'est une façon de parler très-bourgeoise. »

Cela sous la rubrique "Du bon et du mauvais usage", justement. Et Callières de s'étendre sur les façons de parler de la mort et des morts — lesquelles nous préoccupent encore trois siècles plus tard, à vrai dire. Un jeune homme de la bourgeoisie, introduit dans un milieu aristocratique, s'y est fait doucement reprendre en les termes qu'on a vus après qu'il a parlé d'un défunct. Or, il a beau être disposé à apprendre et à s'adapter, il élève une légère protestation :

« Je vous suis bien obligé, Madame, de la peine que vous prenez de m'instruire, mais il me semble pourtant que le terme "deffunct" est un mot bien établi, et dont se servent quantité d'honnêtes gens.

— *Il est fort possible, réplique un peu vivement son hôtesse, qu'il y ait quantité d'honnêtes gens qui ne connaissent pas assez la délicatesse de notre Langue... Cette délicatesse qui n'est connue que d'un petit nombre de gens qui parlent bien, qui fait qu'ils ne disent point qu'un homme est deffunct, pour dire qu'il est mort.* »

Curieusement, c'est dans le chapitre "Comment se tenir à table" de son livre fameux, La Civilisation des mœurs, *que Norbert Elias s'interroge sur les liens entre langage, "bon usage" et classes sociales. Bien entendu, il parle du XVIIe siècle. Mais les questions qu'il pose sont à peu près intemporelles :*

« *Quand, en France, les "gens de cour" affirment : "Cela est bien dit et cela est mal dit", ils touchent à un problème qui nous fournit ample matière à réflexion et qui mérite au moins qu'on s'y arrête brièvement : sur quoi se fondent-ils pour juger de la qualité de la langue ? Selon quels critères procèdent-ils au choix de tels mots, à l'affinement et à la transformation de telle tournure ?*

« *Il est arrivé à ces hommes de réfléchir sur la question. Leur avis est parfois étonnant et dépasse en importance le domaine purement linguistique : tels tournures, termes et expressions sont bons parce que l'élite sociale s'en sert, ils sont mauvais parce que les couches sociales inférieures les ont adoptées.* »

Le pouvoir linguistique, comme les autres mais peut-être un peu plus tôt que les autres, est passé au cours des XVIIIe et XIXe siècles de l'aristocratie à la bourgeoisie. Grand bourgeois raffiné reçu dans les salons de l'aristocratie, Proust souligne à plusieurs reprises combien on y parle mal. Musil, presque à la même époque, fait des remarques tout à fait voisines. Comme celles de Proust elles dissimulent mal une tendre admiration, et comme celles d'Elias elles surviennent de façon tout à fait naturelle au milieu de réflexions sur les manières de table.

Durant l'hiver 1913-1914, Ulrich, l'homme sans qualités, *fait avec sa cousine la tournée des châteaux des environs de Vienne, au bénéfice supposé de leur bien vague "Action parallèle" (laquelle est destinée à marquer le jubilé de l'empereur François-Joseph, en 1918) :*

« *A la campagne, on invitait les deux parents ensemble, et Ulrich était frappé de voir bien souvent manger un fruit à la main, sans le peler, ou d'autres détails du même ordre, alors que les grands bourgeois maintenaient strictement le cérémonial de la fourchette et du couteau ; on pouvait faire la même remarque sur la conversation qui ne gardait guère une distinction parfaite que dans les maisons bourgeoises, alors que prédominait dans les milieux aristocratiques le célèbre langage débraillé des cochers de fiacre.* »

Puis, dans la deuxième moitié du XXe siècle, et surtout après 1968, avec la généralisation des postes de télévision, le pouvoir linguistique glisse de la bourgeoisie à la petite-bourgeoisie — et dans une certaine mesure au prolétariat, ou à ce qu'il en reste. Il en reste peu de chose, sans doute, mais les modes de parler prolétaires, ou populaires, irriguent progressivement l'ensemble de la société.

Guy Debord parle quelque part, sans beaucoup expliquer sa pensée, d'une "prolétarisation" du monde. C'est à une époque de sa réflexion où le terme de prolétariat *semble avoir perdu de son prestige à ses yeux, ou du moins de la charge d'espérance révolutionnaire dont il avait été porteur. La "prolétarisation", en cette occurrence, est liée à la perte de qualité, celle des villes, celle des paysages, celle des échanges sociaux, celle du vin et des mets, celle du niveau culturel moyen. Reste que c'est plutôt à un "petit-embourgeoisement" général, ou à une "petite-bourgeoisisation", que nous ont offert d'assister les trente dernières années — le prolétariat devenant petit-bourgeois, sans doute, mais toutes les autres classes aussi bien, comme si la petite-bourgeoisie était le lieu de rendez-vous de toutes les composantes de la société, le* melting pot *du futur, le creuset de la grande unité idéologique et langagière.*

Appeler une personne à qui l'on s'adresse Monsieur Duchaume *ou* Madame Lavier, *plutôt que* Monsieur *ou* Madame *tout court, était considéré il y a une génération comme un trait tout à fait populaire, ou paysan. C'est de nos jours une pratique presque généralement répandue. Un médecin peut très bien vous tendre sa carte de visite où il se présente comme* Docteur Angelier Jean-François. *On s'en étonnera à peine. Or l'antéposition du nom par rapport au prénom, hors liste d'appel à l'école, au service militaire ou au bureau de vote, passait pour typiquement prolétaire, jusqu'aux années récentes (à moins que ce ne soit* typiquement hongroise, *les magyars étant le seul peuple d'Europe à placer couramment le nom après le prénom).*

Le lien entre niveau de langage et niveau social est un point délicat par excellence, qui à lui seul justifierait le titre de ce livre (et la crainte de l'écrire). Le concept de niveau social, *pour commencer, est devenu d'un maniement extrêmement périlleux. Celui de niveau de langage* l'est à peine moins. Et quant à s'interroger sur les rapports entre ces différents niveaux...

Or il est impossible de ne pas le faire. La langue est sociale de part en part. La moindre phrase situe plus précisément que n'importe quelle pièce de vêtement, ou n'importe quelle manière de table. Mais ce qui est remis en cause aujourd'hui c'est l'idée (qui a régné sans partage pendant des siècles, au point que nul ne songeait seulement à en contester le bien-fondé) selon laquelle bien parler, et bien écrire, c'était écrire comme la classe sociale dominante — au point que l'une des conditions d'accès à cette classe, c'était d'en maîtriser parfaitement le langage (cette condition n'était pas toujours respectée, soit ; cependant il coûtait très cher de s'en dispenser : il fallait être très riche ou bien très puissant).

Un examen plus rapproché (et moins idéologique) montrerait sans doute que le lien, quoique bien réel, était cependant moins étroit qu'il nous plaît de le dire et de le penser. La meilleure langue n'était pas exactement celle des plus riches, des plus puissants ou des plus titrés — mais celle de leurs frères et sœurs, ou de leurs neveux, peut-être. La classe cultivée *n'était pas exactement la classe au pouvoir, même si elle n'était loin ni d'elle ni de lui. Et d'ailleurs,* cultivé, *il ne fallait pas non plus l'être trop, pour bien écrire et bien parler ; pas trop* savant, *en tout cas, ce qui est toujours bien près d'être pédant. C'est moins la culture que le* goût, *qui est la marque du beau langage ; ou plus exactement c'est la culture, oui, mais appuyée sur le goût, modérée et infléchie par lui : ce qui permet de tenir à distance, autant que les nouveaux riches, les nouveaux instruits ; car le "goût", autant qu'un don du ciel, est une propriété héréditaire — relire Bourdieu pour s'en convaincre (et osera-t-on répéter qu'il n'y a pas de goûts, seulement des états culturels ?).*

Entre Bonjour Mesdames, Bonjour Messieurs, *d'un côté, et* Bonjour Messieurs-Dames *de l'autre, il y a une considérable différence de niveau social de langage, certes, mais il n'y a pas de différence de qualité intrinsèque. Si* Bonjour Messieurs-Dames *était apparu dans l'aristocratie, on lui trouverait sans doute une belle élégance cavalière. Tel qu'il est il passe pour prolétaire ou petit-bourgeois — ou plutôt il* passait, *car, devenu petit-bourgeois, il est devenu universel (ou presque).*

On pourrait dire la même chose du vieux débat entre manger, *d'une part,* déjeuner *ou* dîner *d'autre part, pour signifier* prendre un repas. *Le vieil argument contre* manger *intransitif, à savoir qu'il nous ravalerait au rang des animaux, ne vaut pas bien cher, car il s'appliquerait aussi bien à* dormir, *sur quoi ne pèse, qu'on sache, aucun opprobre.* Manger *intransitif passe pour vulgaire, mais le vulgaire se venge, et conquiert tout le terrain.*

Quatre heures de l'après-midi, *non plus, n'a pas de supériorité objective sur* seize heures. *Il n'a qu'une supériorité sociale, et artistique, ou littéraire : celle de figurer dans la littérature. Il a dû être jeune lui aussi, pourtant, et détonner en son temps.* Seize heures, dix-sept heures, vingt-trois heures trente *sentent un peu le hall de gare, c'est vrai, et le commissariat de police. Mais ils auront tôt fait de pénétrer les livres, comme les moyens de dire la même chose qui les ont précédés, et peut-être même les bons livres. Ils ont déjà pour eux d'être plus simples, plus clairs, souvent beaucoup plus courts, et conceptuellement mieux au point que leurs rivaux.*

Il importe donc de bien distinguer, et ce livre s'y efforcera, ce qui dans la langue relève de critères objectifs, qui font que telle forme est incontestablement supérieure à telle autre, parce qu'elle a la logique pour elle, l'étymologie, le sens et la cohérence syntaxique ; et ce qui relève de critères essentiellement sociaux — on dit essentiellement, *car les critères sociaux ne sont jamais purement tels :* cinq heures de l'après-midi *est plus "distingué" que* dix-sept heures, *mais c'est aussi mieux inscrit dans l'histoire, plus littéraire et sans doute plus joli ; étant bien entendu que le "littéraire" ou le "joli" peuvent sembler totalement inadéquats sous la plume de tel ou tel auteur en telle ou telle circonstance, ou dans la bouche de tel ou tel usager du langage à de certains moments, qu'il s'agisse d'un personnage réel ou d'un personnage de fiction.*

Ce qui semble important, et souhaitable, c'est que les choix soient faits en connaissance de cause. *S'il y a une supériorité effective aux niveaux "supérieurs" de la langue, c'est qu'ils* comprennent *les autres, dans tous les sens du terme, alors que les autres ne les* comprennent *pas. Qui dit* déjeuner *ou* dîner *pour signifier* prendre un repas *sait quelles sont les implications sociales et culturelles de* manger, *en pareille occurrence. Qui dit* manger *ne le sait pas, en général. Mais si cette personne dit* manger *en sachant parfaitement ce qu'elle dit, et pourquoi, il n'y a rien à lui apprendre, en ce cas, et rien à reprendre à ses propos.*

Entre ça fait vingt ans que j'habite là *et il y* vingt ans que j'habite ici, *il y a une différence de niveau de langage. Tâcher de préciser les niveaux de langage, c'est à la fois la méthode et l'ambition de ce petit livre. On pourra ensuite en faire ce qu'on voudra.*

Préface au Dictionnaire des délicatesses du français contemporain (2014)

Le présent Dictionnaire *incorpore le précédent* Répertoire, *mais fait plus qu'en doubler le volume et le nombre d'entrées. Le texte de l'ouvrage précédent a été revu et souvent modifié, allongé, mis à jour, enrichi. Les entrées inédites, les plus nombreuses, élargissent le sujet et le confrontent aux évolutions les plus récentes. Étant donné les rapports de proportions entre les deux inventaires, parler de* nouvelle édition *ne serait pas suffisant. Il s'agit bien ici d'un nouveau livre, contenant celui qui lui sert de point de départ, mais le dépassant de toute part.*

Ce point précisé, je m'avise que la préface du Répertoire, *que je viens de relire après trois lustres, garde toute sa pertinence au regard de mon projet et de mes intentions. J'aurais à peine besoin d'en donner une autre pour ce* Dictionnaire, *sinon pour signaler l'accélération ou l'aggravation, selon les points de vue, des évolutions déjà repérées et désignées à l'extrême fin du dernier millénaire. Entre-temps j'ai publié divers essais,* Syntaxe ou l'autre dans la langue [1], La Dictature de la petite bourgeoisie [2], La Grande Déculturation [3], Décivilisation [4], La Civilisation des prénoms [5], *etc., qui tous*

---

1. Éditions P.O.L, 2002.
2. Éditions Privat, 2005.
3. Éditions Fayard, 2008.
4. Éditions Fayard, 2011.
5. Cher l'auteur, 2014.

enregistrent aussi scrupuleusement qu'ils le peuvent les transformations de la situation culturelle et linguistique et le développement de ma réflexion les concernant.

Ces transformations, je les crois d'origine sociale pour l'essentiel. La précédente préface le posait très clairement déjà : la langue est à mes yeux sociale de part en part; et la correction grammaticale, si l'on dispose pour juger d'elle de critères d'appréciation plus rigoureux, est d'un poids moins déterminant que le degré d'adéquation culturelle d'un syntagme et d'une période quelconque. Pour ce qui est de mes propres travaux j'ai appelé petite bourgeoisie *la classe arrivée au pouvoir dans le dernier tiers du XXe siècle. L'appellation a déplu. On m'a fait remarquer, d'une part, que cette classe au pouvoir, culturellement, ne coïncidait pas avec la petite bourgeoisie historique, serait-ce seulement parce qu'elle est infiniment plus large et plus nombreuse. On a objecté d'autre part que les maîtres du monde, et d'abord ceux du pays, avec leurs revenus et salaires faramineux, leur enrichissement colossal, pouvaient difficilement être traités de petits-bourgeois.*

J'avais pourtant bien précisé : au pouvoir culturellement. *Les dites élites financières et politiques ont abandonné à la masse petite-bourgeoise et à ses représentants autodésignés ou cooptés — journalistes, animateurs culturels, médiateurs — le pouvoir culturel, dont il ne leur coûtait rien de se priver. Et la petite bourgeoisie, à peine a-t-elle accédé à la maîtrise de ce pouvoir-là, s'est empressée d'en transformer radicalement la nature en changeant de fond en comble le sens et les contenus du mot* culture *: en l'occurrence en y faisant entrer sa propre culture, qui ne ressortissait guère de cette notion dans l'acception ancienne du terme; puis en l'imposant comme dominante, ne serait-ce que quantitativement, au sein du nouvel espace conceptuel ainsi aménagé, celui des dites "industries culturelles", où se dénomme* culture *à peu près tout ce qui relève du divertissement et des activités de loisirs. Il est essentiel d'avoir bien conscience d'autre part que riches, très riches et superriches, puissants et superpuissants,* people, jet-setters *et aristocrates, même, héritiers d'antiques dynasties, n'en sont pas moins* culturellement petits bourgeois *(« J'ai peut-être fait des choses que les gens s'attendaient pas », disait aujourd'hui même la princesse Stéphanie de Monaco), ce qui tendrait à prouver que le pouvoir de la petite bourgeoisie, pour être purement* culturel, *on en est convenu à l'instant, n'en est pas illusoire pour autant : il s'exporte, il se diffuse, il conquiert. Et comme je n'ose pas citer telle quelle une fois de plus la phrase fameuse de Go-*

*mez Davila, dont j'ai nettement abusé tant elle est juste et bien observée, je
me contenterai de la paraphraser et d'écrire que si les riches ne sont plus que des
pauvres avec de l'argent, les puissants, eux, ne sont que des petits-bourgeois
avec du pouvoir.*

*Bien entendu ma thèse, comme quelques autres de mon cru, rencontre une
vive résistance. Si elle est juste, il ne pouvait pas en aller autrement. Comme
j'ai tendance à incriminer la petite bourgeoisie, et que je soutiens d'autre part
qu'à force de n'exclure personne et d'inclure tout le monde de force au contraire,
elle a fini par coïncider avec l'ensemble de la société, de sorte que tout le monde,
moi le premier, par la force des choses, est petit bourgeois, ma théorie ne peut
avoir que des ennemis. Elle est pourtant indispensable ici, parce que je crois
impossible de décrire sans elle l'état de la langue, d'une part ; d'autre part
parce que c'est la langue qui constitue son meilleur étai et qui se trouve être le
mieux à même d'en corroborer la structure.*

*Pendant la seconde moitié du XIXe siècle, et un peu encore au début du
XXe, l'audition de la musique lyrique faisait l'objet dans les salles parisiennes
d'une répartition par classe sociale extrêmement rigoureuse. L'aristocratie et la
grande bourgeoisie allaient à l'Opéra entendre de l'opéra, les "grands opéras".
La moyenne bourgeoisie parisienne allait à l'Opéra-Comique entendre des…
opéras-comiques (il faut se souvenir qu'il fallut près d'un siècle à* Carmen *pour
passer d'une salle à l'autre, donc d'un genre à l'autre). La petite bourgeoisie
allait dans les théâtres des boulevards et plus tard au Châtelet entendre des
opérettes. Quant au peuple, lui, il se rendait dans les cabarets et dans les salles
de music-hall écouter des chanteurs populaires, hommes ou femmes.*

*Bien entendu, au niveau des individus, cette répartition des sites et donc,
théoriquement, des goûts musicaux, n'était pas tout à fait aussi rigide que je la
dépeins ici. Des artistes, des écrivains, des musiciens, des mélomanes de toute
origine et de toute appartenance sociale allaient à l'Opéra, par désir d'entendre certaines œuvres qui n'étaient pas représentées ailleurs, et sans doute
aussi par snobisme, quelquefois. En sens inverse, des gens du monde et des
bourgeois allaient au cabaret et au music-hall par désir de s'encanailler un
peu, par snobisme aussi, sans doute, par sincère amour des chanteurs et des
chanteuses populaires, ou bien pour fuir leur milieu d'origine et ses préférences
supposées, si étroitement connotées socialement qu'on pouvait s'interroger sur
leur sincérité. Il faut bien voir, et cela vaut aussi et a fortiori pour la langue
que, de façon générale, le désir et le goût dits "supérieurs" comprend, dans les*

deux sens du terme, les désirs et les goûts qui lui sont (socialement et cultu-rellement) "inférieurs"; tandis que l'inverse n'est pas vrai. Dans la France de la Belle Époque, il arrive (assez rarement, à vrai dire — ce phénomène date plutôt de l'entre-deux-guerres) que le faubourg Saint-Germain aille assister aux spectacles de Charlus ou de Mayol; mais il est à peu près sans exemple, je pense, ne serait-ce que pour des raisons économiques, que des ouvriers se rendent à l'Opéra. La situation était en cela très différente de ce qu'elle était en Italie, où existait et existe encore, nous dit-on, un véritable goût populaire pour la "grande" musique, c'est-à-dire presque exclusivement, en l'occurrence, pour l'opéra.

Si j'évoque cette répartition spatiale hautement prédéterminée des goûts et des pratiques lyriques (espérons qu'ils coïncidaient. . .) dans la France de la Troisième République, c'est que la langue était soumise à une taxinomie sociale tout aussi stricte, et qui a duré plus longtemps. Quoiqu'il existe, sans doute, des grammaires de classe, dont les règles varient suivant la situation sociale de celui ou de celle qui s'exprime, ou bien au contraire parce qu'*il existe de tels ensembles (non-écrits, que je sache. . .) de règles syntaxiques socialisées, classifiées, au sens le plus fort de ce mot, il ne sert pas à grand-chose, la plupart du temps, de poser que telle ou telle tournure est conforme à la grammaire ou qu'elle ne l'est pas, que tel mot en tel sens pris en tel ou tel sens est admissible ou ne l'est pas. Il n'est possible de juger sérieusement et pragmatiquement de ces choses-là qu'en fonction de critères de classe.*

L'exemple archétypal peut être ici celui de bon appétit *(mais ce pourrait être tout aussi bien* des fois, plein de *ou* ce midi*). Il ne sert absolument à rien de se demander si* bon appétit *se dit ou ne se dit pas, ou, a fortiori, si cette expression est grammaticale ou pas. Elle est certes parfaitement grammati-cale, mais la question n'a pour ainsi dire pas de sens. On peut seulement se demander si* bon appétit *se dit ou ne se dit pas dans telle ou telle classe sociale, et même, plus précisément, dans tel ou tel* milieu. *Pour un voyageur linguis-tique qui eût descendu la hiérarchie sociale, venant de l'aristocratie ou de la grande bourgeoisie, à* bon appétit *commençait la petite bourgeoisie : c'était un poste frontière. Ce l'est encore, mais il s'est considérablement déplacé (vers le "haut").*

Ce sont de pareils déplacements de frontière à l'intérieur de la langue qui permettent de mesurer le petit embourgeoisement général de la société, sa petite embourgeoisisation de masse. Je l'ai écrit cent fois : alors que les classes domi-

nantes précédentes fonctionnaient sur le mode de l'exclusion, en essayant par tous les moyens d'empêcher de potentiels nouveaux venus de devenir nobles ou de devenir bourgeois, la petite bourgeoisie, elle, beaucoup plus intelligemment, procède par inclusion *forcée. Aux familles bourgeoises de culture bourgeoise elle dit sans le dire : « Donnez-moi vos enfants, mettez-le dans mes écoles* [il n'y en a pour ainsi dire pas d'autres], *j'en ferai de parfaits petits bourgeois ». Et ce qui mesure imparablement ce phénomène, c'est la langue.*

La petite bourgeoisie n'est peut-être pas tout à fait la seule classe subsistante, culturellement, mais elle est seule productrice et exportatrice de langue. C'est elle qui dit la langue, elle est la classe logothétique, celle qui décide du langage pour les autres par le truchement des instruments tout puissants dont elle a la maîtrise totale, l'École, la télévision, la radio. Presque chaque fois qu'étaient en compétition un mot à elle et un mot d'une autre classe, c'est le sien qui l'a emporté. Une autre preuve de sa victoire à peu près complète dans ce domaine-là, c'est que les étrangers qui viennent en France et apprennent le français apprennent sa *langue, quel que soit leur propre niveau de langage dans leur idiome d'origine. Ils sont persuadés, si l'anglais est leur langue maternelle, par exemple, que* work *en français se dit* boulot, *qu'une* exhibition *est une* expo, *de même qu'ils sont convaincus que les Français échangent à chaque rencontre deux, trois, voire quatre bises (et bien entendu se disent* bon appétit *à chaque repas partagé) — avec le temps ils ont d'ailleurs de moins en moins tort.*

*Il faudrait évidemment nuancer l'affirmation selon laquelle la petite bourgeoisie est seule productrice de langue; mais, le ferait-on, ce serait de façon qui ne remît pas fondamentalement en cause sa justesse générale. La caste intellectuelle, surtout du côté des confins entre les milieux universitaires et médiatiques, s'est montrée largement prescriptrice elle aussi, et avec grand succès. C'est à elle, par exemple, qu'est dû le remplacement d'*imagination *par* imaginaire, *venu largement de Lacan, ou de* différence *par* différentiel (Le différentiel est considérable). *Mais l'autonomie de cette caste comme de son idiolecte sont plus illusoires que réels. La grande majorité sinon la quasi totalité de ses représentants sont des petits bourgeois, au moins de première, deuxième ou troisième génération, et cela même quand ils sont d'origine bourgeoise ou, plus rarement, aristocratique. Formés par l'école petite-bourgeoise, par la télévision petite-bourgeoise et par l'universelle rumeur petite-bourgeoise de la vie en régime de dictature de la petite bourgeoisie, ils ont beau utiliser et mettre en* circulation des mots savants ou pseudo-savants dont l'origine, de toute évidence, n'est pas petite-bourgeoise, ces mots sont enserrés dans des flux dont la consistance et l'agencement syntaxique sont, eux, totalement petits-bourgeois.

D'autre part il y a, massivement présent dans la langue dominante, un élément de brutalité, de grossièreté, de saleté tranquille, volontiers coprophile, plus associé, traditionnellement, au prolétariat, et souvent à la pègre, qu'à la petite bourgeoisie, qui passait jadis pour assez collet monté, voire puritaine, avide en tout cas de respectabilité bourgeoise. Ce point souligne la non-coïncidence, que j'ai pour ma part toujours mise en avant, entre la petite bourgeoisie de jadis, classe ou sous-classe parmi les autres, et ce que Giorgio Agamben désigne comme la petite bourgeoisie planétaire d'aujourd'hui, qui a pour ainsi dire avalé toutes les autres classes et ne coïncide plus qu'avec la société dans son ensemble, qu'elle a soumise à ses lois, et plus sûrement encore, à ses mots : autant dire à sa vision du monde.

Pourquoi, dès lors, dire encore petite bourgeoisie s'il s'agit de tout à fait autre chose que ce qu'un Mirbeau, mettons, ou un Marcel Aymé, ont pu désigner par ce mot ? Parce que l'origine principale de l'actuelle classe hégémonique est là, parce que la petite bourgeoisie dans la nouvelle acception du terme est à l'ancienne ce que la Belle Province est à la ville de Québec. Pour faire la province du même nom, à la ville éponyme se sont jointes de nombreuses autres villes et des immensités de territoire. Pour faire la petite bourgeoisie tout englobante que nous connaissons se sont jointes à la petite bourgeoisie de La Noce chez les petits-bourgeois de nombreuses autres classes et subdivisions de classe. Mais seuls ont été admis à l'honneur de contribuer linguistiquement, avec elle, à la langue dominante, qui reste la sienne, la caste intellectuelle petite-bourgeoise, qui a mis la main sur l'ensemble de la vie culturelle, le prolétariat, absorbé-absorbant, conquête conquérante, et les milieux de la délinquance. Aussi bien n'est-il pas toujours facile de choisir, au vu du spectacle de la rue, de l'évolution du costume, des protocoles sociaux et bien sûr de la langue, entre un diagnostic de petit embourgeoisement de la société et du monde, ou de prolétarisation.

C'est avec ce tableau en tête, vrai ou faux, qu'on lira les entrées qui suivent. Il m'aurait été impossible de les rédiger, et donc d'interpréter le contenu de leur intitulé, sans recourir à cette grille de lecture, qui me paraît la plus pertinente, peut-être uniquement parce qu'elle est la mienne. Je me devais d'en donner connaissance au lecteur.

Préface (2020)

La préface qui précède celle-ci fut écrite avec trop d'optimisme, il y a six années de cela, pour une édition qui ne vit jamais le jour; ou plutôt qui va voir le jour, très augmentée encore, aujourd'hui seulement, si tout se passe bien. Je n'ai rien à retirer à cet avant-dire demeuré jadis en suspens, non plus qu'au précédent encore, la préface au vieux *Répertoire*, dont ce *Dictionnaire* est la considérable extension. Il me faut seulement signaler un des facteurs de cette extension, auquel je ne songeais pas en 2014, et en 1999 encore moins. Il change assez sensiblement l'esprit de l'entreprise, ou d'une partie de l'entreprise.

Voici. Je suis l'auteur d'autre part, quelques-uns des lecteurs s'en seront peut-être avisés, de ce qui est souvent appelé, bien à tort, la *théorie* du Grand Remplacement. Le Grand Remplacement, hélas, et contrairement peut-être au *remplacisme global*, n'a absolument rien d'une *théorie*. Or les malentendus de ce genre abondent, en ces parages, et l'on m'y reproche volontiers les obscurités de ma terminologie et l'abondance de mes néologismes "théoriques", si j'ose dire : *nocence, in-nocence, remplacisme global*, justement, *davocratie, faussel, génocide par substitution* (une création d'Aimé Césaire), *négationnisme de masse*, MHI (Matière Humaine Indifférenciée), etc. Notions ou concepts, simple syntagmes, *noms*, ces termes sont souvent mal compris, ou bien ils ne sont pas compris du tout, ou encore, et c'est le pis, ils sont compris tout de travers. Or je m'apprête à publier un *dictionnaire*, précisément. Peut-on concevoir meilleure occasion de m'expliquer, d'expliciter mon vocabulaire "technique", de proposer des définitions pour ce qui semble inintelligible à certains, voire délibérément abscons ?

L'inconvénient est que, la plupart de ces termes présentant un caractère très politique, et même idéologique, mon dictionnaire, leur faisant une place, revêt lui-même, officiellement, un caractère politique, idéologique. Mais ce caractère, de parti plus ou moins délibéré (plutôt moins que plus), était déjà bien présent au temps du *Répertoire*, il y a vingt ans. Et même sans mes ajouts spécialisés il le serait d'autant plus aujourd'hui, de toute façon, que la simple défense de la langue, de sa logique et de sa correction, passe désormais pour politique — et, en l'occurrence, *réactionnaire*, naturellement, *discriminatoire*. A même été forgé, puisque nous en sommes aux néologismes, mais celui-ci n'est pas de moi, il va sans dire, le terme de *glottophobie*, pour désigner, et désigner *comme une maladie*, donc, un souci jugé exagéré de la langue, et son caractère discriminant. Passerait encore si étaient visées là les personnes qui ne peuvent s'empêcher de corriger les autres, et surtout désagréablement, quand elles estiment que ces autres viennent de commettre une faute de langage — c'est en effet un vilain travers. Mais il semblerait qu'aux glottophobes même *in petto* (j'avoue me sentir visé) on reprocherait de se faire une opinion des tiers, dans les rapports sociaux ou dans la vie professionnelle, en tenant compte, *horresco referens*, de la qualité de leur grammaire et de leur orthographe ; voire de viser eux-mêmes à une amélioration constante de leur propre pratique. Bref c'est tout souci de la langue que voici incriminé comme discriminant, ce qui renverse toute la tradition française dont il était le cœur et peut-être l'essence. Mais discriminant il l'était bel et bien.

On voit par là que ce n'est pas ce dictionnaire et moi qui sommes idéologues, sur ces questions, et politiques — c'est elles, hélas, à leur corps défendant.

A

à. *à*, jadis la préposition reine, est en nette situation de repli. Elle voit ses champs traditionnels d'intervention rognés de toute part, au profit de prépositions en pleine extension, au contraire, notamment *sur*, *en*, et *chez*.

Je vois on a acheté sur Montlhéry mais avec ma femme on travaille sur Paris.

Rien que sur Louis-Aragon, on a eu trois attaques au couteau en trois mois.

Passez me voir en mairie je vous remettrai votre certificat.

J'étais assis en terrasse, Chez Francis, et là qui je vois passer ?

Chez Air France les syndicats sont vent debout contre la réforme.

Le livre est sorti chez Presses Universitaires de France.

Chez Valeurs actuelles, nous revendiquons cette insubordination et ne rendons de compte qu'à nos lecteurs.

*

Il existe, tout à fait d'autre part, un très mystérieux et très élusif *à* de la langue populaire, que j'avoue ne pas comprendre mais dont je soupçonne que personne ne le comprend non plus, tant il est difficile de lui trouver un sens et des raisons. Tout juste pourrait-on peut-être en reconstituer l'histoire, s'il en a une, et se trouve-t-on à même d'en offrir des exemples, quand on parvient à en attraper un :

C'est une cause qui nous touche à tout le monde.

Y a Léon il fait rien qu'à m'embêter.

… plutôt que nous appeler à nous à surveiller autrui ? (France Culture, "La Grande Table", invitée, 13 janvier 2021).

Ça me donne envie de faire l'impossible pour la venger à elle.

Vous êtes trop con pour que je daigne vous répondre à vous, mais le sujet me plaît (tweet, 17 février 2021).

Elles vont dans le bons sens pour nous rassurer à nous les parents d'élèves.

Ce *à* doit bien remplir une fonction, pour être à ce point récurrent à travers les âges. Mais laquelle ? On ne saurait dire, d'autant que ses rares occurrences ne paraissent pas relever du même système.

abréviations. Le goût classique désapprouvait les mots de plus de trois syllabes, et dans l'ensemble il n'avait pas tort. Cependant il ne faut pas ériger de principes trop stricts, en la matière, et le respect de l'exception est la meilleure des règles. Un usage désinvolte de la langue, tel qu'en permettent la connaissance et la familiarité, s'accommode parfaitement d'interminables mots savants, pourvu que l'emploi en soit bien dosé, et qu'il y entre un peu de jeu, d'humour, de distanciation ironique. Les abréviations, en revanche, surtout quand elles ne sont pas originales, témoignent autant la paresse, le conformisme, le laisser-aller et le défaut d'amour pour les mots que le simple désir d'aller vite.

Cinématographe, par sa longueur, provoquait dangereusement les ciseaux, sans doute, encore qu'il ait un certain charme comique et désuet, et que Robert Bresson lui ait rendu, avec un sens restreint particulier, ses lettres de noblesse égarées ; *cinéma* est admissible, et certes admis ; mais *ciné* n'est défendable, vraiment, qu'à titre de plaisanterie, comme référence historique ou sociale (*le ciné du samedi* soir), à peu près sur le même plan que *cinoche*.

Télé, répandu désormais dans toutes les couches de la population, est un bon exemple de ce que de bons auteurs ont appelé la "prolétarisation" de l'existence. Mais de cela la chose, la télévision elle-même, et ses programmes, portent témoignage autant et plus que ne le fait l'abréviation familière : car ce qui s'est emparé de nos petits écrans, c'est chaque jour davantage ce qu'il faut bien appeler en effet, hélas, et cette fois dans l'acception la plus péjorative du terme, de la *télé*.

Restaurant n'a rien à se reprocher. Rien n'incitait à le réduire à *restau*, ou *resto*, qui ne sont pas plus alléchants l'un que l'autre.

Une *expo* n'est pas tout à fait une *exposition*. Le choix de mot, comme d'habitude, implique un choix de point de vue (en général inconscient). Et selon qu'on se sert de l'un ou de l'autre terme il est évident qu'on ne voit pas tout à fait la même chose, dans une *exposition*.

Les chaînes publiques et même les discours ministériels ont rendu presque officiel *sécu**, pourtant spécialement disgracieux.

Info ne vaut pas beaucoup mieux. Le citoyen et l'auditeur pourraient parfaitement considérer qu'ils ne sont pas dans un degré suffisant d'intimité avec une chaîne publique de radio ou de télévision, ni elle avec eux surtout, pour qu'elle leur prodigue ses *infos* sur la *sécu*. L'État n'a pas à être familier ; car si l'État est familier, toute familiarité est menteuse.

Telle personne a la manie des abréviations. Elle parle de *doc* ou de *docu*, de *p'tit-déj*, de *véto* pour *vétérinaire* et même d'*avoc* pour *avocat*. C'est son droit le plus strict en son usage personnel. Mais le langage, par définition, n'est que très accessoirement d'un usage personnel. Pilier de la civilisation, garant du contrat social, il relève tout entier du monde *médiatisé*. Il est d'emblée *langage tiers* : ni le tien, ni le mien, mais extérieur à toi autant qu'à moi et comme tel intouchable, à moins de se résoudre à quitter ce mode de la convention qui fait toute son utilité sociale. Le personnaliser ne peut être que le fait de l'art. Le résultat porte un nom, il s'appelle le *style*. Mais l'abréviation, elle, ne procède nullement du style. Comme de faire l'économie du détour syntaxique (*Moi c'que j'ai envie, c'est de...*), abréger les mots attente au *médium*, à l'instrument commun, et contribue à sa dévaluation.

*

Naturellement l'univers cybernétique a apporté avec lui sa propre collection d'abréviations, *ordi, appli, scan, video-pro*, etc., qui, au même titre que l'anglais et que les termes techniques, lui sont en quelques sorte consubstantiels et paraissent appartenir d'emblée au type d'humanité dont il est l'expression, et qu'il implique. Il faudrait être fou pour espérer ou seulement pour préconiser en ce domaine un retour en arrière, la diffusion rétrospective d'un sentiment d'inopportunité esthétique et sociale dont les abréviations seraient entachées. Tout juste peut-on espérer sans trop de déraison, peut-être, une prise de conscience de l'existence de niveaux de langage dont un certain nombre s'accommodent encore assez mal d'avoir à subir le raccourcissement familier, voire agressif, des mots qui y ont cours. Il serait très regrettable que ces niveaux-là (ceux qui se refusent aux abréviations) disparaissent tout à fait, comme ils semblent bien près de le faire. Ce serait encore, comme la disparition des modes et des temps grammaticaux (le futur, le passé simple, l'impératif, le subjonctif imparfait et, de plus en plus, le subjonctif tout court, etc.), un de ces étrécissements de la langue qui ne peuvent pas ne pas être en même temps des étrécissements de l'esprit, de la conscience et même de la sensation.

accent(s). La question des accents est une de celles où le tabou qui pèse sur la nature de classe du langage contribue le plus fort à rendre obscur et scabreux le débat.

Ce tabou porte aussi, bien entendu, sur les rapports complexes et contradictoires qui unissent (et qui *opposent*, dans une moindre mesure) cette nature de classe du langage et les différents niveaux de qualité dans l'usage qui en est fait. En quoi la façon de s'exprimer d'une de ces classes qu'on appelait jadis "supérieures" est-elle "supérieure" elle aussi ? En quoi ne l'est-elle pas ?

Le tabou quant à ces questions-là a certainement ses avantages, ne serait-ce que pour la paix sociale, et pour la délicatesse des relations personnelles. Mais il a l'inconvénient, comme tout tabou, d'entourer de voiles une vérité précieuse, à tout le moins intéressante.

Il est particulier à la France, dans une large mesure. En Angleterre il n'existe pas : chacun y est bien conscient, pour le meilleur et pour le pire, de signifier audiblement, sitôt la parole prise, son origine de classe et son niveau culturel (ces deux caractères ne marchant pas exactement main dans la main, il va sans dire).

La question des accents ne pouvant s'envisager en France, au moins dans la conversation polie et dans le débat sociologique convenable, selon le mode *vertical* et hiérarchique des niveaux sociaux et des niveaux culturels, elle est posée exclusivement selon le mode *horizontal* de la géographie : il n'y aurait d'accents que *régionaux*, qui chacun signifierait exclusivement l'origine géographique ou bien ethnique de celui qui parle : accent marseillais, accent du Sud-Ouest, accent alsacien, accent *beur*, accent belge, accent québécois, accent suisse, accent "banlieusard" — ce dernier étant de nature plus complexe car il ne peut que très partiellement être rangé dans la rubrique "géographique".

Ce traitement "horizontal" de la question des accents, parfaitement "prudent", est aussi tout à fait pertinent. Mais, outre qu'il ne saurait rendre compte de l'ensemble de la situation actuelle (à l'intérieur des différentes zones géographiques subsistent des variations d'accent dont il n'est pas à même de faire état), il constitue le passé en un refoulé social massif, qui a pour effet d'obscurcir l'histoire et la littérature.

En effet les pudeurs sociologiques et morales de l'heure — peu importe qu'on se félicite de leur existence ou qu'on la déplore au contraire — n'ont pas toujours existé, loin de là. Et l'époque, même si elle agit par vertu, par conformisme idéologique ou par gentillesse, a tort (en ce domaine comme en beaucoup d'autres) de faire comme si les autres époques lui avaient été tout semblables.

Les différents types d'accent ont toujours été d'origine essentiellement géographique, c'est vrai — encore qu'il ait existé et qu'il existe encore, bien entendu, des accents d'*état*, ou de condition sociale, qui pouvaient se superposer aux autres et se combiner avec eux : accent paysan, accent prolétaire, accent faubourien, accent aristocratique, etc. (l'accent paysan avait ses constantes, sans doute, ce qui ne l'empêchait pas de varier infiniment selon les régions). Le cœur du refoulé actuel, ce que le temps présent fait semblant de ne pas savoir, ou d'avoir oublié parce que c'est déplaisant, embarrassant, compromettant, c'est qu'une des caractéristiques de la culture, et du statut d'homme ou de femme cultivé, jadis et même naguère, c'était *l'absence* d'accent.

Un homme cultivé qui n'est pas marseillais d'origine, vit à Marseille. On l'entend parler là-bas, on lui dit : « Vous n'êtes pas d'ici, vous, ça s'entend. Vous n'avez pas *l'accent*. » D'une observation juste (en effet il n'a pas *l'accent*) c'est tirer une conclusion exacte (en effet il n'est pas de Marseille) — mais selon un raisonnement faux, ou du moins historiquement inexact : car il y a toujours eu, dans toutes les régions de France, des personnes et même des classes sociales presque entières qui mettaient un point d'honneur (lequel ne leur coûtait guère, souvent, car il était héréditaire), à n'avoir pas d'accent.

Des journalistes de radio d'un certain âge, niçois, rouergats ou béarnais, disent que dans leur jeunesse on ne voulait pas d'eux sur les chaînes nationales parce qu'ils avaient un fort accent régional. Et ils y voient la marque d'un ostracisme aujourd'hui révolu, par chance, à l'endroit des Niçois ou des Béarnais, voire du Béarn ou du Rouergue. Or ostracisme il y avait bien, sans doute. Mais c'était un ostracisme culturel ou un ostracisme de classe, non pas un ostracisme régional, ou anti-régional. Si on ne sollicitait pas leurs services, ce n'était pas parce qu'ils étaient de Villefranche-de-Rouergue, de Salies-de-Béarn ou de La Colle-sur-Loup, mais parce qu'ils avaient un fort accent régional, ce qui à l'époque n'était pas jugé compatible avec la distinction ou la culture requises pour prendre la parole sur certains postes nationaux.

Évidemment l'absence d'accent, elle, était considérée alors comme un accent comme un autre par les personnes qui avaient un accent particulier. Dans le Midi de la France, surtout, cet idéal défaut d'accent était considéré comme un accent du Nord, voire comme un accent parisien (dans le Midi de la France tout ce qui n'est pas du cru est éternellement "parisien"). Et de fait, l'histoire politique, intellectuelle et sociologique de la France (comme l'histoire des États-Unis, curieusement, et comme celle de l'Italie, dans une moindre mesure) ayant été caractérisée — pour le meilleur ou pour le pire, là encore — par la victoire du Nord sur le Sud (avec Simon de Monfort, pour simplifier à l'extrême : avec l'écrasement des Albigeois et l'étouffement presque total, jusqu'à nos jours, des civilisations occitanes et provençales), "l'élocution cultivée", cette "absence d'accent", ressemblait plus à un accent du Nord qu'à un accent du Midi (→ *Gers*).

Si cette absence d'accent (ou cet *accent d'absence*) avait un modèle régional, historiquement, c'était l'accent du val de Loire, c'est-à-dire de la région qui fut à la Renaissance le principal creuset de l'élaboration humaniste (et aristocratique, voire "royale") de la civilisation et de la culture "modernes" de la France. Elle ne ressemblait en rien, en tout cas, à l'accent parisien, et moins encore à l'accent "parigot", qui malgré leur nom sont des accents de classe autant et plus que des accents régionaux.

Au cours des XVIIIe et XIXe siècles le dépôt de la "culture" (qui ne s'appelait pas encore tout à fait comme cela) a été transmis par les classes aristocratiques aux classes bourgeoises, qui en eurent d'emblée une conception *nationale* et, pourrait-on dire (au risque d'un léger anachronisme), "jacobine". La "grande" culture, au moins, c'était la culture nationale, voire internationale ; non pas les diverses cultures régionales (même si celles-ci pouvaient en être une annexe, un ornement). Le français "cultivé", c'était le français de France — une entité presque *u-topique*, en l'occurrence, dépourvue d'assise topographique particulière, au point que ses ennemis pourraient le traiter d'*abstraction*. Mais la loi aussi est une abstraction, la constitution de même, et pareillement la syntaxe, et n'importe quel *formalisme*, qui est toujours l'effet d'un effort d'abstraction, sacrifiant (provisoirement) le particulier à l'élaboration d'un contrat, d'une convention, d'un langage tiers : lequel n'étant à personne pourra être à tout le monde et, de la sorte, favoriser les échanges, ou la paix civile.

Aujourd'hui, la classe culturellement dominante (la "petite-bourgeoisie généralisée", pour aller vite) a peu le goût des abstractions et très fort le goût des particularismes, au contraire (en particulier des particularismes méridionaux, qu'elle a tendance à trouver plus sympathiques que les autres). Accents régionaux et "grande culture" ont cessé d'être incompatibles à ses yeux, à ses oreilles. Mais d'une part elle a tort de considérer (comme c'est pourtant la pente de toute classe culturellement dominante) ses normes particulières comme éternelles (et même *rétrospectivement* éternelles). Et d'autre part il n'est pas certain que le concept de "grande culture" soit très pertinent auprès d'elle, ni qu'elle souhaite qu'il le soit, ou qu'il le devienne.

accords. Il est paradoxal qu'à l'heure de l'écriture inclusive, qui tient si fort à marquer le féminin dans la langue, l'accord au féminin ne se fasse pratiquement plus, au moins sous la forme orale, et notamment pour les participes passés :

> *La fameuse Rose Valland, les listes qu'elles a fait des œuvres spoliées*par les nazis...* (France Culture, "Le cours de l'histoire", 12 janvier 2021)

achalandé. Achalandé, depuis longtemps déjà, glisse de façon qu'on pourrait croire irrépressible vers le contresens institué, un peu comme l'ont fait avant lui *formidable** ou *énervé**. Cependant, dans le cas d'*énervé,* le mouvement semble tellement irréversible qu'il n'y a plus de mouvement, pour ainsi dire ; tandis que les linguistes horrifiés, dans le cas d'*achalandé,* conservent un fragile espoir.

Peut-être n'est-il pas absolument trop tard, en effet, pour rappeler en toute occasion qu'un *chaland* c'est un acheteur, une pratique, un client (ainsi dans l'expression *guetter le chaland*) ; et qu'un magasin *bien achalandé* c'est un magasin qui a beaucoup de clients — nullement un magasin qui offre un grand choix de marchandises.

Dans son emploi hélas le plus courant, indubitablement fautif (nul besoin de faire intervenir ici les "niveaux de langage"), *achalandé* se substitue de manière indéfendable à *approvisionné.*

accuser. Le verbe *accuser* est pris dans l'invraisemblable tourmente qui agite les verbes de la dispute, du contentieux, des mots échangés agressivement. *Insulter, traiter, accuser* intervertissent leurs compléments et leurs constructions, comme si l'appartenance au même registre sémantique faisait d'eux des objets parfaitement interchangeables, grammaticalement. Tandis que désormais on *traite* tout court, sans qu'il soit besoin de préciser de quoi (*elle m'a traité*), on *insulte d*e quelque chose et on *accuse* quelqu'un non plus d'un crime, d'un forfait ou d'une position politique mal vue, mais *de meurtrier, de violeur* ou d'*islamogauchiste* (et non plus de *viol*, de *centrisme* ou de *meurtre* comme devant :

> *Depuis que Zemmour a dit que la terre est ronde, je suis devenu platiste — pas envie qu'on m'accuse de facho, merde !*

acter. On ne peut tout à fait dire que le verbe acter "n'existe pas". Le *Grand Larousse encyclopédique* et le *Grand Robert* l'ignorent, mais, avant eux, le *Larousse du XXᵉ siècle* ("prendre acte") et Littré lui faisaient une petite place. Littré donnait même deux exemples, l'un et l'autre fort peu littéraires :

« M. le baron Jomini propose de ne consigner dans les protocoles que les points sur lesquels la conférence sera d'accord et de ne pas acter les divergences » (Journal officiel, 30 ctobre 1874).

« M. le général de Voigts-Rhetz demande qu'il soit acté au protocole que le bombardement étant un des moyens les plus efficaces... » (Journal officiel, 1ᵉʳ novembre 1874).

Acter existait donc en français au XIXᵉ siècle, très discrètement, pour un rôle très spécialisé, et le verbe a connu au XXᵉ siècle une presque totale éclipse. Au XXIᵉ il revient en force, avec des sens très différents. Les uns relèvent sémantiquement de son histoire, de son passé administratif, du fait de *donner acte*, de l'expression *dont acte*, de l'existence des actes administratifs et d'état-civil : il s'agit d'enregistrer, d'homologuer, de reconnaître officiellement. Les autres ont pour point de départ le signifiant lui-même et sa suggestion d'un acte à poser et à accomplir, d'une action à mener, d'une volonté d'agir. Les premiers sont à peu près admissibles, sans susciter d'enthousiasme, ne serait-ce qu'à cause de la laideur du mot. Les seconds paraissent tout à fait à proscrire.

acteurs. Alors que les acteurs, de théâtre mais surtout de cinéma, de même que les chanteurs, les chanteuses et autres vedettes de variétés, tiennent un rôle de plus en plus important, de plus en visible et de plus en plus direct dans les affaires du monde — l'épitomé de ce mouvement ayant été l'élection de Ronald Reagan à la présidence des États-Unis, mais, depuis lors, il ne se tient guère d'élection importante dans le monde sans qu'une ou plusieurs personnalités de l'univers du spectacle y participent —, le mot *acteur*, lui, glissant dans le même sens, ou ceux qui en sont affublés désormais glissant en sens inverse, a commencé de désigner de plus en plus en souvent les protagonistes d'événements véritables. Sans doute faut-il voir là une marque de la spécularité (*marchande*, fatalement *marchande*) de plus en plus marquée de l'existence. La littérature, bien sûr, et spécialement la littérature dramatique, a toujours su que le monde était un théâtre, et plus encore le monde du pouvoir. Mais elle est arrivée, avant de mourir, à en convaincre le monde et le pouvoir lui-même, qui l'avaient toujours soupçonné eux aussi mais qui paraissent à peu près décidés, désormais, à assumer officiellement cette interchangeabilité. De cela la langue rend compte depuis longtemps (théâtre des opérations, scène artistique locale, rideau final, etc.) mais on dirait qu'elle a décidé de consacrer une bonne fois, presque officiellement, la réalité de cet état de choses : vivre et agir, c'est se produire sur les planches.

« Les Kurdes s'affirment comme des acteurs majeurs et incontournables de la région » (président de l'institut kurde de Paris, France Culture, 18 juin 2015).

« Il faut impérativement amener autant d'acteurs que possible dans cette simplification » (du Code du travail).

« L'État qui réunit régulièrement des tables rondes des acteurs des différentes filières » (on notera au passage un bel exemple de *relative** absolue).

actif /passif. L'un des effets les plus marqués du recul du sentiment grammatical de la langue, de ce que j'ai appelé ailleurs, plus brutalement, l'*effondrement syntaxique,* c'est un effacement dans les esprits, et donc dans les voix, dans les phrases, d'une conscience claire de la distinction entre les formes actives et passives des verbes — des verbes et bien sûr, par voie de conséquence, des situations, des concepts, des récits. Ce dictionnaire abonde en exemples, à propos de verbes particuliers, comme *interdire* ou *spolier.* Mais il faut bien voir que c'est une sorte d'engourdissement général de l'esprit qui s'instaure à cette occasion, comme s'il devenait incapable de concevoir certaines choses, de les comprendre et d'abord de les *voir* : une de mes convictions les plus arrêtées est que la syntaxe constitue, certes, un instrument de classification, de hiérarchisation, de mise en ordre, mais d'abord de *perception,* de vision, de la réalité.

Ainsi cette phrase, notée sur une feuille volante après avoir été, probablement, entendue à la radio ou à la télévision :

À moins de douze ans, ils n'ont pas le droit, en théorie, d'être arrêtés.

Évidemment on pourrait imaginer des histoires ou des situations très compliquées qui rendraient cette phrase légitime, grammaticalement : contexte politique et social où être arrêté (mais seulement à partir de douze ans) serait un *droit*, parce qu'en prison on serait nourri, par exemple, ou protégé des dangers de la vie en liberté. Mais bien entendu le journaliste qui s'exprime là ne veut rien dire de pareil. Ce qu'il veut dire c'est que les policiers ou les juges, les autorités, n'ont pas le droit d'arrêter les enfants de moins de douze ans dont il parlait. Or c'est à la force publique, en l'occurrence, qu'il manque un droit, pas aux enfants. Et la confusion grammaticale est bel et bien, comme il arrive, une confusion d'esprit : elle la suscite, elle la crée, elle se confond avec elle.

Elle est très encouragée en ce dessein par l'anglais, la langue anglaise, qui, plus souple, moins structurée, moins volontariste d'esprit que le français, confond beaucoup plus volontiers les formes actives et passives. Ainsi : *Kobal was given five days to leave the country.* Les Français, par paresse, par lassitude, par anglification ou plus exactement par américanisation des cerveaux, vont finir par traduire, l'ont déjà fait, sans doute : *Kobal a été donné cinq jours pour quitter le pays*, plutôt que : "Cinq jours lui ont été donnés pour quitter le pays", ou "Kobal s'est vu donner cinq jours pour quitter le pays", ou encore "Kobal a été sommé de quitter le pays avant cinq jours". Faut-il le souligner, et contrairement à ce qu'insinue l'anglais, ce n'est pas Kobal qui est donné, ce sont les cinq jours.

Au Burkina Faso, plusieurs régions menacent d'être privées d'élections présidentielles (France Culture, 30 juin 2020). Ce ne

sont pas les régions, qui menacent, ce sont elles qui sont menacées.

Ils vont être volés de leur victoire (ce n'est pas eux qui sont
volés, c'est leur victoire qui leur est volée).

*Lampedusa : Le maire qui refusait en 2019 d'appliquer le décret
Salvini interdisant l'accès des ports italiens, veut absolument qu'on
évacue son île des migrants qui s'y trouvent* (il veut absolument
qu'on évacue de son île les migrants qui s'y trouvent).

*La loi sur le séparatisme continue son examen aujourd'hui à
l'Assemblée générale* (France Culture, mardi 9 février 2021) — ce
n'est pas la loi qui continue son examen, c'est l'examen de la loi
qui continue.

actualité. *Actualité* est un mot qui connaît une carrière agi-
tée. Ses origines ne le préparaient à rien de tel. Il était né dans
un milieu très intellectuel, et plus précisément philosophique,
voire clérical. On dit qu'Albert le Grand était son parrain. Il a
mené longtemps une vie très docte. Au XIXe siècle il a jeté sa
gourme, il s'est compromis dans le journalisme. Au XXe il a fait
ses débuts au cinéma. Entre temps il était devenu pluriel. *Les actualités*, c'étaient les nouvelles du monde, les informations de la
semaine. Cette acception tend à tomber en désuétude, quoiqu'il
y ait encore quelques vieilles personnes pour dire qu'elles ont vu
M. Chirac *aux actualités* de huit heures, il avait l'air d'avoir repris du poil de la bête.

Actualité fait de même, et rebondit dans le langage des
chroniqueurs culturels :

*Adalbert Duperré, si je vous ai invité aujourd'hui, c'est qu'il y
a cet automne une grosse actualité vous concernant, dont j'aimerais*

que nous parlions : d'une part vous sortez trois titres en même temps, ce qui n'est pas rien, d'autre part un très sérieux universitaire canadien vous consacre un essai de huit cents pages, dont nous allons aussi dire un mot. Et puis, last but not least, *le film que Benoît Ouaddad a tiré de votre roman* La Cerise sur le gâteau *sera sur nos écrans mercredi.*

Et alors, question discographie, pour les admirateurs de ce compositeur encore trop méconnu, une superbe actualité Janacek, avec pas moins de quatre, je dis bien quatre, coffrets à des prix très très attractifs.

adjectifs absolus. Certains adjectifs peuvent être appelés *absolus* parce qu'ils signifient de la façon la plus emphatique ce qu'ils ont à signifier, et qu'ils se tiennent d'emblée, et uniquement, au plus haut point de leur sens.

De tels adjectifs n'admettent pas de degré. Ils ne sauraient être relativisés adverbialement. Or une mode plus ou moins consciente, qui a maintenant trente ou quarante ans, consiste précisément en cet exercice : la relativisation adverbiale des adjectifs absolus.

Sans doute s'agissait-il d'une plaisanterie, à l'origine. Le premier qui a dit d'une balle de match, au tennis, d'une allocution présidentielle ou d'une automobile qu'elle était *assez géniale* entendait faire de l'esprit, on veut l'espérer, en accolant ces deux mots parfaitement incompatibles. Un objet, un acte ou un être ne peuvent être *assez géniaux*, ni *un peu géniaux* ni *très géniaux*. Ils sont géniaux ou ils ne le sont pas.

Un film ne peut pas être *assez génial*, un plat ne peut pas être *assez sublime*, ni un livre *très passionnant*, ni une attitude *assez hallucinante*, et pas davantage un regard *relativement terrifiant*.

Du moins ne le peuvent-ils que dans le registre comique. Et dans ce registre-là ils ont épuisé depuis longtemps leur capacité de faire rire, ou seulement de susciter un sourire.

→ *assez.*

adjectif possessif. Le bon ton voulait jadis qu'on usât aussi parcimonieusement que possible, pour soi-même, de l'adjectif possessif, surtout lorsqu'il porte sur quelque objet flatteur; et il proscrivait qu'on abusât de *mon livre, ma villa sur la Côte-d'Azur, mon yacht, mon cabinet d'avocats, mes lecteurs, mes étudiants*. Mais l'usage français tend à bannir également le possessif s'agissant des possessions des autres, lorsqu'il n'y a pas d'ambiguïté; et cela notamment à propos du corps. On se ronge les ongles, on ne ronge pas *ses* ongles. On perd la tête, pas *sa* tête. On se blesse à la cheville, pas à *sa* cheville. Quand le verbe est à la forme pronominale, déjà, la possession est bien suffisamment marquée, et le pronom personnel ne serait pas seulement une inélégance, il constituerait un pléonasme :

Tu me casses mes oreilles.

Je me suis foulé mon poignet.

Je me suis toujours vécu comme un enseignant, dit-il, avec un côté hussard noir. J'ai une blouse grise dans ma tête (auteur interrogé par *Le Monde*, 11 décembre 2020).

*

On évitera aussi l'adjectif possessif lorsque le pronom personnel adverbial en a déjà marqué le détenteur ou la détentrice de la possession :

Mohamed c'est un beau prénom! C'est aussi ça la France et ce qui en fait sa grandeur!

adjectifs (traités *comme des substantifs*). Il faut bien prendre garde qu'un adjectif n'implique pas, ni ne remplace, le substantif qu'il suggère. La suite de la phrase ou du texte ne peut donc renvoyer à lui, de quelque façon que ce soit, comme s'il était un nom :

Et pour la première fois depuis pas mal de temps une assez importante actualité hollandaise, ce qui nous permet de saluer la production cinématographique de ce petit pays, qui n'est pas du tout négligeable— quel petit pays ?

*Les Britanniques sont encore très présents dans les restaurants calaisiens et on a beaucoup de Calaisiens qui y travaillen*t — qui travaille où ? En Grande-Bretagne, bien sûr, le sens est clair, mais, *grammaticalement*, il n'a nulle part été question de la Grande-Bretagne.

Cette remarque, on le voit, vaut particulièrement pour les adjectifs de nationalité.

admirablement. *Admirablement* étant un adverbe superlatif de qualité et même d'excellence, on se gardera de lui accoler l'adverbe *bien*, qui ne lui ajoute strictement rien : *Il a joué la sonate de Franck admirablement bien.* Non : *admirablement* est tout à fait suffisant. Et la même remarque vaut pour *parfaitement, merveilleusement, excellemment*, et a fortiori pour *génialement* ou *sublimement* (dont mieux vaut, de toute façon, ne faire qu'un usage congru...)

adorer (ah! oui, j'adore) → *aimer.*

adresser. Voilà un de ces verbes, comme *initier* ou *interdire*, qui, aussi français qu'on peut l'être, commencent à mener en France une existence toute anglo-saxonne. Son américanisation est aussi syntaxique que sémantique, c'est un changement de structure grammaticale autant qu'un changement de signification — si tant est bien sûr qu'il ne s'agisse pas précisément de la même chose. En français français on adresse une lettre, un colis, un sourire, un souvenir à quelqu'un; en français anglais *on adresse la nation* (on s'adresse à elle) ou on *adresse un problème* (on lui fait face, on s'attaque à lui).

Les supérettes adressent un besoin de proximité (on ne saura pas à qui...).

adverbes. Les adverbes, comme leur nom l'indique, doivent se tenir auprès des verbes, et accessoirement des adjectifs — beaucoup plus rarement des substantifs. Ce sont les verbes que leur sens affecte, ce sont les adjectifs, ce peut être d'autres adverbes, ce ne saurait guère être un nom, encore moins une préposition. On observe cependant une forte tendance du parler contemporain à placer très bizarrement les adverbes :

Et ce point a eu une forte influence sur effectivement la façon d'envisager la Russie contemporaine...

Un être qui peut s'alimenter à partir de pratiquement une sélection de...

Une espèce de suspicion jetée sur au fond les créateurs en tant que tels.

Il (Lionel Jospin) s'est opposé à François Mitterrand sur effectivement la politique du franc fort.

...avec notamment pour la première fois au Japon une croissance négative.

Elle était agacée par aussi toute cette histoire-là (France 2, "Bouillon de Culture", 15 octobre 1999).

Une confusion des thèmes créée par au fond une crise de la pensée progressiste (France Culture, "La Grande Table", 2 janvier 2015).

Est-ce que vous pouvez revenir sur un peu les grandes séquences d'un meeting type ?

Ici le sens est légèrement ambigu. Il semble que le locuteur ait voulu dire :

« Est-ce que vous pouvez revenir un peu sur les grandes séquences, etc. ? »,

mais peut-être aussi :

« Est-ce que vous pourriez revenir sur ce qu'on pourrait un peu appeler les "grandes séquences", etc. ? ».

Parfois un adverbe est bien placé près d'un verbe, mais sa position paraît surprenante néanmoins. C'est qu'il intervient *entre* une préposition et ce même verbe, alors que la préposition, elle aussi, en est difficilement détachable :

Ces derniers jours, les plus hauts dignitaires du régime en étaient à <u>discrètement demander</u> aux journalistes ce qu'ils savaient (*Le Monde*, mercredi 27 janvier 1999 — « ...à demander discrètement » aurait sans aucun doute été de meilleure langue).

En règle générale, mieux vaut ne pas séparer les prépositions et locutions prépositives du terme par rapport auquel elles sont en fonction de préposition, ce qu'il est convenu d'appeler leur *régime* : plutôt que *à partir de pratiquement toutes les villes de la côte*, « à partir de toutes les villes de la côte, pratiquement ».

Cette question de la place de l'adverbe — place devenue si étrange, souvent, et si mal justifiée — en français contemporain, est étroitement liée, on le voit, à la question de la préposition et à ce qui semble devoir être appelé *la crise de la préposition*. C'est parce que la préposition remplit de plus en plus mal son rôle prépositif que les locuteurs sont tentés d'introduire, entre elle et son objet, des adverbes qui paraissent si bizarrement placés. Ce dont il est ici traité pourrait donc l'être tout aussi bien à l'article *préposition**.

À l'exception d'un peu la presse écrite... (Charles Enderlin, France Culture, 17 mai 2018).

On est sur quand même un temps assez long. Ici la bizarrerie du positionnement de la locution adverbiale se combine avec le fameux *être sur*, si typique de la langue du jour.

J'ai la chance d'avoir un éditeur qui me laisse libre de faire des livres dans effectivement lesquels les notes occupent une place très importante (invité, France Culture, "La suite dans les idées", samedi 13 mars 2021).

aimer. Une tendance générale du français contemporain, partiellement entraînée par le désir publicitaire de surprendre, est de transitiver les verbes intransitifs (*penser les retraites, mal vivre le remariage de son père, travailler ses deltoïdes*) et d'employer intransitivement les verbes transitifs : *Ah! moi tout ce qui est montagne, j'adore. T'aimes ?*

Cette "intransitivisation" de *aimer* et de *adorer*, en particulier, est toute relative, certes, car dans la plupart des emplois qui en sont marqués le complément est fortement sous-entendu, et le plus souvent il a fait l'objet d'un simple déplacement :

La précarité, les syndicats américains aiment de moins en moins. (France Culture, Informations, 11 octobre 1999).

Le poisson, les fruits de mer, j'aime beaucoup.

Le cinéma portugais, j'adore.

Il reste que des verbes éminemment transitifs demeurent en suspens dans l'air, ce que la langue traditionnelle, dans les constructions du même genre, évitait par le recours à un pronom démonstratif qu'on pourrait dire *de récapitulation,* et dont le rôle était purement fonctionnel, ou structurel : « le théâtre scandinave, j'ai toujours beaucoup aimé *cela* », « les excursions, les voyages, les croisières, toutes les occasions de mettre le nez dehors, j'adore *ça* ».

Cependant il faut reconnaître que *aimer,* dans la langue classique, n'était pas toujours transitif :

« J'aimais, Seigneur, j'aimais, je voulais être aimée » (Racine).

[*Mme Récamier*] « n'a jamais aimé de passion et de flamme ; mais cet immense besoin d'aimer que porte en elle toute âme tendre se changeait pour elle en un infini besoin de plaire, ou mieux d'être aimée » (Sainte-Beuve).

Il s'agit là d'un usage *absolu* du verbe qui n'a que très peu de chose à voir, à la vérité, avec l'emploi artificiellement intransitif auquel il est soumis de nos jours.

Ce qui peut déplaire, de toute façon, ce n'est pas tant qu'*aimer* ou *adorer* soient employés sans complément immédiat, c'est surtout que cette tournure soit si manifestement un tic de langage, lié de la façon la plus étroite à une époque et à un niveau de discours, en l'occurrence assez médiocre.

Mireille David, vous faites partie de ceux qui ont aimé, je crois ?

à la faveur, en faveur. Il importe de ne pas confondre les expressions *en faveur de,* qui veut dire *au profit de, au bénéfice de, de façon favorable à,* et *à la faveur de,* qui signifie *en tirant profit de, en étant favorisé par.* Cette confusion de plus en plus fréquente est tout à fait fâcheuse, mais il faut admettre à sa décharge qu'elle a parfois des conséquences d'une assez poétique cocasserie :

Dans Lhassa, certains groupes tibétains non identifiés ont tenté un soulèvement en faveur de la nuit (Informations de France Culture).

à la fois. Une mode récente — et qui laisse bien paraître le mouvement de dévaluation dont le langage est victime, et la tendance concomitante à recourir, même dans l'usage ordinaire, à des formes d'insistance, seraient-elles tout à fait absurdes — consiste à employer deux fois *à la fois,* dans une même phrase, et sur un même sujet. C'est se méprendre totalement sur le sens de cette tournure.

Il est à la fois très proche de ses enfants, quelque part, et à la fois ce sont pour lui presque des étrangers, tu vois, c'est ça qu'est marrant.

Ou bien :

À la fois il voudrait qu'on lui fasse complètement confiance, tu vois, et qu'on soit avec lui exactement comme on est entre nous ; et à la fois il peut pas s'empêcher, pour nous montrer son intelligence, de nous raconter en détail tous les bons tours qu'il a joués à tout le monde, là où il était avant.

Il arrive très fréquemment aussi, par l'effet d'un scrupule confus, que ce deuxième *à la fois* soit remplacé par *en même temps* :

Il est à la fois très égoïste et en même temps si tu veux il a des gestes d'une générosité incroyable.

C'était un personnage à la fois entier et en même temps d'une immense tendresse (Benoît Hamon, candidat à la présidence la République, à propos d'Henri Emmanuelli, ancien président de l'Assemblée nationale, qui vient de mourir — 26 mars 2017).

Mais ce n'est pas plus défendable. Un seul *à la fois* ou un seul *en même temps* marquent suffisamment — c'est même là leur seule fonction — que se déroulent dans le même temps *deux* actions, ou que se manifestent simultanément *deux* attitudes, *deux* sentiments ou *deux* qualités, éventuellement contradictoires. Il est inutile d'insister, et même c'est commettre un pléonasme caractérisé.

Si on élargit l'assiette des cotisations aux revenus financiers, on peut à la fois augmenter les pensions, tout en réduisant l'âge de départ à la retraite (Mme Clémentine Autain, 22 août 2020).

J'ai vécu une expérience à la fois fabuleuse et à la fois traumatisante (invité, France Culture, 4 novembre 2020).

À la fois les frontières sont ouvertes et à la fois vous* avez des avancées technologiques qui compliquent beaucoup les choses (id., id., 2 décembre 2020).

Le lieutenant Morel était quelqu'un à la fois très rigoureux mais à la fois juste (maire d'Ambert, France 2, journal du soir, 23 décembre 2020).

Je termine par un livre qui est à la fois un livre de chercheur mais aussi un livre d'intervention dans le débat public (France Culture, "La suite dans les idées", 19 décembre 2020).

C'est à la fois une force et à la fois une grande difficulté (France Culture, "Le cours de l'histoire", 8 janvier 2021).

*

Les romanciers teintés de décadence de la fin du XIXe siècle — les Huysmans, les Bourget, les Henri de Régnier —, avaient d'*à la fois un* usage assez singulier, auquel on peut trouver encore un certain charme, non exempt de préciosité. L'étrangeté venait entièrement de la position de l'expression. Au lieu d'écrire d'un personnage quelconque qu'il était « à la fois très emporté et très méditatif », par exemple, ils disaient qu'il était « très emporté, à la fois, et très méditatif ».

à la limite. À la limite tient une place de choix dans l'arsenal langagier de base au tournant du millénaire. Il n'y a pas grand-chose à lui reprocher, sinon de servir à tout et à n'importe quoi. *À la limite* ne souffre que de sa popularité, et nous aussi.

À la limite a si souvent l'occasion de servir qu'à force il ne sert plus à rien de précis. Le sens de cette expression est devenu extrêmement nébuleux. Il s'étend de *au pire* jusqu'à *réflexion faite*, de *si l'occasion se présente* jusqu'à *si c'était à refaire*, en passant par *j'étais à deux doigts de* et *tant qu'à faire*.

À la limite j'aimerais autant rentrer à pied.

À la limite elle aurait pu m'appeler.

À la limite je lui foutais mon point dans la gueule, au mec.

À la limite on aurait plutôt dû faire le Maroc.

Remarque à la limite je peux toujours coucher chez mes parents.

Elle f'rait p'têt' mieux d'le quitter une bonne fois, à la limite.
(→ **limite**)

à laquelle, auquel, auxquels, auxquelles. *C'est à une mobili-sation générale à laquelle nous a invités le chef de l'État* (Premier ministre, 21 janvier 2015).

Avant de faire usage de ces pronoms relatifs complexes il faut bien se souvenir qu'ils ont tous en commun un *à* incorporé (plus ou moins étroitement incorporé, d'ailleurs : *à laquelle*) et il faut s'assurer que le travail de ce *à* n'a pas été déjà accompli, en général par un autre *à*, ou par *au*, en amont dans la phrase. Si ce travail a été fait il ne faut surtout pas le répéter, il faut dire *que*. On peut dire "C'est une mobilisation générale à laquelle nous a invités le chef de l'État", on peut dire, et plutôt mieux, "C'est à une mobilisation générale que nous a invités le chef de l'État" — il y a d'ailleurs d'assez sérieuses nuances de sens entre les deux propositions ; mais on ne peut absolument pas dire : *C'est à une mobilisation générale à laquelle nous a invités le chef de l'État.*

La (petite) difficulté qui se rencontre là est tout à fait du même ordre que celle qui se présente aux abords de *dont** : pas de *dont* après *de* (*C'est de l'État islamique dont nous allons parler maintenant*).

à le, à Le, au. Que la préposition à, associée aux articles le ou les, se convertisse en les articles contractés au ou aux, c'était jadis pour les Français plus et moins qu'une règle de grammaire, une évidence qui relevait autant et plus de l'instinct de la langue, avec tout ce qu'il a de naturellement créé, d'atavique, d'immémorial, que de la grammaire. Il semble qu'il n'en aille plus ainsi.

Il y eut d'abord, de tout temps, la légère complication des noms de famille, pour lesquels cette plus-que-règle ne s'appliquait pas — et il faut reconnaître qu'ils faisaient, d'emblée, une fameuse exception, souvent bretonne : on veille au grain, on se rend au Havre, mais on s'adresse à Le Driant, à Le Troquer, à Le Hideux. Pour les noms propres autres que les patronymes, et bien sûr pour les noms communs, la règle s'applique rigoureusement : on dîne au restaurant, on séjourne au Puy, on passe ses vacances au Mont-Dore, au Palais, au Tréport ou au Touquet.

Hélas, ce qui semblait une évidence ne l'est plus, soit que les patronymes insécables aient déteint sur les autres noms propres, que les noms de personne aient imposé leur loi aux noms de lieu, soit, et plus vraisemblablement, et surtout, que les formulaires tout formatés, les syntagmes figés et tout particulièrement les automatismes imposés par l'informatique (et par le remplacisme global, qui veut des formules toutes faites, échangeables) aient rendu impossible, techniquement, l'alliage de la préposition et de l'article. Vous arrivez en gare de Le Mans, entendait-on naguère à la gare du Mans (je ne sais si c'est encore le cas) — notons que ce qui est valable pour à le, au, l'est tout autant pour de le, de Le, du. Dans Belle-Île on se rend couramment à Le Palais, ou plus étrangement encore, à Palais. Si les gens prenaient encore le bateau, beaucoup s'embarqueraient à Le Havre.

L'église Saint-Saturnin est une église catholique située à Le Bourg, dans le département du Lot, en France (Wikipédia).

FLASH — Une violente rixe a éclaté à Le #Mans cette nuit. Des dizaines de jeunes ont balancé des chaises & des tables sur les clients du Café Crème vers 00h30. La #police est intervenue, notamment avec du gaz lacrymo. Aucune interpellation, des blessés (Mediavenir).

à l'envi. À *l'envi* est le cauchemar de l'écrivain, de nos jours. Jadis les imprimeurs *enlevaient* des fautes, dans les textes, maintenant il n'est pas rare qu'ils en ajoutent. Quelques-uns d'entre eux ont une passion, en particulier, pour mettre un *e* à à *l'envi*.

On est sûr d'avoir bien écrit à *l'envi*, comme Mallarmé (*O bords siciliens d'un calme marécage / Qu'à l'envi de soleils ma vanité saccage*). Premières épreuves : à *l'envie*. On corrige, on enlève le *e*. Deuxièmes épreuves : il a été rétabli, re-à *l'envie*. On commence à s'irriter, on se plaint à l'éditeur. Il vous prodigue toute sorte d'assurances. Le livre paraît : à *l'envie*. Et vous, vous surtout, vous qui vous mêlez sans cesse de donner aux autres des leçons, vous avez l'air malin...

Alexis. Le beau prénom d'*Alexis* perd tout son charme aristocratique et virgilien lorsque s'abat sur lui une prononciation balourde qui en fait sonner le *s* final, et qui témoigne suffisamment, de la sorte, qu'elle n'est pas du même monde que lui, et qu'elle ne sait rien de sa longue histoire [1]

---

1. Un savant lecteur m'écrit à ce sujet :

almanach. Littré, toujours soucieux de "prononciation soutenue", rappelait qu'il fallait prononcer le son *k* final dans les liaisons : *un almana'k'intéréssant.* Cette remarque est on ne peut plus juste, mais aujourd'hui, hélas, il semble plus urgent de rappeler ce qui pour Littré allait sans dire, évidemment : à savoir que le *ch* d'*almanach* — hors le cas de liaison, donc — est muet dans la "prononciation soutenue".

Nombre de ces consonnes finales de mots français et de noms propres, ainsi que beaucoup de consonnes intérieures, d'ailleurs, sont le théâtre d'une sourde guerre entre "prononciation soutenue" et prononciation... *non-soutenue* — laquelle, nonobstant le peu d'appui dont elle dispose, gagne la plupart des batailles.

Pour n'être pas *soutenue* elle est tout de même assez scrupuleuse, au demeurant, puisqu'elle s'applique à prononcer *toutes* les lettres qui sont écrites. C'est malheureusement en quoi elle

---

« Monsieur,

« Je crois que le cas d'Alexis ne doit pas être traité indépendamment de celui des noms propres terminés par un "s" précédé d'une voyelle, pour lesquels, à l'âge classique, on laissait l'"s" oisif :

Tu me verras périr, en perdant Adonis, Et j'espère par là voir tous mes maux finis (Jean Donneau de Visé, *Les Amours de Vénus et d'Adonis*, acte I, sc. I)

« Chriseis. — *Ces doux ravissements vous étaient inconnus ?* Adonis. — *Je crois qu'on ne les peut avoir que pour Vénus!* (Jean Donneau de Visé, *Les Amours de Vénus et d'Adonis*, acte Iᵉʳ, sc. IV.)

« *Symmaque, au nom de tous, dont les cœurs sont ravis, Orne de mots pompeux la gloire de Clovis* (Jean Desmarets de Saint-Sorlin, *Clovis ou La France chrétienne*, livre XVII.)

« Le prénom "Alexis" ayant été régulièrement donné depuis lors dans les familles qui veulent paraître, la non-prononciation de l'"s" s'est maintenue en devenant un schibboleth, un peu comme celle de l'"s" de *Ghislain, Ghislaine.*

« Aurions-nous fait perdre à tous ces noms latins (et à d'autres comme *Clovis*, par analogie) un « charme aristocratique et virgilien » en recommençant à prononcer un "s" que les Romains prononçaient ?

se fourvoie ; car les mots français sont pleins de lettres qui sont là pour des raisons historiques, ou étymologiques, et qui ne doivent pas se prononcer — même si elles influent, souvent, sur la prononciation des lettres voisines.

alphabétique (ordre et classement). L'ordre alphabétique paraît rigoureux, incontestable et simple, et de fait son invention progressive, entre le XIIIe et le XVIIIe siècle (le premier dictionnaire de l'Académie française classe encore les mots par leurs racines), a marqué non seulement un considérable progrès de la commodité mais une décisive avancée de la science, de l'érudition et de la lexicographie. Il convient toutefois de remarquer, et on n'en a que trop l'occasion, que cet ordre, comme il arrive, n'est pas tout à fait aussi rigoureux qu'il en a l'air et qu'il n'est pas sans laisser place à un certain degré d'initiative personnelle et de fantaisie. La principale distinction, objet d'un choix nécessaire du lexicographe, est entre l'ordre ou classement continu et l'ordre ou classement discontinu. L'ordre continu, le plus strictement alphabétique, ne tient compte ni des espaces, ni des traits d'union, ni des apostrophes, parenthèses, crochets

---

« Il faudrait conclure que cette perte est irréparable. Je me console en considérant que ce "charme aristocratique et virgilien" de l'"s" qui ne se fait pas entendre est principalement une nostalgie du siècle de Louis XIV, et que l'"s" qui se fait entendre n'ôte rien au véritable "charme aristocratique et virgilien" du siècle d'Auguste.

« Reste que, moi non plus, je ne prononce pas l'"s" d'Alexis, bien entendu, puisque c'est l'usage des gens du bel air.

« Recevez l'expression de ma considération. »

Ainsi on prononçait l'*s au temps du doux Virgile.* Je renonce au « charme aristocratique et virgilien » — disons alors : *aristocratique et pastoral, Grand Siècle et bergeries...*

ou autres barres obliques : il met adverbe avant à la fois. L'ordre discontinu, lui, procède mot par mot : il en fini avec les a, puis avec les à, avant de passer à abécédaire, et place donc à la fois avant adverbe.

En cas de titre d'entrée complexe, à plusieurs mots, il est souvent tentant pour le classificateur de regrouper tous les premiers mots semblables avant de passer au premier mot suivant. L'exemple classique est celui des nombreux noms de lieu ou noms de personne (on met les noms de lieu avant les noms de personne) commençant par Saint ou par Sainte. Le guide Michelin choisit de traiter d'abord tous les Saints avant de passer aux Saintes (« STE (Sainte) voir après la nomenclature des Saints »). Selon l'ordre continu, Sainte-Énimie viendrait avant Saint-Estèphe. C'est le parti suivi par la plupart des dictionnaires. Le Code postal, néanmoins, procède comme le guide Michelin : tous les saints, puis toutes les Saintes. Il place néanmoins Saintes-Maries-de-la-Mer près de Saintes (alphabétiquement), tandis que le Guide rouge n'en traite qu'à la fin de la liste des Sainte-, encore qu'avant Sainte-Verge. Le nom officiel du haut lieu de la dévotion gitane est Saintes-Marie-de-la-Mer, mais il le semble qu'on va ou qu'on séjourne plutôt aux Saintes-Marie-de-la-Mer, ce qui impliquerait que le nom véritable est Les Saintes-Marie-de-la-Mer. L'entrée Wikipédia pour cette commune dit : « Saintes-Marie-de-la-Mer ou Les Saintes-Marie-de-la-Mer ».

Les noms propres en général sont l'occasion de nettes délicatesses de classement. Les mêmes, selon qu'ils désignent des lieux ou des personnes, peuvent être rangés à des endroits très différents. Ainsi La Rochefoucauld, petite ville de l'Angoumois, figurera dans la plupart des dictionnaires à Rochefoucauld (La), comme Rochelle (La) ou Mans (Le), tandis que La Rochefoucauld, le moraliste, sera rangé à La Rochefoucauld. C'est que les noms de lieux qui s'ouvrent par un article, au moins quand celui-ci est masculin ou pluriel, se prêtent à la contraction de cet article ("se rendre au Mans", "philosopher au Havre", "skier aux Arcs"), tandis que les noms de personnes, en de pareils cas, sont insécables ("parler à Le Driant" et pas au Driant, vouer une grande admiration à Le Corbusier et non pas au Corbusier ou à Corbusier).

Pour les noms de personne que précède une particule on ne tient pas compte de celle-ci dans le classement alphabétique car elle ne fait pas partie du nom. Dans les listes de pensionnaires à l'Académie de France à Rome, Villa Médicis, c'est tout à fait à tort que l'écrivain Philippe de La Génardière était classé à la lettre d, de La Génardière. La règle est différente quand il s'agit de particules étrangères, qui, elles, au contraire, font partie intégrante du nom. Giorgio De Chirico doit être rangé à De Chirico car tel est son nom, et non pas Chirico. Ces particules étrangères, le plus souvent italiennes, espagnoles ou portugaises, se signalent en général par une capitale : De Santis, Da Ponte, Dos Santos, etc.

S'agissant des titres d'œuvres, livres, films, opéras, tableaux, etc., il faut reconnaître que les règles sont un peu bizarres, étroitement apparentées à celles qui régissent l'attribution des capitales, ou majuscules. Les titres qui commencent par un article défini sont classés au premier mot qui les suit, même s'il s'agit d'un adjectif — l'article est placé après le corps du titre ; entre parenthèses : *Journal d'un curé de campagne (Le)*, *Journal d'un vice*, *Journal d'un substitut de campagne*, *Journal d'une femme de chambre (Le)*, *Journal tombe à cinq heures (Le)*, *Jours tranquilles à Clichy*, *Joyeuse Divorcée (La)*, *Joyeuse Suicidée (La)*, *Joyeuses Pâques*. En revanche — est-ce parce qu'ils sont beaucoup moins nombreux ? —, les titres qui commencent par un article indéfini sont classés à celui-ci : *Un vrai crime d'amour*,

Un week-end sur deux, Un Yankee à la cour du roi Arthur, Une affaire d'hommes, Une affaire de cœur, Une affaire de femmes — je suis ici le guide des films de Jean Tulard, qui s'est rangé comme on voit au classement discontinu : sans quoi *Une affaire de cœur* et *Une affaire de femmes* auraient dû être rangés avant *Une affaire d'hommes*.

Toujours à propos des titres, mais seulement des titres verbaux, il existe une différence entre le régime de classement et le régime des capitales : ils sont classés à leur première lettre sauf quand ils commencent par un article défini : *Y a-t-il un pilote dans l'avion* est rangé à Y mais *Le facteur sonne toujours trois fois* est rangé à F — pourtant *facteur* ne porte pas de capitale, en pareil cas, mais seulement *Le*.

alternative (*l'autre alternative*). Pour qu'il y ait une *alternative*, il faut qu'il y ait deux termes. L'un et l'autre termes d'une *alternative* ne sont pas chacun *une alternative*. L'expression *une autre alternative* est en général employée à tort. Cependant elle n'est pas condamnable en soi. *Une autre alternative*, ce sont deux éventualités de plus. S'il y a déjà *une* alternative, et s'il est question d'*une autre alternative*, les éventualités sont quatre en tout.

amener, apporter. Malgré les objurgations séculaires des linguistes et des grammairiens, la confusion entre ces deux verbes va sans cesse s'aggravant. Dans *amener* il est pourtant assez facile d'entendre *mener*, c'est-à-dire *conduire, guider, diriger* ; et, dans *apporter, porter*. On *amène* des êtres animés, un ami, sa famille, un cheval, et on *apporte* des objets inanimés, un livre, une plante, un fer à repasser, une bouteille de vin. Cette distinction si négligée est l'une des plus claires de la langue.

Si très légère difficulté il y a, c'est à propos des objets qui, bien qu'inanimés par eux-mêmes, sont néanmoins automobiles. « Je vous amène une voiture » semble plus judicieux que *je vous apporte une voiture* — sauf si la voiture est sur un camion...

Quid alors d'une bicyclette, objet inanimé qui n'est même pas automobile, mais dont il est absurde de dire qu'on *l'apporte* quand c'est elle qui vous a porté ? Si l'on est venu *sur* la bicyclette, *amène*. Si la bicyclette était dans une voiture ou dans une fourgonnette, *apporte*. Si, étant soi-même sur une bicyclette, on en tenait une autre par le bras..., *amène* semblerait-il, car l'idée de *porter* ni celle de *transporter* n'ont ici de pertinence. Cependant on arrive là à un tel degré de scrupule qu'*apporte* ne serait pas bien grave, certainement.

C'est par délicatesse, et pour n'avoir pas l'air de lui dénier la qualité de vivant, qu'on dirait qu'on *amène*, bien sûr, une personne paralysée. On pourrait dire aussi qu'on la *transporte*. Mais il y a une nuance de sens, comme toujours. Des infirmiers diront qu'ils *transportent*, des amis diront qu'ils *amènent* — signifiant par là que l'essentiel pour eux est la personne elle-même et sa présence ici ou là, pas la paralysie.

S'agissant maintenant d'un corps tout à fait et définitivement inanimé, nommément d'un cadavre, d'une dépouille mortuaire, le verbe *amener* sera préférable, par respect humain, au moins dans un premier temps. Toutefois, si les moines de Locmirou s'installent à Trégornec après onze siècles de séjour auprès du corps de saint Arnulfe, on pourra dire qu'ils *apportent* en leur nouveau couvent la dépouille de leur fondateur, mort en 877.

Il faut prendre grand soin de ne pas confondre *apporter* et *rapporter*. À moins qu'il ne s'agisse de propos (mais on serait là dans un tout autre registre sémantique), on peut rapporter seulement ce qu'on a emporté, ou emprunté. "Je vous rapporte votre livre", "il m'a rapporté le râteau que je lui avais prêté", mais "je vous ai apporté du jambon, du pain, et un peu de poulet froid", pas *je vous ai rapporté du jambon*. A fortiori, puisque de toute façon le verbe n'est pas le bon, on ne *ramènera* pas une bouteille de vin, un radiateur, un magazine, les journaux, un présent.

Je vous ai ramené Gala, *ça vous videra la tête.*

anglais. Au siècle dernier le linguiste, sinologue et polémiste René Étiemble, dit Étiemble tout court (*Éthy-amble*, insistait-il), s'était fait une spécialité de la lutte contre le *franglais*, un mot qu'il n'avait pas inventé, je crois, mais qu'il a grandement popularisé. Lui combattait surtout l'usage en français de mots et d'expressions anglo-saxonnes. C'était bien sûr à juste titre, et la situation s'est grandement aggravée depuis ses campagnes, et malgré elles. J'avoue être moins rigoureux que lui dans la volonté d'exclure, et trouver que quelques emprunts judicieux ici et là peuvent contribuer à l'alacrité d'un style, surtout quand ils sont opérés avec un certain humour, *tongue in cheek*, si je puis dire. Il est surtout fâcheux que ces emprunts doivent se faire très majoritairement et presque exclusivement à la langue anglaise, pour la simple raison que les chances d'être compris s'amenuisent considérablement sitôt que l'on passe à l'allemand, à l'italien, à l'espagnol, ne parlons pas du russe, du polonais ou du suédois, *not to mention* le japonais et le chinois ; sans compter que les locuteurs à même de procéder à de pareils emprunts sont eux-mêmes beaucoup moins nombreux que ceux qui peuvent puiser dans leur connaissance de l'anglais. Et pour s'en tenir à cette seule langue le principe de l'emprunt ou de la référence est moins regrettable à mon avis, en soi, que ses applications les plus banales, rituelles, automatiques et parfois inconscientes, ou bien qui visent à quelque effet d'esbroufe ou de prestige social — le cinéma français de comédie a tiré un large parti comique de ce travers facilement ridicule (ou qui l'était jadis mais ne le paraît plus guère, tant le franglais est en effet répandu, de sorte que ses connotations sociales et psychologiques se sont beaucoup estompées, et que souvent il se remarque à peine).

J'avais vraiment besoin d'un break, j'étais au bord du burn out complet.

Cependant c'est bien moins dans le vocabulaire que dans la syntaxe, ou dans l'*absence de syntaxe*, dans la structure ou l'absence de structure de la phrase, et donc de la pensée, que les emprunts à l'anglais sont fâcheux, dangereux, et d'ores et déjà ravageurs. Il est très curieux que les Français, qui dans l'ensemble, il faut bien le dire, maîtrisent assez mal la langue anglaise, témoignent une telle maîtrise de sa grammaire et une si pénétrante connaissance de sa structure profonde dès lors qu'ils s'expriment dans leur propre langue. Ils ne parlent bien l'anglais qu'en français.

La formidable et très spectaculaire révolution d'usage qui affecte le verbe *interdire**, par exemple, depuis une dizaine d'années, pourrait très bien n'être due qu'à de mauvaises et paresseuses traductions. C'est ainsi que *He was forbidden to leave the country* est devenu, *nolens volens, il a été interdit de quitter le pays*, substitué aux traditionnels "on lui a interdit de quitter le pays" ou "il s'est vu interdire de quitter le pays".

La langue anglaise a tendance à confondre, c'est-à-dire à broyer, la forme active et la forme passive, l'auxiliaire *être* et l'auxiliaire *avoir*. *I'm not finished*, dit-elle volontiers, et pas seulement dans le sens de "je ne suis pas fini", "j'ai encore des ressources", mais dans celui, plus inattendu de "je n'ai pas fini". On ne sache pas qu'un locuteur français ait encore dit *je ne suis pas fini* pour signifier "j'ai encore quelque chose à dire", mais cela ne saurait tarder, au rythme où se sont répandus les *la manifestation est interdite de place de la Bastille*, les *il viole une prostituée et la dérobe de toutes ses économies*, et autres *en fin de stage* [d'anglais] *nous avons été donnés chacun un parapluie ou une théière* (ce qui prouve à la fois l'efficacité et les dangers du stage).

Il était amoureux d'une femme que l'establishment ne lui permettait pas de marier.

Cinq divisions allemandes sont ordonnées de rester en Italie.

Est-ce que vous êtes o.k. pour samedi ?

Les écoles n'ont pas été données les moyens humains nécessaires pour lutter contre la pandémie (invité, "Les Matins de France Culture", 26 mars 2021 — faut-il encore relever (on pourrait facilement être un peu découragé...) qu'en français, et en bonne logique, ce sont les *moyens*, qui n'ont pas été donnés : pas les écoles ; les écoles, elles, ne les ont pas *reçus*).

années. Dans l'usage français "moderne" mais déjà désuet, chassé qu'il a été par l'usage anglo-saxon, *les années trente* c'étaient les années qui s'étendent de 1928 à 1932, plus ou moins. On pouvait parler aussi des *années vingt-cinq*, ou des *années trente-six trente-sept.*

En Angleterre et aux États-Unis, les *nineties* ou les *twenties* se sont *les années quatre-vingt-dix* ou *les années vingt*, en un sens nettement différent du sens français — un sens où il faut entendre les dix années, au cours d'un siècle, où figure le nombre *quatre-vingt-dix* ou le nombre *vingt*. Dans cette acception là, *les années trente*, ce ne sont plus les années 1929, 1930 ou 1931, ce sont les années qui s'étendent de 1930 à 1939.

Ce sens nouveau s'est à peu près complètement substitué à l'autre. Il n'y a pas lieu de le déplorer trop vivement car il est ingénieux, clair, et plus utile que celui qui l'écarte. C'est au point qu'on voit mal comment nous pourrions nous en passer.

*

Nombre de Français de l'extrême Sud de la France prononcent volontiers une *an-née* plutôt qu'une *a-née* ou une *an-ne'ée*. Ils n'ont pas tort, ils ont même le droit pour eux, le bon sens et l'Histoire. Cependant avoir raison leur porte tort, ou leur *portait* tort, car la prononciation *an-née*, pour logique et bien fondée qu'elle soit, relève typiquement de cet accent méridional que la bonne éducation sociale et scolaire avait pour mission de faire perdre, en des temps moins anciens qu'on ne croit.

à nouveau, de nouveau. Il n'est pas rare qu'on éprouve la tentation de dire ou d'écrire *à nouveau* plutôt que *de nouveau*, tout simplement parce que *à nouveau* est beaucoup moins répandu que *de nouveau*, et qu'on espère, en faisant appel à cette locution adverbiale recherchée, conférer à son style ou à sa phrase un cachet dont on craint qu'il ne le lui fasse défaut. Faux calcul.

« *À nouveau* ne se rencontre chez aucun bon écrivain classique, estimait Abel Hermant. C'est une invention récente des gens qui "ne peuvent pas s'exprimer comme tout le monde" ». Et André Thérive de renchérir : « J'avoue que son origine n'est pas noble. *À nouveau* appartint d'abord exclusivement au langage des lettres d'affaires. »

À nouveau n'est nullement à prohiber pour autant. Mais il ne faut pas en abuser, et surtout ce serait une erreur de prendre pour interchangeables les deux expressions, *à nouveau* et *de nouveau* : il existe entre elles des nuances de sens dont il convient de tenir compte, et qu'il serait fâcheux de laisser perdre.

De nouveau veut dire *une fois de plus, une nouvelle fois, en une autre occasion*. « Cet été il est allé de nouveau à Perros-Guirrec, pour voir Marianne. »

À nouveau, autant et plus que l'idée de répétition, implique celle de recommencement et même de re-*commencement*, de reprise d'une action à son début, à partir de bases entièrement nouvelles et selon des méthodes toutes différentes.

Peindre son appartement *de nouveau*, c'est le peindre une fois de plus. Le peindre *à nouveau* c'est le repeindre à neuf, comme s'il n'avait jamais été peint. Gide, d'ailleurs, employait volontiers *à neuf* pour *à nouveau*.

Plusieurs auteurs donnent *de nouveau* pour équivalent de *derechef* *. C'est tenir assez peu de compte de l'étymologie de ce dernier adverbe, pourtant clairement audible en lui. *Derechef* correspondrait plutôt à *à nouveau*, puisque dans l'un et l'autre cas on recommence tout au début, comme si l'action précédente n'avait pas eu lieu, ou bien comme si elle avait été menée selon des principes qu'on récuse, ou qu'on abandonne.

antéposition. Adjectif, participe présent ou participe passé *antéposés*, en ouverture de phrase, par exemple, ne peuvent se rapporter qu'au sujet du verbe, pas à son complément. Faute de se plier à cette règle simple, on tombe dans l'obscurité ou, si le sens reste clair, dans l'illogisme ou dans la cocasserie :

Aménagé dans la pièce de l'ancien four à pain du Domaine, Jérôme Martin vous invite à venir découvrir le caveau — on suppose que c'est le caveau qui est aménagé dans l'ancien four à pain, pas Jérôme Martin. (Pour la capitale à *Domaine*, voir *copie (préparation de).*)

Appelé à prendre en charge les destinées du département, soyez assurés de ma fidélité, restant d'abord l'élu du Canton de Valence sur Baïse. (Pour la capitale à *Canton*, voir *copie (préparation de).*)

Propriété de Michel Chevalier, son descendant, Henri Leroy-Beaulieu, a réuni dans cette demeure prestigieuse tous les souvenirs du grand homme d'État. (Revue trimestrielle du club cévenol)

Stoppé net dans sa progression, Thiercelin et Autissier vont le doubler.

Entré, à vingt-trois ans, dans le groupe, en 1975, comme conducteur de travaux sur le chantier parisien des Halles, M. Bouygues [Martin, le fils] *crée en 1978 la société Maison Bouygues. Nommé membre du conseil d'administration de Bouygues en 1982, Francis* [le père] *lui confiera en 1986 un second secteur-clé : la responsabilité de la SAUR, puis deviendra vice-président du groupe en 1987, avant d'en prendre la présidence.* (*Le Monde*, 11 août 1998 : ici le désordre syntaxique est total, puisque deux verbes se succédant dans la même phrase, au même mode et au même temps (*confiera* et *deviendra*) n'ont en fait pas du tout le même sujet. On est au bord de la complète inintelligibilité).

Il peut arriver que l'adjectif ou le participe antéposés ne se rapportent à aucun des substantifs qui suivent, ni au sujet du verbe ni à l'un ou à l'autre de ses compléments directs ou indirects :

Absent pour le moment, vous pouvez laisser un message après le bip.

Qualifié déjà de voyage historique, Bill Clinton se rendra demain soir à Gaza (France 2, samedi 12 décembre 1998).

Atteint de troubles cognitifs, c'est sa femme qui a dû décider pour lui (France 2, journal du soir, 29 décembre 2020).

La bonne règle n'est guère respectée, on le voit. Mais il faut reconnaître à la décharge des contrevenants que dans le meilleur français classique elle ne l'était pas toujours non plus. Peut-être même était-elle inconnue : *Roi de ces bords heureux, Trézène est mon partage* (Racine). A moins qu'ici il ne s'agisse d'une figure de style, assumée comme telle. C'est le privilège des bons auteurs, et a fortiori des grands : ce qui, chez les usagers ordinaires, est une vulgaire rupture de construction, devient sous leur plume une anacoluthe, le comble de l'art. *Le nez de Cléopâtre : s'il eût été plus court, toute la face de la terre aurait changé.*

antiracisme. Le mot *antiracisme*, en trois quarts de siècle d'existence à peu près (Alain Rey date son apparition des environs de 1950, tandis qu'il fait remonter *antiraciste* à 1938), a radicalement changé de sens. Il n'a certes pas perdu tout à fait sa première acception, à laquelle il doit son prestige, sa légitimité et son pouvoir ; mais il en a acquis discrètement une autre, qui tend à l'emporter sur la première, et à se substituer à elle. Ce renversement est d'autant plus important que le terme désigne, probablement, la plus grande force idéologique à l'œuvre dans le monde à l'aube du troisième millénaire : ce qu'on pourrait nommer, dans un vocabulaire un peu désuet, et selon un syntagme dont d'autres ont souligné le caractère pléonastique, l'*idéologie dominante* — si *dominante*, même, qu'il faut vraiment n'avoir rien à perdre pour oser s'opposer à elle.

Il y a vraiment deux antiracismes, suivant les périodes (le tournant se situant dans le dernier quart du XXe siècle). Et s'il y avait peu du second dans le premier, sinon en germe, il y a encore beaucoup du premier dans le second : c'est d'ailleurs ce qu'il a de meilleur ; mais c'est aussi ce qui le rend incritiquable, alors qu'il y a en lui beaucoup à critiquer, au point que son influence et ses effets, désormais, sont sans doute, globalement (et c'est bien le cas de le dire...), plus néfastes que favorables.

Le premier antiracisme a jailli tout armé de l'horreur des camps de la mort, et du (presque) universel "plus jamais ça !" qui retentissait à travers le monde à leur sujet. Il a tiré d'eux, et de ce cri de refus horrifié, toute sa nécessité, qui est incontestable, toute sa légitimité, qui est indubitable, et toute sa puissance, qui tient aux deux précédentes qualités et s'accroît de l'espèce d'infaillibilité qu'elles lui confèrent.

Le premier antiracisme consistait essentiellement en la défense et en la protection de deux ou trois races qu'on estimait alors particulièrement menacées — il était bien entendu que la courte liste restait ouverte, et pouvait à tout moment, selon les besoins, être allongée.

Le deuxième antiracisme est bien différent. Il apparaît vers 1975, au début des nouvelles grandes migrations, pour lesquelles il sera un formidable allié et dont il était même, sans doute, la condition. Il n'abandonne ni les juifs, ni les noirs, ni les tziganes, ni les indiens d'Amérique, qui étaient jusqu'alors les objets principaux de ses combats et de sa protection, et qui vont le rester, avec les arabes, les musulmans et bientôt les immigrés en général : mais c'est cet *en général*, précisément (si l'on peut dire...), qui va être le pivot du renversement. Il ne s'agit plus de défendre telle ou telle race particulière, il s'agit de les défendre toutes, théoriquement — *théoriquement* seulement, car certaines sont censées n'avoir besoin d'aucune protection particulière, et même appartenir par essence, en quelque sorte, à l'autre camp, celui des agresseurs et des racistes : ainsi *il n'y a pas de racisme antiblanc*, selon la vulgate antiraciste. Il reste que vouloir défendre toutes les races c'est vouloir défendre tous les individus sans distinction, et d'abord sans distinction de race : d'où il résulte, dès lors que cette défense s'opère au nom de l'antiracisme, que l'adversaire devient moins le racisme, quoiqu'il puisse encore servir, certes, ne serait-ce que d'épouvantail, que la race elle-même, la notion de race, le concept de race, je ne sais comment il faut dire, et personne ne le sait (→ *race*).

L'antiracisme, d'opposition au racisme et aux racistes qu'il était, est devenu opposition aux races, à l'existence des races, au signifiant même de *race* — opposition de plus en plus virulente qui ira, en France, jusqu'à chasser le mot de la Constitution. Le moment-clef de ce renversement est ce que j'ai nommé la proclamation du dogme de l'inexistence des races : proclamation à l'occasion de laquelle la science, ou la prétendue science, la Science, celle qui a remplacé Dieu et la religion, au moins en Occident, comme grand régulateur des pensées et des comportements, s'est montrée plus servile, sans doute, qu'à aucun autre moment de son histoire, pourtant fort riche en complaisances de cette sorte. Naturellement il suffisait de choisir du mot *race* une définition suffisamment étroite et circonscrite pour établir sans aucune difficulté que les races n'existaient pas. Le paradoxe est que la définition choisie fut justement celle des pires racistes, qui avait le mérite aux yeux des antiracistes d'être étriquée et limitée à souhait, donc très facile à vaincre et à chasser. Qu'elle couvrît à peine un dixième du champ sémantique du terme ne les troublait pas. Cependant je suis déjà passé par tous ces chemins, y compris en ce volume même, ne serait-ce qu'à l'article *race...*

Quelles qu'aient été les méthodes utilisées, un peu sommaires on vient de le voir, l'opération fut un succès complet. Quand les gens ne savent rien ou ne savent qu'une seule chose, de nos jours, ils savent ou croient savoir cela, au moins en Occident : *qu'il n'y a pas de races.* C'est à l'enseignement de ce dogme qu'ont fini par se limiter à peu près, en France, les ambitions de l'Éducation nationale. Elle en est arrivée à se résigner à ne rien plus rien inculquer à condition de pouvoir encore professer au moins cela, cet insécable ultime de toute pédagogie contemporaine, l'antiracisme en cette acception neuve, la loi de l'inexistence des races. Naturellement les races en leurs divers sens anciens — infiniment plus riches, plus littéraires, plus poétiques, plus séduisants et plus féconds que le pauvre sens moderne imposé et proscrit (imposé pour qu'il puisse être proscrit) — se font un plaisir de remonter à la surface en toute occasion, en particulier chez les non-Occidentaux, mieux armés par leurs propres cultures ou leurs propres religions pour résister à la nouvelle doctrine, si contraire aux enseignements du bon sens, de l'évidence et des millénaires. Il n'est pas jusqu'à la petite acception scientifique, celle qui a joué un rôle si déterminant dans le renversement de sens et dans l'établissement du nouveau dogme, qui ne fasse entendre des protestations de plus en plus vives, tout spécialement dans le domaine médical, où l'on peut difficilement ne tenir aucun compte de ses objections. Il reste que la doctrine dominante n'est pas remise en cause, sans doute parce qu'elle sert trop bien les intérêts des... intérêts. La finance est devenue toute-puissante le jour où elle comprit enfin que c'étaient les valeurs de gauche, et non pas celles de droite, qui lui apporteraient le monde sur un plateau. Égalité et antiracisme sont les deux piliers du remplacisme* global ou, si l'on préfère, les deux recettes qui permettent à la davocratie* planétaire — hyperclasse, fonds de pension, gafas, investisseurs institutionnels et grands argentiers — de maintenir la production à meilleur coût de la Matière Humaine Indifférenciée, dans ses usines à homme du bidonville global.

Antiracisme, dans ces conditions, a cessé depuis longtemps, on le conçoit, d'être le nom d'une vertu. C'est désormais le nom d'une collaboration active à la mise à mal antiécologique de la biodiversité sur la Terre : laquelle n'a pas de sens, naturellement, si elle n'est pas *aussi*, et peut-être *d'abord*, la biodiversité *humaine*, celle des cultures et des civilisations. C'est aussi la façon trompeuse, parce que trop flatteuse, et parée par l'histoire des attraits maintenant usurpés de la vertu, de désigner une collaboration catastrophique à la destruction du monde, et d'abord à celle des Européens d'Europe, premières victimes du génocide par substitution perpétré sous cette bannière-là. Ce retournement spectaculaire devait entraîner par symétrie, en bonne logique, celui de *racisme**, bien entendu. Mais de ce côté-là, l'affaire s'annonce plus compliquée.

Anvers. Nombre de dictionnaires de prononciation et de répertoires des difficultés soutiennent qu'il convient de prononcer *Anversss* en faisant siffler l'*s* final. C'est assez contraire à la plus délicate tradition française, peu portée, d'une manière générale, sur la prononciation des consonnes finales. Léon Warnant, dont le dictionnaire fait autorité, et qui a l'avantage, en l'occurrence, d'être belge, donne prudemment *Anver'* comme "prononciation générale" et *Anversss* comme "prononciation régionale". Or une opinion presque unanimement admise de nos jours (ce qui n'en prouve pas absolument la justesse) veut que les prononciations régionales fassent loi. Mais d'une part ces dites "prononciations régionales" tiennent en général peu compte des nuances *sociales* de prononciation, même sur place, et des divers niveaux de langage ; d'autre part à Anvers on ne parle plus guère le français, et Anvers en néerlandais ne s'appelle pas Anvers — ce qui tend à saper le crédit de la prononciation "régionale", dans le cas particulier, car elle ne pourrait être celle que de la Belgique francophone, loin d'Anvers. Peut-être refusera-t-on de se laisser intimider, en conséquence, et continuera-t-on de dire *Anver'*, en conformité avec un très ancien bon usage français.

Aoste. Les personnes qui connaissent leur langue mettent un point d'honneur à prononcer *oste*, quand elles parlent de la ville et du val autonome italiens, naguère francophones : *Le Lépreux de la cité d'*Oste, récit de Xavier de Maistre, etc. Ces personnes se font malheureusement une vie bien difficile, car elles ne se comprennent plus qu'entre elles, et il est à craindre que ce soit là peu de monde.

Outre qu'un abusif jambon de marque "Aoste" encombre le marché, alors qu'il n'a rien à voir avec la cité valdôtaine et son jambon originel, tel qui, dans une charcuterie, ou même chez un traiteur de haut vol, se risquerait à demander du "jambon d'Oste" aurait de son côté la meilleure tradition, sans doute, mais quelque mal à se faire servir ; car cette tradition est morte, ou moribonde.

Warnant donne la prononciation *oste* pour "régionale" mais, sauf le grand respect qu'on lui doit, il se trompe. Certes on disait *oste* dans la vallée d'Aoste, mais quiconque était attentif à sa propre façon de s'exprimer disait également *oste*, que ce soit à Paris ou à Bordeaux, non pas pour la raison que c'était là la prononciation savoyarde, mais parce que cette prononciation était conforme à de très anciennes règles du français, les mêmes qui font dire *ou* et non *a-outtt*, pour le deuxième mois de l'été. Il faut d'ailleurs envisager avec beaucoup de circonspection, toujours, ce critère assez peu pertinent du *régional / non régional*, en fait de prononciation des noms de lieux. À Laguiole on dit *Layole*, mais dans la France entière on a dit *Layole*, quand on parlait bien le français. Dans le Gers* on dit *Gersss*, très majoritairement, mais il y a toujours eu et il y a encore des Gersois distingués et cultivés qui disent *Ger'*, selon les règles nationales. La prononciation *Layole*, quoique régionale, est un raffinement ; la prononciation *Gersss*, bien que vigoureusement attestée dans le Gers, n'en est pas un.

apéro. *Apéro*, comme *bosser*, ou *boulot*, est un de ces mots du langage familier, pour ne pas dire d'argot, qui sont en passe de se voir naturalisés comme appartenant au langage courant, ou général. C'est aussi l'un de ces syntagmes comme *au jour d'aujourd'hui* ou *bonne continuation* qui ont appartenu au registre de la plaisanterie, voire de la farce, au moins chez certains locuteurs, et qui sont de moins en moins perçus comme en relevant. C'est aussi un mot de classe qui, autant et plus que *bon appétit*, fait désormais carrière dans tous les milieux.

La langue bourgeoise détestait les abréviations, *la télé, les infos, la sécu*. De toute façon je ne suis pas sûr qu'elle ait beaucoup aimé *l'apéritif, un apéritif, les apéritifs*, à leur début. Ces substantifs sont des adjectifs substantivés, une abréviation, déjà, pour *boissons apéritives*, et elle n'a jamais porté cette espèce dans son cœur. Mais dans le même temps qu'elle se résignait à eux, et se laissait dire « passez à la maison pour un apéritif, un de ces jours », ou « c'était à l'heure de l'apéritif, il commençait à faire nuit », elle faisait des gorges chaudes d'*apéro*, qui lui semblait le comble de l'exotisme social. *Apéro* c'était par excellence le vocabulaire du peuple, que tout ce qui n'était pas le peuple n'utilisait jamais que pour rire, à titre d'imitation et avec force guillemets dans l'élocution, pour s'encanailler à bon compte. On ne disait jamais *apéro* qu'enté d'un inaudible *comme disent les gens qui disent "apéro"*. Cependant les plaisanteries se fatiguent, les classes sociales, leurs rites et leurs mots se fondent les uns dans les autres, les nuances se perdent. *Apéro* est désormais reçu partout, ou presque partout, comme *bon appétit*, dont la charge symbolique était encore plus forte ; et si certains y trouvent à redire, ils ont le plus souvent la prudence de se taire. Les brigades de lutte contre la glottophobie sont partout, et elles ne sont jamais si sévères qu'envers la glottophobie *sociale* — c'est à se demander d'ailleurs s'il en est jamais d'autre.

apposition. Le français, jusqu'à une date récente, était une langue essentiellement prépositive qui, contrairement à l'allemand, par exemple, répugnait à l'agglutination, et même à la simple apposition, lorsqu'il s'agit de préciser les choses : c'est aux prépositions *de, du, des* qu'était dévolue la plus grande part de ce rôle.

Aujourd'hui l'apposition triomphe, au contraire. Elle est partout. Elle complaît au désir général de faire vite, au goût des abréviations, à la paresse et aussi à la naïve vanité de parler comme on croit que le font les plus modernes des experts.

Le service du contentieux est devenu *le service contentieux* — et *contentieux*, en l'occurrence, n'est en aucune façon un adjectif. *Contentieux* est en quelque sorte *le nom* du service — l'appellation qui permet de le distinguer des autres, du service du personnel ou du service des relations publiques. Cela étant, mieux vaudrait avoir recours à des guillemets*, ou à tout le moins à l'italique : "Le service 'Contentieux'", "la sous-direction *Relations clientèle*"— le problème, dans ce dernier exemple, se posant en cascade, comme c'est souvent le cas.

La langue administrative et bureaucratique, en particulier, a la passion de ces agglutinations peu engageantes, si contraires à l'esprit de la langue, si étrangères à sa structure : *le contact Presse, le point contact Presse, la fonction personnel, l'approche publics, un ingénieur projet, un ingénieur méthodes*, etc.

La publicité, comme d'habitude, joue un rôle considérable dans ce processus de vulgarisation, et d'enlaidissement. *Contrex, mon partenaire minceur.* (Il est d'ailleurs à noter que la société des eaux de Contrexéville est un des plus gros et des plus constants producteurs, depuis longtemps, de vilainetés de syntaxe : *Mangez léger et buvez Contrex*).

Toutes les heures du jour et toutes les situations ont leurs appositions rituelles, resserrées ou pas par un trait d'union : *le coin-cuisine, l'espace fumeurs, l'espace méditation, le chèque-déjeuner, le ticket-restaurant, la cuisine minceur, la classe affaires, les pages rédactionnel, les rendez-vous poésie*, etc.

Les annonces relations paraissent chaque semaine (*Le Nouvel Observateur*, chaque semaine).

Bien entendu nombre d'appositions sont parfaitement légitimes. Il suffit pour qu'elles le soient que les termes apposés désignent la même personne ou le même objet : l'enfant-

74

roi, le prince-président, la fille-mère, le navire-école, le salon-
bibliothèque, etc.

après que. *Après que* offre l'un des très rares cas de purisme
croissant dans la langue. L'usage traditionnel bourgeois, même
parmi les gens qui parlaient bien, a longtemps été, à l'époque
moderne en tout cas, de le faire suivre du subjonctif. Les grammairiens ont eu beau jeu de souligner l'illogisme de cette pratique, le subjonctif étant le mode du virtuel, en théorie, et si
quelque action a lieu *après* une autre, c'est bien que cette autre
s'est effectivement produite — et c'est donc à l'indicatif qu'elle
doit être mentionnée. L'étonnant, c'est que leurs objections légitimes ont été un peu entendues, pour une fois, et que l'usage
de l'indicatif après *après que*, sans s'être généralisé, bien loin de
là, tend à s'élargir, et qu'il atteint même la télévision, quelquefois. Néanmoins : *La sécurité en question après qu'un enfant de six
ans soit tombé d'un train* (France 2, 2 janvier 1999).

Le non moins étonnant, c'est que l'usage de l'indicatif après
après que, irréprochable, et même seul *correct*, en bonne analyse,
continue de sonner très curieusement à la plupart des oreilles, y
compris aux oreilles cultivées. On dit : « Après qu'elle est venue
chez moi cet été, nous nous sommes revus plusieurs fois », et la
plupart des auditeurs corrigent mentalement : *Après qu'elle soit
venue...* On écrit : « Elle s'était précipitée sur le livre aussitôt
après que Pierre lui en avait parlé » et la plupart des lecteurs
jugent que *lui en ait* ou *lui en eût parlé* semblerait non seulement
plus juste, mais plus naturel.

Cet indicatif après *après que* paraît en effet si artificiel
et affecté que beaucoup d'auteurs et de locuteurs sont tentés
de tricher avec lui, tout en reconnaissant son bien-fondé. Par

exemple ils choisissent dans le mode indicatif le passé antérieur, presque entièrement tombé en désuétude d'autre part, mais qui reprend du service en cette occasion, parce qu'il a le mérite de ressembler de très près, au moins pour l'oreille, au subjonctif imparfait : « ... aussitôt après que Pierre lui en eut parlé » (et non pas *lui en eût parlé).*

Comme cette question est assez délicate, pour le coup, on aura généralement intérêt, plutôt que d'hésiter entre l'indicatif et le subjonctif, à faire appel à l'infinitif, lorsque c'est possible, ou même au substantif. « Elle s'était convertie au protestantisme après qu'elle avait (ou *qu'elle eut,* ou *qu'elle eût)* rencontré un calviniste » peut tout à fait sans dommage se dire *après avoir rencontré* ou *après sa rencontre avec* un calviniste.

L'indicatif après *après que,* dans ces conditions, est toujours la marque un peu emphatique d'une volonté délibérée de soumission aux règles grammaticales. Il faut s'y résoudre : il est incritiquable, mais légèrement ostentatoire ; il est obligatoire, mais tout de même un peu tape-à-l'œil.

argot. L'argot est à l'origine, et par définition, le langage propre à un groupe social déterminé, en général assez fermé, spécialement un groupe délinquant.

Par extensions successives, qui sont largement contraires à sa nature en quelque sorte *élitiste,* l'argot est devenu langue populaire, et la langue populaire langue courante. Un peu sommaire, et insuffisamment analysé, l'idéal *d'être soi-même,* pour toute une société, ou plutôt pour tous les individus qui la composent, a progressivement supprimé, dans l'échange verbal, la claire conscience de l'autre en tant qu'il est lui aussi un *soi-même,* possiblement différent du nôtre. Or cette claire conscience, et l'acceptation subséquente de l'irréductible aliénité de l'autre, étaient à l'origine du contrat social, et de l'invention d'un langage tiers, le langage, tout simplement, avec ses conventions et ses règles, et son exigence minimale de *neutralité*, qui seule permet l'échange harmonieux, et pacifique.

Aujourd'hui le paraître est perçu comme pure ostentation, et plus du tout comme prise en compte de l'autre, politesse ou même humilité, modestie. Sous le règne de *l'être soi-même* ou de ce que l'on a pu appeler ailleurs *l'idéologie du "sympa"**, nous sommes toujours assez bons pour l'autre, et nous imposer une forme en sa faveur, une apparence autre que notre apparence "naturelle", un langage différent que celui qui nous vient sans que nous y pensions, serait manquer à ce que nous nous devons.

De même que chacun *est venu comme il était*, chacun parle *comme il est*. L'aune du discours, ce qui va décider de son niveau, n'est plus dans l'interlocuteur, mais dans le locuteur lui-même, qui met sa fierté à être en toute circonstance *semblable à lui-même*. Et l'argot, en un sens très élargi et donc antinomique à son essence, est perçu par ceux qui l'utilisent comme une langue générale, dont nul n'a aucune raison de se priver, quelle que soit la personne à qui l'on s'adresse.

Il n'est plus appréhendé comme argot, ni comme langue populaire, ni même comme relevant du registre familier. Il passe seulement pour *naturel*. Parlant à leur professeur, des élèves diront sans y penser *bosser**, *bouffer, faire son boulot**, etc. Le professeur, qui selon toute vraisemblance est un *prof**, ne s'en étonnera d'ailleurs pas, et répondra peut-être en les mêmes termes, ou sur le même ton. Après tout, c'est aussi son langage à lui, bien souvent.

Parlant d'un ancien Premier ministre malaisien persécuté par ses successeurs, *Le Monde* écrit et met en titre, même : *Il écope de cinq ans de prison.* Le verbe *écoper* est ignoré de Littré. Il n'en existe pas moins, mais il signifie officiellement *vider (un bateau) à l'aide d'une écope.* Son usage au sens de *subir* (un coup), *recevoir* (une blessure ou une sanction) et particulièrement *être condamné à une peine de prison* relève d'un registre sinon tout à fait argotique, du moins extrêmement familier. On voit mal ce qui légitime qu'il y soit recouru, à propos d'événements tragiques, dans *Le Monde*, qui n'est pas officiellement un journal comique, ni même satirique, et ne passait pas jusqu'à présent pour appartenir à la presse populaire. Mais c'est bien conforme au mouvement général de naturalisation de ce niveau de langage, réservé jadis à des échanges au sein de groupes particuliers, les lycéens, les étudiants, les employés d'une même entreprise, les ouvriers, les soldats, les sportifs ou les délinquants.

*

Il est certain qu'il manque un mot, ici. *Argot* ne fait pas du tout l'affaire. *Bosser* ou *boulot* ne sont pas à proprement parler de l'*argot*. La plupart des dictionnaires traditionnels donnent ce genre de termes pour *familier*, ou bien comme relevant du registre *populaire* — on dirait plus volontiers et plus justement aujourd'hui *petit-bourgeois*, c'est-à-dire en instance de naturalisation comme appartenant au langage général, sans nuance particulière. Le processus n'est pas tout à fait achevé, par chance. De toute façon c'est d'un substantif que le besoin se fait sentir pour qualifier ce niveau de vocabulaire. *Bosser* ou *boulot* sont les *T-shirts*, les *jeans*, les *baskets* ou les *sneakers* de la langue, pièces d'habillement et de chausserie aux noms tous anglais, faut-il le remarquer, et qui de plus en plus ont été arborés, depuis un demi-siècle au moins, en toute indépendance de l'opportunité, de la circonstance, de la compagnie et du moment, autant dire de *l'autre*, dont il est assumé, sans doute à juste titre, malheureusement, que sa vêture et sa parlure seront les mêmes, car il n'aspire qu'à être lui-même lui aussi — pain béni pour le remplacisme global, il va sans dire, dont la machinerie fondamentale n'ambitionne rien plus que de faire passer l'humanité du pareil au même, au bénéfice de l'interchangeabilité générale, prélude à sa liquéfaction pour les bidons* du bidon-monde.

arrière (en arrière). Un usage très inattendu et tout à fait curieux de l'expression adverbiale *en arrière* s'est révélé depuis le début du millénaire, dans un sens temporel qu'il est un peu difficile de préciser car la tournure vient généralement s'ajouter de façon tout à fait superfétatoire au vilain *ça fait*, beaucoup plus rarement à *il y a* (les registres de langue ne sont pas les mêmes, le jadis banal *il y a* appartenant désormais au registre soutenu depuis que *ça fait* lui a volé les neuf-dixièmes de son champ d'intervention). *En arrière*, dans cet usage moderne et tout à fait balourd, revêt souvent des significations proches de *plus tôt*, *dans le passé, antérieurement.*

Ça fait dix-douze ans en arrière, il avait ouvert un hôtel à Moissac, je sais.

Même si vous regardez à cinq-six ans en arrière, ce genre de produits vous trouverez pas.

Y a quinze-vingt ans en arrière ça je te dis pas, mais maintenant c'est plus possible, avec la crise.

Peut-être cette fonction moderne d'*en arrière* lui vient-elle du champ lexical du récit, du film, du flash-back :

"Je vais demander à mon lecteur de bien vouloir se reporter dix ans en arrière, au moment où nous avons laissé Maryvonne désespérée par le départ de Toni."

"Puis le film revient en arrière, vers l'époque où ses personnages principaux étaient adolescents."

La transposition vers les usages modernes n'en serait pas moins maladroite, au contraire.

artiste-peintre → peintre.

assez. Assez est par excellence un adverbe de *degré.* Par voie de conséquence, il s'accorde mal avec les adjectifs* "absolus". Quelque chose ou quelqu'un est *génial* ou n'est pas *génial.* Rien ni personne ne saurait être *assez génial.* Or c'est compter sans l'invention de la langue, ou *au sein de* la langue, car tout et tout le monde ou presque, au contraire, peut maintenant être *assez génial.*

Au début, il y a de cela trente ou quarante ans, sans doute s'agissait-il d'une plaisanterie. *Assez génial* est d'une aussi cocasse absurdité, à première vue, à première ouïe, que *relativement absolu (or le pouvoir du pharaon est relativement absolu).* Mais avec le temps la plaisanterie s'est figée à force d'usage, elle ne fait plus rire ni sourire personne, on ne la remarque même plus comme une étrangeté.

Sa quasi naturalisation a bénéficié de deux mouvements concomitants : l'affaiblissement constant du sens de *génial,* d'une part (à partir du moment où *tout* pouvait être génial, et pas seulement *Tristan et Isolde* ou *Le Bateau ivre,* mais un revers au tennis aussi bien, un hamburger, les parents d'une camarade de classe ou une publicité à la télévision, à partir de ce moment-là l'esprit ne trouvait plus à s'indigner, ni à s'amuser, ni seulement à s'étonner, que ceci ou cela fût *assez génial*) ; d'autre part la tendance générale à relativiser l'absolu — car *assez* n'avait pas conquis droit de cité aux côtés de *génial* seulement, mais non moins de *sublime*, de *passionnant*, d'*hallucinant*, de *démentiel* et même d'*unique* : *c'est un exemple assez unique.*

La ville de Lyon a fait un effort particulier et assez unique pour l'éclairage urbain.

Une cabale assez sans précédent (Bernard-Henri Lévy, France Culture).

au courant, dans le courant, au courant que. *Est-il justifié que le ministre de la Culture intervienne pour soutenir les P.U.F., comme il l'a fait au courant de l'été?* (France Culture, 20 septembre 1999).

Dans une ambiance culturelle relâchée, ce qui tend le plus à se confondre, ce sont les locutions traditionnelles, que découvre un public toujours plus large, sans qu'il ait le temps d'en percer les règles d'usage, et les significations différenciées. De même que *à la faveur de** est confondu avec *en faveur de*, *au courant de* est substitué à tort à *dans le courant de*.

Dans l'exemple ci-dessus, c'est évidemment *dans le courant de l'été* qu'il aurait fallu dire ; ou mieux encore, *dans le cours de l'été*. Car, écrit Littré, « il n'est pas tout à fait indifférent de dire, en cet emploi, le courant ou le cours. D'abord cours est d'un style plus relevé que courant. Puis on dira : il est survenu de grands événements dans le cours de cette année, et non dans le courant. Le courant se rapporte plus à l'espace de temps considéré comme s'écoulant ; et le cours comme l'espace de temps considéré comme un tout. » Cette dernière distinction n'est pas très claire, il faut le reconnaître.

*

Le *Grand Dictionnaire encyclopédique Larousse*, qui a choisi de tenir le rôle d'une simple chambre d'enregistrement, pour l'état de la langue, en abandonnant toute prétention normative, note sans sourciller l'expression « *Être au courant (de qqch, que +* *ind)*, être informé de qqch, renseigné sur qqch : *Etiez-vous au* *courant de sa démission, qu'il allait démissionner ?* » C'est pousser le laxisme très au-delà du raisonnable. Car si *être au courant* *de* est très admissible, *être au courant que* outrepasse totalement le cadre syntaxique, comme fait de son côté *être d'accord** *que*, également indéfendable.

Larousse ou pas Larousse, *être au courant que* est du pur charabia. Cette construction traite l'expression *être au courant* comme si elle était un verbe, un seul verbe, un verbe et rien d'autre — *savoir*, en l'occurrence. Mais ce n'est pas le cas. *Être* *au courant* a peut-être à peu près le même sens que *savoir*, mais l'expression montre trop sa structure pour laisser oublier qu'elle est composée d'un verbe, d'une préposition et d'un substantif, qui de même que *plaisir* dans *faire plaisir* ou *soif* dans *avoir soif* garde ses prérogatives de substantif, et ses limites.

au-dessous, en dessous. On soupçonne bien qu'il y a une différence de sens entre *au-dessous* et *en dessous*, mais il n'est pas rare qu'on s'embrouille sur ce qu'elle est.

Au-dessous (ou plus exactement *au-dessous de*) est une locution prépositive qui désigne un point de l'espace situé *à l'extérieur* de l'objet dont on parle, à un niveau inférieur par rapport à lui : « Il y a des traces d'humidité au-dessous de ce tableau » (c'est-à-dire sur la paroi ou sur le sol, *en dehors* du tableau).

En dessous est une locution adverbiale qui désigne une partie de l'objet dont on parle, sa partie basse, ou inférieure : « Ce châssis est rouillé en dessous ».

D'autre part il n'y a pas de trait d'union entre les deux éléments d'*en dessous*, tandis qu'il y en a à *au-dessous*. L'emploi adverbial d'*au-dessous* est tout à fait courant : « J'ai cherché les clefs dans la boîte à gants mais elles étaient au-dessous ».

au jour d'aujourd'hui. La déculturation, dont l'un des aspects est bien sûr l'affaiblissement du lien à la littérature — nous sommes entrés dans une ère post-littéraire, que la littérature n'informe plus —, entraîne un défaut de familiarité avec la langue, qui se traduit à son tour, chez beaucoup de locuteurs, par une incapacité à évaluer le niveau de langue de telle ou tel expression ou bien d'un mot particulier. Au jour d'aujourd'hui est un bon exemple, dans la grande majorité de ses occurrences, de cette inaptitude à l'évaluation juste de l'appartenance littéraire et sociale des syntagmes. Cette expression est très à la mode, tellement même qu'elle ne l'est plus, qu'elle est déchue en cheville de discours, comme telle assez fastidieuse, surtout lorsqu'elle est un tic, ainsi qu'il n'est pas rare. Mais surtout la plupart de ceux qui l'emploient n'ont pas l'air de bien comprendre qu'elle est une plaisanterie, une convention de théâtre pour faire rire, une imitation stéréotypée, au même titre que *j'avions* ou que *si j'aurais su j'aurais pas venu*, d'un supposé parler paysan aussi fautif qu'il est possible.

Aujourd'hui, déjà, est bien connu pour être un pléonasme, puisque *hui* signifie *ce jour, aujourd'hui. Aujourd'hui* veut donc dire, littéralement, au jour de ce jour, au jour d'aujourd'hui. Cependant ce pléonasme est si anciennement inscrit dans la langue qu'il n'en est plus qu'une bizarrerie pittoresque, et qu'il n'est plus le temps de le critiquer. *Au jour d'aujourd'hui*, en revanche, est un pléonasme au carré, un pléonasme de pléonasme. Elle appartient au registre de la farce. « La locution populaire *au jour d'aujourdui*, écrivait "Dupré", inclut trois fois le terme *jour* ! Elle semble d'ailleurs n'être plus employée que plaisamment, même par les gens les moins cultivés. » C'était en 1972. La situation s'est complètement transformée depuis cette date. *Au jour d'aujourd'hui* connaît une faveur effrayante et n'est plus du tout reconnue pour ce qu'elle est, une grosse plaisanterie, l'imitation délibérée d'une idiotie.

au niveau de. *Au niveau de* c'est toute une époque, toute une génération et même deux ou trois, toute une conception du monde et d'abord du langage (mais plus ou moins consciente d'elle-même, par définition — et plutôt moins que plus).

Au niveau de a été, avec *quelque part** comme seul rival sérieux, le stéréotype-roi des années soixante, soixante-dix et quatre-vingt. Il a fallu le déboulé triomphant et dévastateur de *c'est vrai que** pour que soit finalement ébranlé son règne populaire. Mais l'expression se porte encore assez bien, hélas, malgré toutes les dénonciations et les quolibets qui se sont abattus sur elle depuis trente ans, non seulement de la part des linguistes et des grammairiens exaspérés, mais du sein même des milieux où elle sévit — autant dire toutes les couches de la société, ou peu s'en faut.

Au niveau de a été parfaitement et très tôt repéré comme *scie*, et même comme scie des scies, comme emblème même de la scie. Sa carrière n'en fut pas sérieusement compromise pour autant. Il semblait et il semble encore que rien ne puisse l'arrêter : ni la menace, bien sûr, ni la moquerie, ni le tableau précis de ses ravages — de même on a beau vous prouver que le tabac peut tuer, vous n'arrêtez pas de fumer pour si peu.

Et au niveau vacances, vous avez prévu quelque chose ?

Bon c'est vrai que quelque part c'est h'*une théorie qui pose problème, et déjà au niveau terminologique je dirais* (ou pire, et plus vraisemblablement, *au niveau terminologie.* D'autre part il est essentiel de *ne pas* faire la liaison* après *c'est,* sans quoi il y a rupture stylistique).

Et niveau boulot ? — Au niveau se prête volontiers à l'apposition*. Ils relèvent du même niveau de style. *Bon, déjà, niveau salaire c'était pas terrible. Mais alors niveau conditions de travail, j'te dis pas.*

Une mise à jour serait indispensable, ne serait-ce qu'au niveau du mur de Berlin. (Traduction (forcément plus lourde) : « Une mise à jour (de cette encyclopédie) serait indispensable, serait-ce seulement du fait de la chute du mur de Berlin (et de toutes ses conséquences) ».

Barthes disait rêveusement, de voisins de restaurant qui parlaient trop fort, comme il arrive, qu'« il les entendait ne pas s'entendre ». *Au niveau de* est typique de la langue *qu'on entend ne pas s'entendre.* Les spécialistes lui donnent une origine médicale (et alors parfaitement légitime) : "au niveau de la troisième lombaire, au niveau de la huitième côte". On penserait aussi bien à une origine architecturale (et non moins incritiquable) : "au niveau de l'abaque, au niveau de la voussure". Aussi longtemps qu'il est vraiment question de *niveaux,* serait-ce un peu métaphoriquement, *au niveau de* est tout à fait légitime : "Nous avons le soutien des autorités administratives au niveau national et au niveau régional ; c'est au niveau du département qu'il nous manque encore un accord formel". Cependant il faut se méfier de la métaphore, dans le cas particulier, car il n'en est pas de plus congelée.

Ce qui est acquis, c'est que le mal a commencé à se répandre à partir des milieux intellectuels, ou pseudo-intellectuels : le monde, très lié au journalisme et au corps professoral, malheureusement, de ce qu'on pourrait appeler "les intellectuels *poser problème**" — ceux pour qui la langue est un instrument conceptuel, mais nullement un objet d'amour, encore moins le champ d'une écoute, ni le domaine d'exercice du goût.

Or ceux-là ne se rendent pas compte que n'étant pas un objet d'amour, n'étant pas entretenue comme telle, n'étant pas le lieu d'une écoute amoureuse, à la fois, et d'une attention critique, la langue cesse rapidement d'être un bon instrument conceptuel. Le syntagme figé mène tout droit à la pensée rouillée. Qui parle *sympa** pense *sympa* (et vice-versa, bien entendu).

On s'affole à songer au nombre des *au-niveau-distes, quelque-partiens, c'est-vrai-qu'istes* et autres *poser-problèmeux* (ces diverses affiliations étant bien entendu parfaitement compatibles, et toutes ces chapelles abondant en galeries de communication) qui ont la responsabilité d'éduquer les enfants, et de former les jeunes gens. Leur innombrable confrérie a la grande maîtrise de l'école, sinon de l'université.

au niveau du vécu. *Au niveau du vécu*, ce fut le stéréotype en abyme, le cœur du cœur de la langue quand elle est réduite à sa propre arthrite, quand elle n'a plus d'autre apparence que son rhumatisme articulaire, sa méchante caricature, son empêchement de dire et de bouger, sa mort vivante complaisamment étalée. L'extraordinaire c'est que *au niveau du vécu* ait pu prospé-

rer parmi nous à la fois comme farce, comme plaisanterie insti-
tuée, l'un des plus demandés parmi les articles du catalogue des
ridicules — on disait couramment de quelqu'un, pour définir
une personnalité, une couche idéologique et langagière, « elle
est très *au niveau du vécu, tu vois, moi quelque part en tant que
femme*, etc. » — et comme monnaie d'échange continuant de
circuler, de se présenter innocemment et avec abondance sur un
marché de la parole où depuis longtemps on aurait pu la croire
déconsidérée. Ce qui prouve que la parole empêtrée procède
toujours d'une surdité (*cf.* la phrase de Barthes, citée à l'entrée
précédente) : de même que l'œil *ne voit pas*, tout simplement,
ce que la culture (et nommément l'art, la peinture, l'architec-
ture, l'histoire) ne lui a pas appris à reconnaître et à nommer,
l'oreille n'entend pas ce que la culture (et spécialement la littérature, l'histoire, et la politique au sens le plus haut) ne lui a pas
appris à percevoir et à jauger, à juger.

    aussi. Aussi, de même que *comme**, s'accommode mal des
phrases négatives :

    *... ce qui n'a pas empêché aussi les eurosceptiques de se livrer à
leur mauvaise humeur habituelle.*

    *On n'a pas parlé aussi de la pollution générée par les cimetières
d'avion.*

    Dans un cas comme dans l'autre il faudrait *non plus*.

    aussi bien, autant que. En cas de comparaison introduite
par *aussi bien* ou par *autant que*, ou structurées par *aussi...*, *autant...* et *que*, il faut bien prendre garde que les deux termes
comparés ne sont pas du tout interchangeables. Il convient de

distinguer l'objet de la comparaison, le *comparé*, de l'élément de référence, celui qui sert à le comparer, le *comparant*.

Il y a des fautes que l'on comprend très bien, et cela d'autant plus qu'on les commet couramment soi-même, ou qu'on est souvent tenté de le faire. Il en est d'autres, parfois très répandues, qui nous paraissent inexplicables, tant la logique ou la règle qu'elles bafouent sont clairement établies en nous, évidentes ; et alors on ne comprend pas qu'elles puissent être ignorées ou négligées par d'autres. J'imagine que cette répartition varie avec chacun d'entre nous. Celle-là, la confusion entre le comparant et le comparé, est une de celles qui me sont, personnellement, le moins compréhensibles. Littéralement, je ne me l'explique pas. Pourtant, si j'en débats avec des tiers qui la commettent ou qui ne la voient pas, il est assez fréquent qu'ils n'entrevoient pas du tout ce que je veux dire. Ils suivent un autre raisonnement logique, qui leur rend le mien impossible à percevoir. Puisqu'on dit justement que c'est pareil, disent-ils, quelle importance que ce soit dans un sens ou dans un autre ?

Qu'on dise une bonne fois qu'il faut dans les assemblées autant d'hommes que de femmes. Il s'agit peut-être d'un intéressant lapsus : mais cette dame qui parle à la radio, ce que sans aucun doute elle veut dire, c'est qu'il faudrait dans les assemblées *autant de femmes que d'hommes.* Autant d'hommes que de femmes, c'est déjà le cas — et même beaucoup plus.

... un roman publié dans la collection "Jeunesse" du Seuil, mais qui s'adresse aussi bien aux petits qu'aux grands. Non : s'il est publié dans la collection "Jeunesse" il va sans dire qu'il s'adresse aux petits. *Mais* il se trouve, nous dit-on, qu'il s'adresse *aussi* aux grands. Il aurait donc fallu : *mais qui s'adresse aux grands aussi bien qu'aux petits.*

...à l'image de mon pianiste actuel qui est issu d'une école classique mais qui s'intéresse autant à Chopin qu'aux claviers de Money Mark. Ainsi parle un chanteur interrogé dans *Polystyrène*. Le contexte le rend évident, en particulier le *mais*, comme précédemment : ce que veut nous dire ce chanteur, c'est que son pianiste, *issu d'une école classique*, s'intéresse néanmoins aux claviers de Money Mark, et cela *autant qu'à* Chopin.

Ce n'est pas une question d'ordre des mots, même si, d'ordinaire, l'objet de la comparaison précède l'élément de référence. Cet ordre coutumier peut être renversé sans dommage : « ...mais qui, autant qu'à Chopin, s'intéresse aux claviers de Money Mark ». L'essentiel est que le point de référence, le point stable (*Chopin*, dans le cas d'un pianiste issu d'une école classique), soit bien celui qui vient immédiatement après le *que* d'*autant que*. Ce *que* désigne sans doute possible ce à quoi est comparé l'objet comparé.

La nouvelle présidente du R.P.R. a multiplié depuis une quinzaine de jours les témoignages d'indépendance, autant à l'égard du parti socialiste que du président de la République (France 2, 21 décembre 1999). Non : que la présidente du R.P.R. soit indépendante par rapport au parti socialiste, ça ce n'est pas une nouvelle. C'est cette indépendance-là, au contraire, considérée comme acquise, comme connue, comme allant de soi, qui est la référence, dans la phrase : c'est l'élément de comparaison. L'information, c'est que Mme Alliot-Marie donne autant de témoignages d'indépendance à l'égard du président de la République, qui est pourtant issu du parti qu'elle préside, qu'à l'égard du parti socialiste — et non pas l'inverse.

Je me sens autant définie par l'acte de jouer que par celui d'enseigner, dit une pianiste virtuose à laquelle on a proposé, puisqu'elle brillait si fort dans ses récitals et concerts, de diriger des séminaires et de donner des "master class". Cette seconde activité est évidemment annexe, dépendant de la première, au moins à l'origine. Ce que veut dire cette pianiste célèbre est donc le contraire de ce qu'elle dit : *je me sens autant définie par l'acte d'enseigner que par celui de jouer.*

Il y avait autant d'hommes que de femmes ("Répliques", 17 octobre 2015). Jean-Philippe Toussaint parle d'un match, au Japon, et veut corroborer son affirmation selon laquelle les Japonaises aiment beaucoup le football : ce qu'il veut dire, manifestement, c'est qu'il y avait à ce match *autant de femmes que d'hommes.*

Tous les débats sur le changement climatique sont autant sur la climatologie que sur le droit, la notion de propriété, l'économie. Que les débats sur le changement climatique portent sur la climatologie, rien de plus normal ; qu'ils soient l'occasion d'échanges à propos du droit, de la notion de propriété, de l'économie, c'est plus inattendu. Le comparant ce sont les débats sur la climatologie. Il aurait donc fallu : "Tous les débats sur le changement climatique portent autant sur le droit, la notion de propriété, l'économie, que sur la climatologie".

Pour Lautrec, le spectacle est autant sur la scène que dans la salle. Le spectacle, par définition, étant sur la scène, il est, pour Lautrec, *autant dans la salle.*

Trois gouvernements dans le monde comptent autant d'hommes que de femmes — non, il comptent autant de femmes que d'hommes.

Après la mort de Michelet Athénaïs respire enfin, loin du désir, pour elle trop ardent, d'un mari qui aimait autant les mots que la chair — non, il aimait autant la chair que les mots.

Exemple un peu plus long, mais d'une clarté parfaite — *Le Monde*, 7 mars 2001 :

Chez les heureux du monde *(dont le titre américain,* The House of Mirth, *pourrait se traduire par* La Maison de liesse*) tire son origine de l'*Ecclésiaste *:* « Le cœur du sage est dans la maison du deuil ; mais le cœur des insensés est dans la maison de liesse », *mais l'approche de Terence Davies doit autant à l'Ancien Testament qu'au Kenji Mizoguchi de* La Vie d'O'Haru, *femme galante. Comme chez Mizoguchi, Davies souligne que seule la femme peut faire l'expérience extrême de la tragédie.*

Auxerre, Auxerrois. Ausserre, Ausserois (→ Bruxelles). Cependant, dans le cas de l'église fameuse, Saint-Germain-l'Auxerrois, la paroisse de nos rois, face au Louvre, il faudrait, à en croire Warnant, prononcer *l'auksserois* — pour la seule raison, sans doute, qu'ainsi font les Parisiens ignorants. On s'y résoudra difficilement.

Auxonne. Aussonne (→ Bruxelles)

avatar. Avatar est un mot qu'on entend constamment employé à tort. Il est emprunté au sanskrit et désigne, dans la religion indienne, les successives incarnations d'un dieu, en particulier de Vichnou. Un assez proche équivalent, du moins quant au sens, serait le terme savant d'*hypostase*.

Il y a deux raisons principales au grave malentendu dont est affecté le malheureux *avatar*. D'une part il ressemble de trop près pour son bien à *avanie*, affront public et humiliant, vexation orale, et à *avarie*, dommage subi par un navire ou par les marchandises qu'il transporte : beaucoup ne font qu'un du sens bien distinct de ces trois mots, et croient qu'*avatar* signifie *ennui, mésaventure, dommage, embêtement.*

Il y a aussi que les significations respectives d'*avatar*, d'*avanie* et d'*avarie* se trouvent être suffisamment voisines, malgré tout, pour que le malentendu passe souvent inaperçu. *Il a connu toute sorte d'avatars* est une phrase qui de toute façon conserve un sens, qu'on entende par elle, à juste titre, que la personne dont on parle est passée par nombre d'"incarnations" — généralement au sens métaphorique : beaucoup d'identités successives, beaucoup de situations différentes —, ou bien (tout à fait à tort, donc), qu'elle a rencontré beaucoup de problèmes. Tel qui emploie le mot de façon erronée pourrait presque toujours, confronté à son sens véritable, prétendre en avoir usé correctement, et avoir en fait voulu parler de personnalités successives et variées, même quand ce n'est nullement le cas.

Ainsi s'explique que cette équivoque pourtant évidente se prolonge indéfiniment, dans bien des bouches et même sous bien des plumes.

On retrouve deux autres avatars de l'Afrique, l'ethnicisme et le nationalisme (France Culture, 14 octobre 1999).

avec. *Avec*, à lui tout seul, ne devrait en aucune façon commander le pluriel. On cite toujours là-contre le même exemple de La Fontaine (*Le singe avec le léopard / Gagnaient de l'argent à la foire*). Mais cet exemple, issu de la contrainte prosodique, relève de la licence poétique, et ne devrait pas être suivi. Il ne l'est pourtant que trop, en dehors de toute poésie Dieu sait.

Si le seul vrai sujet de la phrase est singulier, le verbe devra être au singulier, *avec* nonobstant. Peut-être est-ce par modestie ou par délicatesse, pour ne pas se mettre en avant, que la plupart des personnes disent aujourd'hui *avec ma femme, nous sommes allés aux Pays-Bas, pour les vacances.* Mais c'est "je suis allé", qu'il faudrait dire ; ou bien, si l'on tient absolument au pluriel, "ma femme et moi sommes allés *etc.*" — c'est de loin la meilleure solution.

Et entraîne le pluriel, bien entendu ; mais pas *avec*, qui ne met pas sur le même pied les deux termes qu'il réunit, et confine le second dans un statut d'accompagnement. Il y a d'ailleurs une nuance de sens, qui tend évidemment à se perdre, entre "avec ma femme, je suis allé aux Pays-Bas" (l'essentiel du message étant que moi qui vous parle, je suis allé aux Pays-Bas, où j'ai vu ou fait telle ou telle chose — et *en plus* c'était avec ma femme) et "ma femme et moi, nous sommes allés aux Pays-Bas" (l'expérience de ce voyage étant alors donnée comme également partagée dans l'économie du récit que je suis en train de faire).

On, s'il recouvre manifestement un pluriel, ce qui est en général le cas, et non pas le seul sujet du verbe, n'est pas défendable non plus, en bonne logique, après *avec*. "Avec Michel, on a discuté toute la soirée". Si ne prenaient part à cette discussion que Michel et vous, il faut dire *j'ai*, dût votre modestie en souffrir ; ou bien — et c'est de toute façon très préférable — "Michel et moi, *nous avons discuté* etc." (ou mieux encore "Michel et moi avons discuté", *etc.*)

S'il est évident qu'il y a vraiment deux ou plusieurs sujets, et si le verbe, par voie de conséquence, est nécessairement au pluriel, alors il ne faut pas employer *avec* : *Avec Philippe Seguin, nous recevons l'ensemble des conseillers R.P.R.* (Nicolas Sarkozy, France 3, dimanche 13 décembre 1998). Non : "Philippe Seguin et moi recevons…", etc. Si *avec* reste en place, singulier : "Avec Philippe Seguin, je reçois l'ensemble des conseillers" — on sent bien la nuance de sens, et combien l'importance donnée à Philippe Seguin varie selon la formule choisie.

Et de même que *avec* ne doit pas, à lui seul, entraîner le pluriel du verbe, il ne doit pas entraîner non plus le pluriel du pronom possessif, par exemple : *Je vous ai parlé de nos motivations, avec mon mari…* Non : "Je vous ai parlé de nos motivations, à mon mari et à moi", ou bien "je vous ai parlé de mes motivations et de celles de mon mari" (si tant est qu'on tienne absolument à *motivations*, mais c'est là une autre histoire…)

Le maire est d'autant plus amer qu'avec d'autres élus ils ont investi dix-huit millions d'euros dans les aménagements ferroviaires (France 2, 15 novembre 2019).

Avec son épouse, ils ont fait le portrait de nombreuses victimes. Non : "avec son épouse il a…", ou bien "son épouse et lui ont fait…".

Avec ma compagne, nous sommes partis dans les Vosges (*pour*, en plus, théoriquement).

Avec son épouse Zita de Bourbon-Parme, leur vie fut marquée par une pratique fervente de la religion catholique.

Nous avons décidé avec un collègue de monter une petite revue.

Le message est clair, quand on se marie à Bron, on ne fait plus ce que l'on veut. Avec mon équipe, nous ne cèderons pas, nous ne reculerons pas. Le temps du laxisme est derrière nous.

On est des puristes, avec mon frère.

Un des projets que nous avons avec Michel, c'est de… (chorégraphe invité, "La suite dans les idées", France Culture, 19 décembre 2020).

Nous avons, avec deux collègues, été mandatés par l'Unesco (France Culture, "Cours de l'histoire", 5 février 2021)

avéré, s'avérer. Un fait *avéré*, c'est un fait dont

l'exactitude est établie. *S'avérer* — le signifiant l'indique assez, puisqu'il a la chance de porter en son cœur son étymologie —, *s'avérer*, c'est se révéler vrai (*verus*), se *vérifier*, donner des preuves de son existence. Le verbe peut parfaitement être employé absolument : « C'est alors que Pirithoüs sut inventer, pour me servir, un subterfuge où s'avéra sa fertile ingéniosité » (Gide, *Thésée*).

Cet usage-là est même le meilleur, et l'on pourrait soutenir qu'il est le seul à être bon. Car *s'avérer vrai*, c'est un pléonasme, tandis que *s'avérer faux*, c'est une aporie. L'aporie est plus facile à défendre que le pléonasme, néanmoins. Car il n'y a rien à dire en faveur de *s'avérer vrai*, qui est absurde, tandis que certaines arguties peuvent être avancées pour tâcher de soutenir *s'avérer faux* : une nouvelle qui *s'avérerait fausse*, ce serait une nouvelle dont la fausseté serait avérée, vérifiée, prouvée — bref il serait bien vrai qu'elle serait fausse. *Ces calomnies se sont avérées mensongères.* Mais comme des calomnies, par définition, sont *toujours* mensongères (contrairement à des *médisances*)… "Ces calomnies sont maintenant avérées comme telles" (ce n'étaient pas des médisances, leur contenu était *vraiment faux).*

On voit bien qu'on tombe là dans le byzantinisme. Suivons la sagesse de Jacques Capelovici : « Cela dit, malgré ce plaidoyer, la prudence recommande d'éviter l'emploi de "s'avérer faux", *qui risquerait d'être mal accueilli.* » (*Guide du français correct.* C'est moi qui souligne). Et ne suivons pas sans hésitation cet exemple de France 2 (8 avril 1999) : « L'information s'est avérée fausse. »

avoir (*vous avez* pour "il y a", "ici se trouve", "vous pouvez voir", "vous pouvez avoir", etc.) → *vous avez.*

avoir envie, avoir faim, avoir peur, avoir soif. Comme *dommage* * dans *c'est dommage* ou *plaisir* * dans *faire plaisir*, *faim*, *peur* et *soif* restent des substantifs, à l'intérieur des expressions verbales dans lesquels ils figurent ; et ne peuvent donc se voir accoler des adverbes de degré qui ne sauraient affecter que des adjectifs. On n'a pas *très faim* ou *très envie*, qui seraient l'équivalent grammatical de *très maison*, *très chaussettes*, *très arbre*. On a *grand faim* ou *une petite faim*. En revanche on peut avoir *terriblement envie* ou *affreusement faim* ou *délicieusement peur*, car dans ces cas c'est la forme verbale entière qui est qualifiée, et pas seulement sa composante substantive.

azulejos. Azulejo est un mot à la fois espagnol et portugais, mais c'est surtout des azulejos *portugais* que l'on a l'occasion de parler. Si tel est le cas, et gardant en tête que la langue portugaise ignore le *j* prononcé *rrr* à la manière espagnole, on évitera de parler d'*azulerrros*, au risque de ridicule par excès de zèle.

B

Bach. Le statut des noms propres étrangers dans le français parlé est extrêmement délicat. Il a d'ailleurs tendance à évoluer rapidement, ces temps-ci, du fait de la meilleure connaissance qu'on a des principales langues étrangères, et du rapprochement entre les différents États européens, notamment.

Nombreux sont les Français, de nos jours, qui savent que le nom de Bach en allemand se prononce *Barrr* (approximativement). Parmi ceux-là, quelques-uns sont tentés de faire étalage de leur science, ou du moins d'y conformer leur pratique. Mais ce parti sonnera longtemps comme une affectation. Bach est aimé en France depuis longtemps en tant que Jean-Sébastien *Bak*. C'est ainsi qu'il fait partie de notre culture. La francisation (relative) de son nom est une marque de l'ancienneté de notre admiration à son égard, et de notre intimité avec sa musique. Il est trop tard pour revenir en arrière.

baser, basé, basé sur. C'est du verbe *baser* que Royer-Collard, durant la préparation de l'édition de 1835 du dictionnaire de l'Académie française, disait : « S'il entre, je sors ! » Il parvint à faire refuser son admission, alors que *baser* figurait dans l'édition de 1798.

Cet épisode a jeté un long discrédit sur ce pauvre verbe et sur son participe passé, que les grammairiens conseillent d'éviter, en général, sans donner pour cela de bien bonnes raisons, sinon l'hostilité dont il fait l'objet de la part de leurs confrères et de leurs prédécesseurs. On dirait que sont oubliés les véritables motifs de la défaveur où gît ce verbe, mais que la disgrâce qui l'affecte est perpétuée aveuglément.

Baser pècherait par son origine technique — tandis qu'à de nombreux autres vocables parfaitement intégrés, la même origine ne semble pas nuire.

Quant à *basé sur*, tout spécialement mal vu, on lui oppose des arguments logiques qui sont peu convaincants : la base étant ce qu'il y a de plus bas, et n'ayant par définition rien au-dessous d'elle, rien ne saurait être basé sur quelque chose.

Il est difficile d'entrer dans ces arguties. Néanmoins, par prudence, à *baser* on pourra préférer *fonder*, qui lui ne fait l'objet d'aucune critique. D'aucuns ont voulu néanmoins que fondé soit réservé à des significations laudatives, ce qui ne serait pas le cas de *basé*. De fait, si l'on dit : « votre argument est parfaitement fondé », c'est un compliment, tandis que la phrase *votre argument est parfaitement basé* ne viendrait, je crois, à l'idée de personne.

bastide. *Bastide* a le destin curieux de n'avoir pas le même sens dans le Sud-Est et dans le Sud-Ouest de la France, d'où longs malentendus quand les habitués du Luberon se promènent en Lomagne. En Provence et dans les régions circonvoisines une *bastide* est un édifice, une maison, une ferme, un

mas, une habitation de caractère, en général ancienne et forti-
fiée, ou du moins disposée pour la défense, et qui pouvait en cas
de besoin se fermer sur elle-même. Le terme a fini par désigner
à peu près toute maison de campagne. Il est très apprécié par
les agences immobilières de vente ou de location de vacances,
en raison de ces connotations pittoresques et nettement positives.

En Gascogne, en Guyenne, en Languedoc, dans le Périgord, une *bastide* est tout autre chose. Ce n'est pas un édifice particulier, c'est une ville, en général une petite ville, un
village, un gros village, qui présente la particularité de n'être
pas d'origine organique, donc obscure, et souvent difficilement
datable, mais d'avoir été au contraire délibérément *fondé*, à
une date assez étroitement ou tout à fait déterminée, souvent
au XIIIe siècle, ou un peu plus tard. Des termes historiquement très voisins, et qui ont connu souvent des destins to-
ponymiques, sont ceux de *ville neuve, ville franche* ou *castel-
nau* (La Bastide-de-Sérou, Villeneuve-sur-Lot, Villefranche-
de-Lauragais, Castelnau-d'Arbieu). On peut dire un peu approximativement que les *bastides* sont au Midi (occidental) ce
que les *villes neuves* sont au Nord — à cette nuance près que
les villes neuves sont rarement très septentrionales, elles aussi,
et que les unes et les autres sont fréquemment liées à l'issue de
la guerre des Albigeois, c'est-à-dire, toujours un peu approximativement à la victoire de la France du Nord, royale, centrali-
satrice, sur la France du Midi. Il faudrait faire intervenir aussi,
comme le fait Alain Rey, cf. *infra*, l'influence de la couronne
d'Angleterre.

Les bastides du Sud-Ouest présentent aussi de nettes particularités topographiques. De même qu'elles ont été délibérément fondées, elles ont été délibérément tracées. Elles obéissent
toujours à un plan régulier, en général orthogonal, plus ra-

rement circulaire (et seulement pour les plus petites). On y rencontre habituellement une (et quelquefois deux, comme à Saint-Clar-de-Lomagne) vaste place centrale, fréquemment dotée d'arcades et dite alors *à cornières*. Les bastides du Sud-Ouest revendiquent fièrement, à l'accoutumée, leur appartenance au patrimoine archéologique et touristique de la région.

Un trait commun aux deux acceptions de *bastide*, ville en Gascogne ou au Périgord, maison de campagne en Provence, c'est que l'une et l'autre présentent ou présentaient en général des éléments de défense, de fortification. « *BASTIDE* n. f. est emprunté (1305) à l'ancien provençal *bastide*, qui désigne un ouvrage de fortification (1212-1213), une ville nouvellement bâtie, surtout en Gascogne ou en Périgord sous la domination anglaise (1263), et une cabane, une hutte (1276). Ce mot, qui correspond au latin médiéval *bastide* (première moitié du XIIIe s.), est le participe passé féminin substantivé de *bastir* (→ **bâti**) » (Le Robert, *Dictionnaire historique de la langue française*, sous la direction d'Alain Rey, 1992, tome premier, p. 192).

bathmologie. La *bathmologie* est la science des niveaux de langage, inventée comme en se jouant et très en passant par Roland Barthes dans *son* inépuisable petit livre *Roland Barthes par Roland Barthes*, paru en 1975 au Seuil dans la collection "Écrivains de toujours" (p. 71) :

« Tout discours est pris dans le jeu des degrés. On peut appeler ce jeu : *bathmologie*. Un néologisme n'est pas de trop, si on en vient à l'idée d'une science nouvelle : celle des échelonnements de langage. Cette science sera inouïe, car elle ébranlera les instances habituelles de l'expression, de la lecture et de l'écoute ("vérité", "réalité", "sincérité") ; son principe sera une secousse : elle enjambera, comme on saute une marche, toute expression. »

C'est à la bathmologie qu'on doit de pouvoir établir, ou seulement relever, que souvent il y a plus de proximité entre un *oui* et un *non* qu'entre deux *oui*, ou entre deux *non*.

Si Barthes est incontestablement le père de la bathmologie, il faut reconnaître qu'elle a beaucoup de grands-parents, ou de précurseurs ; et qu'abondent les bathmologues avant la lettre, et notamment Pascal, le plus vertigineusement virtuose d'entre eux :

« Les sciences ont deux extrémités qui se touchent. La première est la pure ignorance naturelle où se trouvent tous les hommes en naissant. L'autre extrémité est celle où arrivent les grandes âmes, qui, ayant parcouru tout ce que les hommes peuvent savoir, trouvent qu'ils ne savent rien, et se rencontrent en cette même ignorance d'où ils étaient partis ; mais c'est une ignorance savante qui se connaît. » (*Pensées*, "Renversement du pour au contre", 308)

Et bien sûr, la loi et les prophètes de la bathmologie :

« *Gradation*. Le peuple honore les personnes de grande naissance, les demi-habiles les méprisent disant que la naissance n'est pas un avantage de la personne mais du hasard. Les habiles les honorent, non par la pensée du peuple mais par la pensée de derrière. Les dévots qui ont plus de zèle que de science les méprisent malgré cette considération qui les fait honorer par les habiles, parce qu'ils en jugent par une nouvelle lumière que la piété leur donne, mais les chrétiens parfaits les honorent par un(e) autre lumière supérieure.

« Ainsi se vont les opinions succédant du pour au contre selon qu'on a de lumière. » *Pensées*, "Raison des effets", 90-337 (c'est moi qui souligne).

Toutefois Montaigne, un peu plus tôt, et même s'il se montre moins théorique, n'avait pas grand-chose à envier au Clermontois :

« C'est un tesmoignage merveilleux de la foiblesse de nostre jugemen, qu'il recommande les choses par la rareté ou nouvelleté, ou encore par la difficulté, si la bonté et utilité n'y sont joinctes. Nous venons presentement de nous jouer chez moy, à qui pourrait trouver plus de choses qui se tinsent par les deux bouts extrêmes, comme, Sire, c'est un titre que se donne à la plus élevée personne de nostre estat, qui est le Roy, et se donne aussi au vulgaire, comme aux marchans, et ne touche point ceux d'entre deux. Les femmes de qualité, on les nomme Dames, les moyennes Damoiselles, et Dames encore celles de la plus basse marche » (*Essais*, I, LIIII).

Suivent une foule d'autres exemples. L'auteur finit modestement son chapitre par celui-ci :

« ... je n'en adjousteray que cettuy-cy : que si ces Essays restaient dignes, qu'on en jugeast, il en pourrait advenir, à mon advis, qu'ils ne plairaient guerre aux esprits communs et vulgaires, ny guerre aux singuliers et excellens : ceux-là n'y entendroient pas assez, ceux-ci y entendroient trop : ils pourroient vivoter en la moyenne region ».

Cependant, sur les traces de la bathmologie avant la lettre, on pourrait remonter bien plus haut, et au moins jusqu'à Platon :

« — Mais, repris-je, pour peu qu'on fût intelligent, on se rappellerait qu'il y a deux espèces de troubles pour la vue, et provenant de deux espèces de cause, et de son passage de la lumière à l'obscurité, et de celui de l'obscurité à la lumière. Si l'on admet que cela a lieu identiquement dans le cas de l'âme, quand on verra une âme se troubler et être impuissante à considérer quelque chose, on ne se mettra pas à rire sans réflexion, mais on examinera si c'est le défaut d'accoutumance qui l'obscurcit parce qu'elle vient d'une existence plus lumineuse ; ou bien si, allant d'une ignorance plus grande vers une plus grande luminosité, elle a été remplie d'éblouissement, par l'excès même de la clarté. Dans ces conditions, l'une serait louée, certes, du bonheur de son état, de celui de son existence, tandis qu'on aurait pitié de l'autre ; et, si l'on avait envie de rire d'elle, il y aurait au rire de ce rieur moins de ridicule qu'à celui dont serait l'objet une âme qui vient d'en haut, qui arrive de la lumière.

— Ah ! fit-il, je crois bien ! voilà exactement ce qu'il faut dire ! » (La République, VII, II, 517)

En revenant vers notre époque, on ne pourrait pas ne pas faire étape chez Marx, et chez Hegel à travers lui :

« Hegel note quelque part que tous les grands événements et personnages historiques surviennent pour ainsi dire deux fois. Il a oublié d'ajouter : une fois comme [grande] tragédie et la fois d'après comme [misérable] farce » (Le 18 brumaire de Louis Bonaparte).

Cet incipit fameux est évidemment fondamental pour Barthes, qui le commente dans le petit Roland Barthes par Roland Barthes déjà cité ("Le retour comme farce", p... 92) :

« Vivement frappé, autrefois, frappé à jamais par cette idée de Marx que, dans l'Histoire, la tragédie parfois revient, mais comme farce. (...)

« Ce retour-farce est lui-même la dérision de l'emblème matérialiste : la spirale (introduite par Vico dans notre discours occidental). Sur le trajet de la spirale, toutes choses reviennent, mais à une autre place, supérieure : c'est alors le retour de la différence, le cheminement de la métaphore ; c'est la Fiction. La Farce, elle, revient plus bas ; c'est une métaphore qui penche, se fane et choit (qui débande). »

Marx cite Hegel, Barthes renvoie à Marx, Proust se moque gentiment de Nietzsche, à travers une allusion à Wagner (et à Adolphe Adam) :

« Je n'avais à admirer le maître de Bayreuth aucun des scrupules de ceux à qui, comme à Nietzsche, le devoir dicte de fuir dans l'art comme dans la vie la beauté qui les tente, qui s'arrachent à *Tristan* comme ils renient *Parsifal* et, par ascétisme spirituel, de mortification en mortification, parviennent, en suivant le plus sanglant des chemins de croix, à s'élever jusqu'à la pure connaissance et à l'adoration parfaite du *Postillon de Lonjumeau* ».

On voit qu'on pourrait faire un volume entier des bathmologues sans le savoir. Je me contenterai de finir par Pierre Bourdieu, qui, lui, est à deux pas de l'avoir su. C'était à "Apostrophes", le 21 décembre 1979 :

« Bernard Pivot : — Jacques Laurent, à propos de votre livre (*La Distinction*), faisait remarquer dans *Le Figaro* qu'en fait, depuis deux siècles, ce sont les couches supérieures de la population qui imitent celles qui sont au-dessous d'elles, qui les pillent, littéralement, leurs façons de vivre, de s'habiller, etc.

« Pierre Bourdieu : — Oui. Je crois que c'est un peu naïf. Là encore, il faut faire intervenir la distinction. Chaque groupe essaie de se démarquer de celui qui est le plus proche de lui. Mais il n'y a pas toujours un éventail de possibilités infini. Très souvent c'est *oui*, c'est *non*, et on est bien obligé d'en revenir à oui. La pauvreté choisie, ce n'est pas la même chose que la pauvreté imposée. La "deux-chevaux" de l'intellectuel n'est pas la même chose que le "deux-chevaux" de l'ouvrier ».

Il s'agit là d'un texte oral, on s'en avise, que je rapporte avec une exactitude plus ou moins approximative, sans doute, dans mon petit livre *Buena Vista Park* (1980). Je voulais intituler cet ouvrage Fragments de bathmologie quotidienne, mais Barthes eut le temps de m'en dissuader, avant de mourir.

Certains de ces fragments se souviennent manifestement de Montaigne :

« Monsieur. Enfant, j'admirais que, s'adressant à des médecins de particulière stature dans leur profession, on abandonnât Docteur pour revenir à Monsieur.

« (Ce Monsieur aux Professeurs me semble un objet bathmologique parfait : tout à fait le même, tout à fait un autre) ».

S'ils sont parfois "théoriques", c'est très en passant, et sans y toucher :

« Le malentendu. Le bathmologue habite le malentendu ; lequel serait, selon Kierkegaard qui donne pour exemple une situation empruntée à Scribe, l'essence même du tragique ».

« Comprendre. Pour la bathmologie, les deux sens de comprendre n'en font qu'un.

« Non-retour. La bathmologie est un chemin de non-retour. L'au-delà peut bien être identique à l'en deçà, il ne se confond pas avec lui.

« Lassé de B je peux bien revenir à A, ça ne pourra être qu'à un autre degré. »

Etc.

besoin, avoir besoin de. « *C'que les gens ont besoin, c'est de...* De je ne sais plus quoi, d'ailleurs. Ainsi parle à la radio M. Jacques Attali — auteur, il le rappelle lui-même, de dix-sept ou dix-huit livres. Difficile, dans ces conditions, d'expliquer à des jeunes gens ou à des adolescents qu'ils ne sauraient dire *c'que j'aurais besoin, c'est de...*, si le fier auteur d'une vingtaine d'ouvrages tourne lui-même ses phrases de la sorte... D'ailleurs, dans dix ans, tout le monde fera comme lui, puisque déjà il fait comme tout le monde. Et si quelqu'un tombe sur mes jérémiades à ce propos, ce quelqu'un ne comprendra pas du tout ce dont je m'attriste » (*Journal, La Campagne de France*, 17 février 1994).

Avoir besoin de, avoir envie de sont dans une phrase, en effet, un de ces passages délicats du langage où de plus en plus souvent on voit se rompre la structure syntaxique. Comme on a besoin ou envie *de quelque chose* ou *de quelqu'un*, ce *de* ne doit pas se perdre dans les constructions grammaticales un peu plus complexes, et, si pronom relatif il y a, ce doit être *dont* qui le prend en compte (de quoi), et non pas *que*, qui l'oublie.

Ce principe ne paraît pas d'une extrême complication. Mais le léger détour qu'il implique vers l'abstraction syntaxique, l'exigence qu'il porte d'un bref lâchage du sens pour une plus grande exaltation et pour un plus haut respect de ce même sens, cette médiateté sommaire qu'il impose, tout cela semble encore trop aux tenants rugueux de l'immédiateté d'expression, pour qui l'essentiel est d'être compris, même si au passage ils attentent au moyen principal de toute compréhension. (→ **avoir envie, construction**).

D'autre part il va sans dire que *besoin*, dans *avoir besoin*, de même que *envie* ou *faim* dans *avoir envie* ou *avoir faim*, garde sa qualité de substantif et ne peut être affecté que par un adjectif, pas par un adverbe de degré. On peut avoir "grand besoin" ou "un très grand besoin" de quelque chose ou de quelqu'un, mais on ne peut en avoir *très besoin.*

J'aurais assez besoin d'un peu d'argent, si c'était possible.

C'qu'on a super besoin, là, c'est rouvrir — ou alors c'est le dépôt.

Qu'est-ce qui z'ont besoin, les gamins ? C'qui z'ont super besoin, déjà, c'est d'respect, tu vois.

Ça ne répond absolument pas à ce qu'on a besoin, en fait

biais. *Biais*, en 2015, est un mot terriblement à la mode dans la parlure pseudo-intellectuelle. Pas un "universitaire" invité à la radio qui ne parvienne à glisser deux ou trois *biais* dans son émission. Le terme a même atteint les hommes et les femmes politiques, déjà, au moins les plus atlantistes, imagine-t-on. Il en va de *biais* comme de *prérequis* : c'est là le vocabulaire automatique, mais non dénué de prétention, de tous ceux, et ils sont nombreux, sans doute la majorité déjà et bien davantage au sein du personnel universitaire, qui parlent anglais, et plus précisément *américain*, en français.

Bien entendu ce substantif a toujours existé en français (Rey le date de 1250...), mais dans des acceptions qui, bien que voisines, n'étaient pas celles de la furieuse mode actuelle, dont l'archétype est le *biais cognitif* : un *biais*, dans la définition implicite la plus courante ces derniers mois (en 2021), c'est une particularité de point de vue, une spécificité de poste d'observation qui fausse les relevés et déforme les jugements. C'est un préjugé souvent inconscient, un parti-pris, de toute façon une source d'erreur dans les appréciations, que ne saurait corriger qu'un autre biais en sens inverse. Il n'y a rien redire à cela, ni à ce mot en soi ni à cet ordre de significations, que l'histoire de ce vocable au sein de notre langue autorise parfaitement. Tout juste pourra-t-on déplorer à travers lui que ce qui reste de débat intellectuel dans notre pays se déroule en des termes ou des sens empruntés, ou les deux, comme si nous n'étions plus capables de forger nos propres concepts et de les vêtir de nos propres signifiants, tissés de leurs propres fils.

bidon. *Bidon*, par un heureux hasard, hélas intraduisible, se prête à merveille, à lui tout seul, mais à travers ses diverses acceptions, suggestions de sens, connotations, à une description synthétique presque complète de l'univers du remplacisme global davocratique. Cet univers, si l'on en croit l'aspect que revêtent sous nos yeux ses métropoles et spécialement Paris, ses villes, ses campagnes et leur entre-deux, ses banlieues, paraît avoir pour sécrétion naturelle le bidonville. On parlait jadis de village global : c'était faire preuve d'un optimisme qui n'a plus lieu d'être. L'espace planétaire moyen n'a strictement plus rien à voir avec un village, au moins du point de vue de sa réalité sensible. Il ressemble bien davantage à une banlieue universelle, où sombrent tour à tour, par grignotement et mitage, la ville et la campagne. Mais cette banlieue universelle, par l'effet des crises économiques, des épidémies, de la surpopulation, de la décivilisation, du vivre ensemble, évolue sans désemparer vers les caractères cumulés d'un terrain vague et d'un parc de stationnement d'hypermarché, d'un chantier perpétuel, déglingué et hyperviolent, où coexistent dans un mélange de peur et d'inconscience des bâtiments ultramodernes et des ruines, les bureaux d'entreprises de haute technologie, les cimetières de voiture, les mouroirs et les entrées de cave, pour les tournantes. Le bidonville global est l'horizon indépassable du remplacisme du même nom.

Un *bidonville* est une pseudo-ville constituée de bidons. Or, dans la société liquide si justement décrite et théorisée par Baumann, le bidon est l'accessoire indispensable à la commercialisation planétaire de l'homme liquide, liquéfié, liquidé. C'est en bidons que peut s'échanger la Matière Humaine Indifférenciée* (MHI) qui est le suprême objectif de production du remplacisme global et de ses industries de l'homme, manufacturé en une pâte liquide étalable et délocalisable à merci, à la fois produit, producteur et consommateur (pas nécessairement dans cet ordre, car il s'agit de cycles inépuisables, comme en témoignent les migrations qu'ils génèrent et qui les alimentent). Le *bidon* est l'emblème même, par métonymie, et l'associé indispensable de ce que j'ai nommé, plus ou moins heureusement, le nutella* humain, ou nutelhom.

À quoi il faut ajouter, essentiel, que *bidon* a encore la complaisance, en français familier et presque argotique, de signifier faux, artificiel, trompeur, qui prétend être ce que ce n'est pas (des *examens bidons*, un *contrat bidon* — *Il Bidone*, en français, ce serait *L'Arnaque*). Alain Rey explique qu'un bidon était aussi « un drap plié de manière à gonfler, à former un ventre et faisant illusion » (1887). Bidon, adjectif, est dès lors le caractère essentiel de tous les objets du remplacisme global, qui, par définition, tend à remplacer tout par son imitation, son fac-similé, son double, sa reconstitution artificielle et trompeuse. L'homme en bidon de la davocratie remplaciste est l'hôte naturel du *bidonville universel*, du *bidon-monde*, du *monde bidon*. Il est le sujet par excellence du faussel*, la langue et l'univers du faux, le faux réel.

bien (*parfaitement bien, merveilleusement bien, etc.*). Après un adverbe de sens superlatif (→ **admirablement**), *bien* est en général inutile, et constitue même un pléonasme. Il n'y a pas lieu de dire : *C'est un plat qu'il réussit parfaitement bien* ou *Elle chante merveilleusement bien.*

Il y a d'une part le musicien, que vous traitez superbement bien ; d'autre part il y a l'homme (France Musique).

Il faut faire une exception, toutefois, pour le cas où *bien* forme avec le verbe qui le précède un syntagme figé, une expression consacrée, un ensemble verbal dans lequel peut s'introduire un adverbe absolu, aussi admissible alors qu'une indication de degré : "je me sens merveilleusement bien" (c'est à un degré merveilleux que je me sens bien).

bimensuel, bimestriel. Pour mémoire : est *bimensuel* ce qui arrive deux fois par mois ; *bimestriel* ce qui survient tous les deux mois. Un cours *bihebdomadaire* est donné deux fois par semaine. Un cours qui serait donné toutes les deux semaines serait bimensuel...

biographie. Une *biographie*, c'est une vie écrite, le plus souvent celle d'une personne célèbre. C'est en général un livre, ce peut être un article (on parlera plutôt de *notice biographique*, en ce cas), ce pourrait être à la rigueur un film, un reportage de télévision, voire un récit oral dans la mesure où l'écrit serait vaguement impliqué, ne serait-ce que sous la forme d'une mise en ordre. Mais ce ne peut être en aucune façon la vie elle-même.

Schopenhauer, au cours de sa biographie... Non : au cours de sa vie.

La biographie de Mozart est pleine d'occasions manquées. À moins qu'on ne fasse allusion à un ouvrage particulier, qui à plusieurs reprises serait passé très près d'être un chef-d'œuvre, par exemple, ou qui aurait négligé plusieurs chances d'éclaircir une bonne fois certains points obscurs, c'est "la vie de Mozart" qu'il faut dire.

Pessoa n'a pas eu de biographie (un invité de France Culture, 14 décembre 1998). Mais si, mais si : il existe au moins un excellent ouvrage, celui de Joao Gaspar Simoes... (Et d'ailleurs Pessoa a eu aussi une *vie*, et même plusieurs ; elles sont même la partie la plus spectaculaire de son œuvre.)

Tycho Brahé il a quand même une biographie incroyable, il a eu le nez coupé, il a un nez en or, il a un palais dans une île, etc.

Une *biographie* n'est pas plus une vie que la *météorologie** n'est le temps.

bise, bisou. Concurremment à ses aspects argotiques, grossiers, brutaux ou scatologiques (*bosser, bouffer, baiser, déconner, chier, faire chier, emmerder, s'emmerder, être dans la merde, dégueulasse,* etc.), le français contemporain le plus usuel présente aussi — pour compenser, peut-être — de fortes composantes résolument *gnan-gnan*, empruntées au vocabulaire des bébés, ou des personnes qui s'adressent aux bébés dans la langue qu'ils sont censés comprendre, ou aimer.

Autant que les *papas* et les *mamans**, autant que les *papys* et les *mamies*, prospèrent entre nous les *bises* et surtout les *bisous*, qui jadis étaient réservés aux séances infantiles de guili-guili autour des berceaux populaires, et qui ont sauté de là dans tout le corps social, prolétarisé à la fois et infantilisé.

On n'est plus à l'abri nulle part, de nos jours : *bises* et *bisous* s'abattent sur nous au bas de toutes les lettres et toutes les cartes postales, de la part des personnes les plus inattendues, et dont nous ne savions pas que nous étions avec elles dans une intimité si étroite. Les secrétaires envoient de la Guadeloupe des bisous à leurs employeurs, les petits-enfants à leurs grands-mères très distinguées (qui en étaient un peu surprises, forcément, au début), les lecteurs à leurs écrivains favoris et les amoureuses à leurs amoureux, bien sûr, même dans le meilleur monde (ou dans ce qu'il en reste); bientôt ce seront les généraux à leurs soldats, les détenus à leurs avocats, les évêques à leurs derniers prêtres, les contribuables à leurs percepteurs. Nous ployons sous la *bise* et croulons sous le *bisou*.

« Dérivé régressif », dit de *bise* l'imperturbable Alain Rey. On jurerait qu'il ne croit pas si bien dire, s'il ne pesait si bien ses mots.

La Covid 19, qu'on peut préférer appeler de son premier nom de *coronavirus*, a compté parmi ses mérites, qui ne sont pas minces, et que ne doivent pas faire oublier ses crimes trop réels, de porter un coup fatal aux *bises* et aux *bisous*, un temps remplacés par des frottement de coudes ou de chevilles plus ridicules encore, alors qu'il serait tellement plus sûr, à la fois, et tellement plus élégant, de se saluer à la japonaise, d'une inclinaison de la tête ou du haut du corps, d'ailleurs infiniment plus conformes aux plus anciennes traditions françaises, bien antérieures aux serrements de mains, et, *a fortiori*, aux *bises* et aux *bisous*. Mais tandis que ces derniers, la chose, quittaient les familles et les bureaux, les amphithéâtres et les terrasses de café, le mot, lui, prospérait comme jamais, profitant à la fois du changement de classe de référence pour la vie sociale (la bourgeoisie, tant qu'a duré son règne, n'a pas connu la *bise* et le *bisou*, en tout cas pas sous ces noms-là...) et de cette conséquence un peu inattendue mais pas imprévisible de la grande déculturation, ou Petit Remplacement : l'infantilisation générale, trait capital de l'hébétude.

blasphémer. On rencontre des occurrences de langage si bizarres qu'elles découragent l'analyse. Ainsi, *se sentir blasphémé.*

Les musulmans se sont sentis blasphémés, il faut les comprendre.

Déjà on ne voit pas très bien ce que serait le sens d'un participe passé du verbe *blasphémer*, commettre un blasphème : *les versets blasphémés* (qui font l'objet d'un blasphème ? c'est un peu tiré par les cheveux). Mais même en acceptant ce premier point, seuls pourraient être blasphémés un dieu, Dieu, ou quelque objet, livre, phrase, mot, revêtus d'un caractère sacré. C'est seulement en tant qu'exemple d'extrême instabilité* syntaxique, et de confusion sur la personne grammaticale, que pourraient être dits ou se considérer *blasphémés* ceux qui estiment que leur Dieu ou leur religion a fait l'objet d'un blasphème. On pourrait leur demander : mais pour qui ou pour quoi vous prenez vous ? Il n'est d'autre moyen de remettre sur pied la phrase ci-dessus que de rétablir soigneusement, serait-ce un peu pesamment, les assignations :

« Les musulmans ont estimé que leur religion faisait l'objet d'un blasphème ».

On pourrait dire plus élégamment :

"Les musulmans se sont sentis victimes d'un blasphème", "blessés par un blasphème", "atteints par le blasphème" (l'article défini impliquant ici que le blasphème serait tout à fait réel). Ils sont victimes d'un blasphème, mais ils n'en sont pas l'objet.

bon. → **C'est bon.**

bon appétit. Du point de vue du vocabulaire ou de la grammaire, il n'y a strictement rien à redire à *bon appétit!* Il n'y a d'ailleurs strictement rien à y redire du tout. Un livre sur le langage qui ne se soucierait que de sa correction ou de son incorrection ne parlerait même pas de cette expression. L'intérêt linguistique qu'elle présente est purement social. Elle montre l'impossibilité qu'il y a à s'interroger sur les mots indépendamment de leurs connotations sociologiques — de leurs connotations de *classe*, pour être plus précis.

Bon appétit! est une expression de classe, en effet. Les vieux auteurs n'éprouvaient aucun scrupule idéologique à préciser le registre social auquel appartenaient tels ou tels terme ou expression. Plus exactement ils n'éprouvaient aucun scrupule à désigner comme *populaires* les mots du langage populaire, ou qu'ils jugeaient tels; pour les mots du registre non-populaire, ils ne donnaient pas de qualification, car c'était, estimaient-ils, le registre de leurs lecteurs. Si Callières précise d'une tournure qu'elle est *bourgeoise*, c'est parce que lui écrit pour des aristocrates.

Aujourd'hui les classes sont un sujet tabou. Si économiquement elles ont la vie dure (mais les simples différences de revenus ne suffisent pas à différencier les classes), culturellement elles sont moins marquées que par le passé, et linguistiquement elles tendent à se fondre en une seule.

Bon appétit est populaire et petit-bourgeois. À en juger par son succès récent, ou bien toute la France est devenue petite-bourgeoise, ou bien la langue et les usages petits-bourgeois se sont répandus dans toutes les couches de la société. Souhaiter *bon appétit* à ses commensaux, en début de repas, était inconnu, jusqu'aux années récentes, de l'usage aristocratique et bourgeois. Il était impensable qu'un maître d'hôtel ou les garçons présentent ce vœu aux personnes qu'ils servaient à table, dans un restaurant ou un hôtel d'un certain niveau. Aujourd'hui, tous s'y jugent tenus. Et beaucoup de leurs clients, en particulier parmi les étrangers, se sentiraient désobligés, ou en tout cas déçus, s'ils ne faisaient pas l'objet de cet encouragement.

Les étrangers qui dans leur propre langue observent les usages en cours dans les milieux culturellement favorisés se persuadent, après quelque temps de séjour en France, que *bon appétit!* est français comme le vin rouge ou comme le drapeau tricolore. *Bon appétit!*, en réalité, est français comme le béret basque : symboliquement très français, mais pas universellement français — du moins ne l'était-il avant la période actuelle.

De même que la pizza, la paëlla, le goulash ou le chili con carne sont des mets caractéristiques de telle ou telle nation particulière qui ont conquis la planète, *bon appétit* est une expression typique d'une classe donnée qui a conquis, ou presque, l'ensemble d'une société. Elle est tout à fait à l'abri des critiques objectives. Elle est une amabilité, une marque de d'intérêt cordial et bienveillant, et comme telle elle est bonne à prendre. Elle ne devient tout à fait agaçante que formulée quatre ou cinq fois au cours du même repas, au restaurant par des garçons trop zélés à l'arrivée de chaque plat, par exemple, au prix de fastidieuses interruptions dans les conversations. Et sans doute conviendrait-il de maintenir les droits des personnes qui ne souhaitent pas dire *bon appétit*, ou qui n'y pensent pas parce que ce n'est pas dans leurs traditions personnelles, familiales ou sociales : elles ne sauraient être taxées de grossièreté pour autant.

bonjour. Ce qu'on peut dire de *bonjour* évolue de jour en jour et se trouvera fatalement d'une pertinence très inégale selon que l'auditeur, ou le lecteur, se trouve lui-même à un stade ou à un autre de l'évolution de ce mot-là, et de son usage, et de l'usage de tous les autres mots. Il convient cependant de rappeler que *bonjour* tout court, dans un passé encore assez récent, qui est loin d'être complètement effacé, même, était considéré, sauf cas de grande familiarité entre les locuteurs, comme tout à fait impoli. Quand les enfants disaient "bonjour" tout court on affectait de leur demander : "bonjour qui ?"

Il faudrait faire intervenir ici des concepts qui sont en train de devenir tout à fait archaïques, peu recevables et même fortement suspects, idéologiquement : ceux d'*inférieur* et de *supérieur* (socialement) — or il est difficile d'en faire l'économie si l'on veut explorer l'épaisseur historique de la langue et de ses usages, où ils ont joué pendant des siècles un rôle considérable.

S'agissant de personnes que l'on ne connaissait pas, ou très peu, et spécialement de personnes que l'on rencontrait pour la première fois, on pouvait dire *bonjour* à des *inférieurs* (des personnes beaucoup plus jeunes que soi, par exemple, ou bien des enfants), on pouvait dire *bonjour* à des égaux, à la rigueur (à des personnes appartenant au même cercle que soi, à la même société, à la même association, au même bureau, ou bien réunies par un goût commun, ou la pratique du même sport), mais en aucun cas à des supérieurs, ou à des personnes auxquelles pour une raison ou pour une autre on devait le respect (parce qu'elles étaient beaucoup plus âgées que vous, pour commencer, ou bien parce qu'elles vous employaient, ou qu'elles auraient pu vous employer, ou bien parce que leur contribution à la bonne marche de la société ou au prestige de la communauté à laquelle on appartenait était plus importante que la vôtre) : à celles-là on était absolument tenu, et on l'est encore, selon certains codes qui ne sont pas entièrement sortis de l'usage, loin de là, de dire *bonjour Monsieur**, ou *bonjour Madame*.

Beaucoup de garçons et de filles jeunes ne se rendent pas compte à quel point ils heurtent la sensibilité de personnes d'un certain âge, et leur donnent le sentiment assez mélancolique que leur univers familier est décidément effondré, caduc, lorsqu'ils leur disent *bonjour* tout court.

Aujourd'hui encore, et exception faite d'assez nombreux milieux professionnels particuliers, où une familiarité immédiate est de règle, il serait probablement très maladroit, si l'on cherche un emploi, de dire *bonjour* et rien d'autre à la personne qui vous reçoit, surtout si elle se trouve être votre éventuel employeur.

Dans la première moitié du vingtième siècle encore, une femme qu'on appelait alors *élégante*, entrant dans une boutique, y disait, par un usage curieux, *bonjour Mademoiselle* à la vendeuse, même si celle-ci avait cinquante ans ou plus. *Bonjour Madame* aurait paru beaucoup trop respectueux. C'était l'époque, aujourd'hui bien révolue, pour le coup, où les commerçants, au moins officiellement, et au moins dans l'exercice de leurs fonctions, étaient dans une position sociale inférieure, par rapport à leurs clients. Eux devaient dire *bonjour Monsieur* ou *bonjour Madame*, tandis qu'on leur disait couramment *bonjour* tout court.

Aujourd'hui la situation est fréquemment inversée — renversement qui peut être rapproché d'un autre : les "fournisseurs" se vantaient de tel ou tel patronage flatteur, et en faisaient état sur leurs devantures et sur leurs produits ; tandis qu'aujourd'hui se sont les clients qui sont supposés tirer gloire des marques des articles qu'ils ont achetés, et qui sont sommés de les arborer jusque sur leurs chemises, leurs ceintures, leurs chaussures ou leurs caleçons.

Fournisseurs et restaurateurs se targuent souvent de n'avoir pas des clients mais exclusivement des amis — auquel cas ils ne vont certainement pas les appeler *Monsieur* ou *Madame*. Et certes il est très concevable qu'un client devienne l'ami de son crémier, de son coiffeur, de son marchand de chemises ou du patron du restaurant où il a ses habitudes. Mais que la relation commerciale soit donnée d'emblée, et pour ainsi dire automatiquement, comme une relation d'amitié, il n'est pas sûr que ces deux types de rapports humains, le négoce et la sympathie, aient forcément à y gagner.

Comme il n'est pas rare que la personne qu'on eût estimée jadis la plus considérable (c'est-à-dire la plus âgée, essentiellement) soit aussi la mieux élevée (ou la plus attachée à des usages révolus, selon le point de vue), on voit fréquemment à la poste, au bureau de réception des hôtels, à la banque ou n'importe où, de respectables hommes mûrs ou des vieilles dames polies dire "bonjour Monsieur" ou "bonjour Mademoiselle" à de petits jeunes gens ou à des jeunes filles qui leur répondent "naturellement" *bonjour* tout court.

*

Il est étrange que *bonjour*, mot de la cordialité et de la bienveillance, littéralement ("je souhaite que le jour vous soit bon"), soit devenu, à l'époque contemporaine, le théâtre d'une sourde guerre à la fois langagière et sociale, comme le sont la plupart des guerres autour des mots. Celle-ci a pour particularité d'être si secrète qu'une des parties en présence — de très loin la plus nombreuse, et la plus forte — en ignore jusqu'à l'existence : disons que les vainqueurs ont tellement gagné qu'ils en oublient ou refoulent l'existence des vaincus et, *a fortiori*, la consistance de leur thèse.

On étonnerait sans doute beaucoup la plupart des Français si on leur révélait que *bonjour*, qui leur semble l'expression par excellence du salut, ne l'a pas toujours été, bien loin de là. Le salut, son nom l'indique assez, n'est pas verbal au premier chef. Le mode premier et capital du salut, c'est... le salut, un salut : une inclination de la tête, plus ou moins marquée selon le degré de respect et d'attention que l'on entend témoigner ; et, peut-être même avant cela, un regard, la prise en compte de l'autre par le regard, qui signifie la reconnaissance de notre commune humanité. Rien n'est plus grossier, et incivilisé, ou décivilisé, que prétendre ne pas voir une personne avec laquelle on partage un ascenseur, ou un seuil, ou un sentier de montagne. Il faut remarquer à cet égard que l'inverse du racisme*, de ce qu'il est convenu d'appeler racisme (à moins de tenir compte du renversement de sens suggéré dans ce volume même), et l'essence de l'antiracisme*, s'il était ce qu'il doit être, et qu'il n'est plus depuis longtemps, c'est le regard, celui qui dit à l'autre *je vous vois*, et qui salue en vous notre communauté d'espèce, de vivant, d'habitant sur la terre. Il est vrai que le regard peut être aussi un défi, une provocation, un ordre intimé d'avoir à s'effacer, ou à descendre du trottoir. Mais il s'agit là d'un tout autre regard, ce qui montre assez les vertus sémantiques de l'œil, sa capacité à signifier tout et son contraire.

Le salut n'était pas seulement l'hommage d'un regard, une inclinaison de la tête ou du haut du corps. Il pouvait être aussi une véritable révérence, ou plusieurs, un coup de chapeau, plus ou moins ample ainsi qu'en témoignent le théâtre classique et la peinture de la même époque. Mais le besoin de verbalisation s'est rapidement fait sentir, ou plutôt il a toujours été là. On disait *Monsieur*, on disait *Madame*, ou *Mademoiselle*, ou *Prince*, ou *Maître*, ou *Capitaine*, ou *Voisin*. Ces mots, dans cet usage-là ou dans d'autres, étaient des termes vocatifs, et saluer, c'était les prononcer. Mais bientôt s'est manifestée la nécessité d'un supplément de politesse et de bonne volonté, besoin peut-être un peu trivial, ou commercial, ou paysan. Dans la tragédie on ne dit pas *bonjour*, ni ne se serre-t-on la main, pratique relativement récente, en grande partie d'origine américaine, autant et plus que paysanne, comme de dire *Monsieur** Ferrand*, ou *Madame Bossard*, quand on s'adresse à eux.

Dans la comédie classique non plus on ne se sert guère la main, à la vérité, sauf entre gens de négoce, ou serviteurs entre eux, ou maîtres et serviteurs entre eux. L'expression frénétique et souvent ridicule de l'expression du vœu, de nos jours — *bonne soirée, bon début de soirée, bonne fin de soirée, bon début de fin de soirée Messieurs-Dames, bonne journée, bonne nuit*, devenu récemment, Dieu sait pourquoi, sinon par un phénomène d'usure, *belle nuit* (Je vous souhaite une belle nuit, une très belle journée sur les ondes de France Musique, une belle après-midi), est nettement d'origine boutiquière. Je ne sache pas qu'il ait existé de tabou social ou même de légère déconsidération liés à *bonjour*, mais s'ils avaient existé, ce qui ne semble pas improbable, ils auraient été de la même nature que ceux qui frappent *bon appétit**.

C'est sans doute parce que *bonjour* n'était pas en soi le salut mais un supplément gratuit, quoiqu'un peu intéressé, à l'occasion, que la politesse exigeait, jusqu'à une date récente, et exige encore un peu, mais pour un nombre de personnes qui va se réduisant rapidement, *bonjour Monsieur, bonjour Madame, bonjour* Quelque Chose ou Quelqu'un. Et nul ne songeait, sauf coquetterie stylistique, littéraire ou sentimentale, à faire accéder *bonjour* au régime de l'écrit. C'est Internet, c'est la Toile, ce sont les mails et la correspondance électronique, qui ont introduit *bonjour* dans l'art et la pratique épistolaires.

La question qui se pose, évidemment, est celle de savoir si un grand changement technologique, tel que le passage à l'ère cybernétique, doit entraîner nécessairement, ou bien entraîne naturellement, une transformation de comparable ampleur, toute proportions gardées, dans l'ordre des pratiques sociales, des codes syntaxiques, des relations humaines. En d'autres termes, le passage du papier au cristal liquide, de la lettre à l'e-mail, ou au courriel*, du bureau de poste au click, devait-il inévitablement entraîner le passage de *Monsieur* ou *Madame*, voire de *Cher Monsieur*, ou *Chère Madame*, à *Bonjour*, enté *in fine* de *cordialement**? Je crois plus volontiers pour ma part que pareil changement est le reflet d'un changement de classe de référence et de niveau socio-culturel, même s'il profite largement, bien sûr, comme l'avènement de la petite bourgeoisie en général, de la coïncidence dans le temps, et qui n'est sans doute pas tout à fait accidentelle, avec le changement technologique.

Je me rappelle la stupeur du président d'une importante institution culturelle recevant, à la fin du siècle dernier, des lettres de candidature de petites jeunes filles tout frais émoulues des meilleures écoles et qui ouvraient leur missive par *Bonjour* ou, pis encore à ses yeux s'il se pouvait, *Bonjour Monsieur Duchemin*; non sans la clore par l'autre élément du diptyque alors en train de se mettre en place, et promis à un succès foudroyant, *Cordialement*. Je crois bien que le pauvre homme ne répondait pas à de telles lettres, et j'aurais sans doute fait la même chose à sa place : il estimait non sans raison que ce qui lui paraissait un comble de rusticité, pour ne pas parler d'impolitesse, était radicalement incompatible avec l'appartenance à la prestigieuse institution qu'il dirigeait.

Cependant il lui fallut bien vite se rendre à l'évidence : la tenaille *Bonjour / Cordialement*, qui allait devenir un des emblèmes sémantiques d'une époque, était ce que jeunes filles et jeunes gens apprenaient dans leurs écoles, fussent-elles hautes ou grandes ; de sorte que ne pas répondre, comme c'était aussi ma pente et le demeure, aux lettres et messages qui commencent par *Bonjour*, ce serait bientôt se couper de la moitié du monde, puis des trois-quarts, puis des neuf-dixièmes ; sans compter que la mission culturelle d'institutions comme celle que dirigeait la personnalité dont je parle allait rapidement revêtir, comme l'un de ses principaux aspects, et comme une très forte exigence pesant sur elle, *l'ouverture à l'autre*, de quelque nature que soit cette altérité, sociale, culturelle, ethnique ou la combinaison des trois ; et qu'il ne ferait pas bon, pour les acteurs de ce monde-là, qui est le monde, se singulariser par trop de rigueur avec ses défavorisés culturels, qui en seraient bientôt toute la population, ou presque. Il faut vraiment n'attendre plus rien du Sort pour s'obstiner dans la résistance, socialement suicidaire, à *Bonjour / Cordialement*, ces enclumes et marteaux.

*

Une autre évolution singulière de *bonjour*, tout à fait contemporaine de la précédente, et sans doute étroitement liée à elle, mais relevant de l'oral, celle-ci, et de la prononciation, est que ce petit mot qu'on aurait pu croire très simple, et à l'abri des accidents, s'est vu doter, de plus en plus fréquemment, et sans changer d'orthographe, de trois syllabes : *bon-jour-euh*. Les Inconnus avaient déjà relevé le phénomène, à la fin du siècle dernier. Il a pris depuis leur époque une ampleur foudroyante. Sans doute est-il lié au problème de la nasalisation* féminine, mais il est loin de ne concerner que les femmes. Peut-être faut-il voir en lui, là encore, l'effet d'un désir de bienveillance marquée, qui relèverait de l'idéologie du sympa*. La demi-syllabe ajoutée, qui peut être très longue, apporterait une note de familiarité ludique, très recherchée par exemple dans les relations commerciales :

— *Bonjoureuh : là vous êtes plutôt sur de l'entrée de gamme. Est-ce que je vous montre des produits plus accordés à votre style ?*

bonne continuation. *Bonne continuation* a longtemps passé, en de certains milieux, pour une pure plaisanterie, et même pour une légende : on prétendait qu'il y avait des personnes qui disaient *bonne continuation*, mais nul, à l'intérieur de ces milieux-là, n'avait jamais entendu quiconque employer cette expression autrement que pour amuser, par l'imitation d'un langage que l'on imaginait imaginaire.

En fait il a bien fallu se rendre à l'évidence, *bonne continuation* existe bel et bien, et pas seulement dans le registre comique. À la campagne on se l'entend beaucoup dire, très gentiment, quand on a lié conversation au bord d'un champ ou dans une cour de ferme, au cours d'une promenade. On se l'entend beaucoup dire à table, également, et dans des restaurants qui ne sont pas toujours sans prétentions, loin de là. Mais les restaurateurs mélangent les registres, s'ils font de grands efforts pour veiller à la délicatesse des plats, à l'élégance du service et au raffinement des couverts, et si dans le même temps ils permettent à leurs maîtres d'hôtel, ou à leur épouse, de dire *bonne continuation* aux clients, au cours du repas. Cet aimable souhait s'accorde mieux, stylistiquement, à un casse-croûte rustique sur une table de bois, ou bien de formica, dans une auberge de bord de route. Il en va de lui comme de bon appétit, dont il est une sorte de carabination farcesque.

bonne journée. On disait jadis *bonjour* ou *bonsoir,* ou *bonne nuit,* et ce n'étaient que des formes de salut, pour la rencontre ou la séparation : l'expression véridique d'un vœu ne s'y entendait plus guère. *Bonjour* avait plus le sens de *salut à vous* que de *je vous souhaite une bonne journée.*

C'est encore le cas, à la vérité. Mais justement pour cette raison s'est fait ressentir le besoin, apparemment, d'une remontée du sens et du vœu. À partir des années quatre-vingt a commencé de se faire entendre, dans les moments où l'on se quitte, une extrême profusion de souhaits, à commencer par *bonne journée* : lui ont succédé *bonne soirée, bonne après-midi, bon dimanche, bon week-end, bon séjour, bonnes vacances,* puis des sous-sections de ceci ou de cela, *bonne fin de matinée, bonne fin d'après-midi, bonne fin de journée, bonne fin de soirée, bon début de séjour, bonne fin de vacances,* etc.

Ce n'étaient que des politesses nouvelles, inconnues des générations précédentes, ou en tout cas peu pratiquées par elles. D'aucuns ont cru y déceler la marque d'une féminisation du vocabulaire ou du temps : on disait bonjour ou bonsoir, et l'on s'est mis à dire, presque en un tournemain, *bonne journée* ou *bonne soirée.*

Il semble que le nouvel usage soit d'origine commerciale : c'est lorsqu'on quittait les magasins qu'on a commencé à s'entendre dire *bonne journée.* Mais à partir de la boutique la popularité de cette expression et de ses variantes a gagné toute la société, ou peu s'en faut, avec une rapidité stupéfiante.

C'est d'ailleurs un indice excellent, pour l'identification des sièges du vrai pouvoir "culturel", ou langagier, que l'origine exacte des expressions, des mots ou des usages grammaticaux qui s'imposent à l'ensemble du corps social. À de certains moments de l'histoire c'est dans les salons aristocratiques ou bourgeois que se forgent le vocabulaire et la syntaxe nationaux. À d'autres ce sera chez les écrivains. Pour nous c'est dans les magasins, et bien sûr à la télévision.

La littérature n'impose plus ses normes. La France a cessé d'être une société "littéraire". Les écrivains ont été chassés du piédestal où les avait placés une tradition non pas immémoriale, certes, mais vieille de deux siècles à peu près. Dans la plupart des dictionnaires, les exemples, au lieu d'être empruntés comme jadis aux ouvrages d'auteurs classiques ou du moins consacrés, le sont au langage courant. L'usage seul est considéré comme fondateur. Il s'ensuit une curieuse tautologie de la norme : ce qui se dit est ce qui se dit. Mais comme l'usage évolue sans cesse, il n'y a plus de norme. S'affrontent alors deux conceptions langagières, autant dire idéologiques : celle qui veut des règles, et qui les cherche dans la logique, dans la tradition, dans l'étymologie, dans l'origine ; celle qui n'y tient pas, et qui place sa confiance dans l'évolution perpétuelle, dans le renouvellement constant, et dans ce qu'on pourrait appeler, si l'on ne craignait pas l'oxymore, l'invention individuelle de masse.

La première de ces deux conceptions a encore le pouvoir, officiellement. Mais ce pouvoir est tout symbolique, ou plutôt nominal, car cette conception n'a pas la puissance de créer des symboles, justement. Elle est très minoritaire, et surtout déficitaire en capital de sympathie.

La seconde conception est très sympathique*, au contraire. Tirant sa substance du temps tel qu'il va, et non pas tel qu'il fut (la question étant de savoir lequel de ces deux temps est le temps tel qu'il est), elle fait l'objet de toutes les complaisances du présent, jour après jour renouvelées.

Bienveillante formule de courtoisie, et qui n'attente en aucune façon à la grammaire, ni au vocabulaire constitué, *bonne journée* n'a rien en soi qui puisse déplaire. D'où vient qu'elle déplaise un peu cependant, à l'occasion, ou du moins qu'elle puisse agacer ? De la sujétion qu'elle témoigne au présent, de la soumission à l'heure qu'elle nous impose sans le vouloir, du sentiment qu'elle nous donne que nous parlons sous la dictée du siècle, et même pas du siècle, du jour.

Justement parce qu'elle est si sympathique, elle nous proclame antipathique, si nous refusons de l'adopter. Pourquoi ne dirions-nous pas *bonne journée* toutes les cinq minutes comme tout le monde, *bonne fin de journée* et *bonne fin de soirée*, et *bon début de fin de soirée* ? Parce que cette coutume est récente, parce qu'elle s'est répandue comme une traînée de poudre, parce qu'elle appartient emphatiquement au goût du jour et parce que nous croyons, à tort, tout à fait à tort, à une pérennité de la langue, alors qu'elle est ce qui nous quitte, comme le sens.

bonté. *Bonté* n'a plus parmi nous qu'un sens moral. Dans l'usage courant contemporain la *bonté* n'est plus qu'une qualité du cœur, ou de l'âme. Elle n'est plus guère attribuée qu'à des êtres vivants. Il est assez regrettable que se soit perdue une acception assez courante de la langue classique, et qui d'ailleurs n'est pas sans éclairer quelque peu la signification éthique qui a seule survécu. Le français de jadis n'hésitait pas à doter de *bonté* des objets inanimés. Il ne s'agissait nullement de les gratifier de vertu morale (qui toutefois pouvait être prêtée par contrecoup à ceux qui les avait fabriqués, ou élaborés) ; mais seulement de souligner leur bonne qualité matérielle, ou gustative, ou politique, ou économique, etc. C'est le premier sens que donne Littré : « 1. Qualité de ce qui est bon. Bonté des terres. Bonté d'un pays. Bonté d'une marchandise. Bonté d'un vin. Bonté de l'air. Bonté d'un fruit. ». On remarque toutefois que le lexicologue fameux, lui qui en est en général si prodigue, ne donne pas d'exemples, ce qui pourrait donner à penser que cette acception était peut-être moins courante que nous ne voulons bien le dire lui et moi. On la rencontre pourtant chez Montesquieu :

« C'est donc de la bonté des lois criminelles, que dépend principalement la liberté du citoyen », *De l'esprit des lois*, livre XII, chap. II.

Il s'agit souvent de la *bonté des lois*, chez les auteurs classiques — par quoi ils ne veulent nullement signifier leur générosité ou leur mansuétude mais leur qualité en quelque sorte technique, leur pertinence, leur justesse. Cette acception est très fréquente chez Tocqueville, à telle enseigne qu'on peut presque parler d'un tic de langage :

« On se tromperait étrangement si l'on pensait que j'aie voulu faire un panégyrique ; quiconque lira ce livre sera bien convaincu que tel n'a point été mon dessein ; mon but n'a pas été non plus de préconiser telle forme de gouvernement en général ; car je suis du nombre de ceux qui croient qu'il n'y a presque jamais de bonté absolue dans les lois ; (...) », *De la démocratie en Amérique I*, Introduction, Gallimard, "Bibliothèque de la Pléiade", Œuvres, tome II, p. 15.

« Il n'est pas toujours loisible d'appeler le peuple entier, soit directement, soit indirectement, à la confection de la loi ; mais on ne saurait nier que, quand cela est praticable, la loi n'en acquière une grande autorité. Cette origine populaire, qui nuit souvent à la bonté et à la sagesse de la législation, contribue singulièrement à sa puissance », *De la démocratie en Amérique*, I, II, VI, "Quels sont les avantages réels que la société américaine retire du gouvernement d la démocratie", "Du respect pour la loi aux États-Unis", Gallimard, "Bibliothèque de la Pléiade", Œuvres, tome II, p. 275.

Mais il peut s'agir aussi de la bonté des produits :

« L'ancien régime, en effet, professait cette opinion, que la sagesse seule est dans l'État, que les sujets sont des êtres infirmes et faibles qu'il faut toujours tenir par la main, de peur qu'ils ne tombent ou ne se blessent ; qu'il est bon de gêner, de contrarier, de comprimer sans cesse les libertés individuelles ; qu'il est nécessaire de réglementer l'industrie, d'assurer la bonté des produits, d'empêcher la libre concurrence », discours à l'Assemblée nationale, 12 septembre 1848 (*Œuvres complètes*, vol. 9, 1866, p. 543).

bosser. Dans une large partie de la population, et spécialement au sein de la population étudiante, le verbe *bosser*, employé au sens de travailler, paraît n'être plus perçu comme argotique, même pas comme familier. Il est bel et bien ceci et cela, cependant. Et par conséquent il ne devrait pas être utilisé dans les circonstances où l'argot ni la familiarité ne sont de mise. De la part d'un élève s'adressant à un professeur, par exemple (*ouais pourtant j'avais vachement bossé*), il paraîtra fatalement déplacé — sauf bien sûr si le professeur lui-même affecte le même niveau de langage, ce qui est fréquent, ou le pratique "naturellement" ; et sauf si l'on considère, évidemment, qu'il n'est aucune circonstance où l'argot ne soit pas de mise. (→ **argot, bouffe, boulot, dégueulasse**, etc.).

L'important est qu'il reste du temps aux lycéens pour bosser avant l'épreuve (directeur de Sciences-Po Lille, auteur de la réforme du baccalauréat, France Culture, 22 janvier 2021).

bouffe, bouffer. Il se mène en France, ces temps-ci, un vaste combat contre la *mauvaise bouffe*, officiellement, voire contre la *mal bouffe*; et en faveur de la *bonne bouffe*, c'est à croire. Dans les deux cas, néanmoins, il ne s'agit jamais que de *bouffe* — c'est-à-dire, si les mots ont un sens, et surtout des connotations qui les font exprimer plus qu'on ne croit leur faire dire, c'est-à-dire une version triviale, relâchée, argotique et vulgarisée de la cuisine, de la nourriture, et des arts de la table.

Qu'on se batte pour la bonne bouffe ou contre la mauvaise, la cuisine française, elle, a déjà perdu, de toute façon : car elle n'a jamais été rien d'autre qu'un art d'apprécier les saveurs, et de faire la différence, entre goûter un plat, un vin, un fumet, une façon de saisir, d'une part, et la simple fonction de se nourrir; or la différence est la même, structurellement, entre la langue comme objet d'amour, de réflexion, de respect, d'interrogation et de choix, et le parler de consommation courante, tel qu'il est dicté par la facilité, la conformité, le relâchement, la complaisance au goût majoritaire du jour. Bien ou mal, qui *bouffe* ne mangera jamais que du rebut.

boulot. *Les presses universitaires américaines elles font globalement du bon boulot* (un invité de France Culture, au sujet de la "crise" des P.U.F., 20 septembre 1999).

...des directeurs de collection dont certains font un très bon boulot, à l'Harmattan (id.).

La conviction qui anime un nombre croissant de locuteurs que leur langage est toujours assez bon pour toutes les circonstances (qu'il est parfaitement loisible et approprié, par exemple, de parler de boulot et de gens qui bossent au cours d'un entretien sur France Culture à propos des Presses Universitaires de France), cette conviction est à rapprocher de l'irrépressible montée de la bouffe (bonne ou mauvaise), et de l'idée qu'on est toujours assez bien habillé et physiquement apprêté pour tous les moments de la vie et pour toutes ses rencontres, dès lors qu'on se sent bien et que l'on est soi-même — d'où tous ces hommes de cinquante ans, mal rasés et en T-shirt détendu (lui aussi), qui donnent des entretiens à la télévision, pour expliquer leur dernière mise en scène, leur dernier livre ou leur philosophie de la vie : vingt ou trente ans plus tôt dans leur existence, ç'aurait peut-être été un spectacle agréable ; aujourd'hui, on ne se plaindrait pas d'un petit effort de leur part, vers un peu plus de forme.

Mais justement : tout cela, l'argot*, la bouffe, le mégot et le T-shirt sale, ce n'est que l'expression courante d'un grand renversement de la pensée, et de l'attitude sociale par voie de conséquence, et de la pratique du langage — le triomphe du naïf être soi-même, qui dans le paraître social, physique ou langagier ne voit plus qu'ostentation, alors qu'il était aussi souci de l'autre, délicatesse, consentement à l'échange et au contrat social, humilité au contraire.

L'argot proclame, comme le T-shirt sale et les joues mal rasées de l'intellectuel de service : prenez-moi comme je suis, j'estime être toujours bien assez bon pour vous puisque je suis moi-même et complètement moi-même, nature et "naturel" ; tandis que le langage neutre se demande, au contraire, comme fait *a fortiori* le style : qu'est-ce que c'est que le moi, qu'est-ce que le naturel, d'où nous viennent les mots ? En attendant que soient résolues ces petites questions-là, il s'accommode de la convention, qui du moins lui fait grâce des réponses simplettes, envahissantes.

bouquin. Au XIXe siècle, un bouquin était un vieux livre, et bouquiner voulait dire chercher de vieux livres (sur les quais, par exemple). *Ses bouquins refermés sur le nom de Paphos* (Mallarmé). De nos jours un bouquin c'est n'importe quel livre, et bouquiner veut dire lire (un livre). Il s'agit de semi-argot en voie d'institutionnalisation, qui peut irriter en tant que familiarité sclérosée.

Plus peut-être qu'à l'anglais *book* ou à l'allemand *buch*, auxquels il est lointainement mais indubitablement apparenté, bouquin fait penser à bouc ou à bouquetin. Pour ceux d'entre nous qui dans livre entendent toujours un lointain écho du Livre, et y voient quelque chose de sacré, ou du moins d'éminemment auguste, bouquin sonne chaque fois comme une vague profanation, un peu répugnante qui plus est.

Il serait sans doute poli de l'éviter pour parler à un auteur de son propre livre : *Et pour vot' prochain bouquin, vous avez déjà une petite idée, ou bien… ?* Mais comme toujours c'est une affaire de contexte. Un auteur qui désigne ses ouvrages comme des polars, par exemple, ne s'offensera certainement pas qu'on les appelle des bouquins. Nombreux sont les écrivains, d'ailleurs, qui font usage de ce dernier terme pour les volumes qu'ils publient. Mais c'est leur choix à eux, peut-être entraîné par la modestie ; mieux vaut leur en laisser la responsabilité, et ne pas prendre soi-même l'initiative d'un mot qui dans bien des esprits demeure assez péjoratif.

Là où quelque part j'ai voulu être bien clair, dans mon bouquin, c'est sur comment la régulation des marchés elle est basée en fait sur un malentendu total, mais alors total.

bourgeoise (langue) / petite-bourgeoise. Que la langue soit sociale de part en part, ce livre a souvent eu l'occasion de le rappeler ou de l'affirmer. C'est au point qu'entre le français bourgeois et le français petit-bourgeois on pourrait presque parler de deux langues. Cependant la différence n'est pas seulement sociale, elle est aussi chronologique. Entre la langue bourgeoise et la langue petite-bourgeoise, on ne passe pas seulement d'une classe à l'autre mais aussi d'une époque à l'autre : du temps où une classe dominait, c'est-dire imposait sa langue comme langue de référence pour l'ensemble de la société, à celui où c'en est une autre. Passer de la langue bourgeoise à la langue petite-bourgeoise c'est presque passer d'une langue morte à une langue vivante. Est vivante la langue qui l'emporte, celle qui appartient à la nation ou à la classe dont l'importance, le pouvoir et le poids économique sont le plus forts— en un mot à celle qui domine. La classe qui a vaincu impose son vocabulaire et dans une mesure un peu moindre son autorité et son exemple. Cette langue, en retour, permet de mesurer exactement l'ampleur et la nature de la domination, d'en dresser des cartes et d'en établir un nuancier. C'est le triomphe de ce midi et de plein de qui marque la maîtrise de la petite bourgeoisie sur la société, son omniprésence, son omnipotence. Cette maigre esquisse de dictionnaire est à l'usage des vaincus, c'est-à-dire des morts.

argent (de l') / *des sous*

confrère, consœur / *collègue, camarade*

déjeuner, dîner, prendre un repas / *manger*

élève / *gamin, gamine*

enfant / *gamin, gamine*

exposition / *expo*

frère cadet / *petit frère*

livre / *bouquin*

mère / *maman*

Monsieur / *Monsieur Malot*

mort / *disparition, décès*

mourir / *disparaître, décéder, partir, s'en aller, nous quitter*

père / *papa*

officier / *gradé*

offrir, s'offrir / *payer, se payer*

quatre heures / *seize heures*

salon / *salle de séjour, séjour, pièce à vivre*

soldat / *militaire*

tableau / *cadre*

vacances / *congés*

voyage / *déplacement*

bout. Le *bout* de quelque chose, c'est son extrémité — l'une de ses extrémités (spécialement lorsque cette chose n'a que deux extrémités, et que sa forme est allongée) : le *bout* d'une corde, le *bout* de la route, le *bout* de la jetée. Au terme d'un glissement sémantique assez explicable, le *bout*, par définition partie marginale d'un objet quelconque, a revêtu abusivement le sens de *morceau*, et surtout de morceau peu considérable : *un bout de pain, un bout de fromage, un bout de texte.* Si le bout fait référence à une grande quantité, c'est ironiquement et par antiphrase : *ça fait un bout de temps qu'on s'est pas vus.*

Dans l'ensemble — à moins d'une volonté délibérée de recours au style familier, et sauf si c'est vraiment d'un bout qu'on

veut parler, au sens strict — à bout mieux vaut préférer morceau : *un morceau de pain, un morceau de sucre, un morceau de
terrain*; mais *le bout d'un champ, le bout d'un quai, le bout d'une
baguette, le bout d'une vingtaine d'années.*

boutique. → **commerce.**

Brandon. Les milieux populaires — ce que Michelet et de
nombreux autres après lui appelaient le *peuple*, en toute bonne
conscience idéologique, et même de la manière la plus flatteuse
— ont longtemps passés pour le conservatoire de ce qu'il y avait
en France de plus français. Ce serait le *peuple* qui aurait soutenu Jeanne d'Arc contre les Anglais, et contre une noblesse
plus soucieuse des liens de vassalité féodale (qu'elle interpré-
tait de la façon qui lui était le plus favorable) que de sentiment national. Ce serait encore le *peuple* qui aurait maintenu
vivante, contre une bourgeoisie pétainiste et collaboratrice, toujours prête à faire des affaires avec les pires ennemis de la patrie, la flamme de la résistance, et permis de la sorte la résurrection de la République, à laquelle il était toujours resté fidèle,
lui, en ses profondeurs. Mais aujourd'hui le *peuple* regarde les
feuilletons américains sur TF1 ou sur M6, et baptise ses enfants *Brandon*, ou *Jason*, ou *Jennifer*, ou *Jessica*. Près d'un village
reculé d'Auvergne, il est troublant d'entendre appeler un petit
garçon *Brandon*, avec l'accent du cru qui plus est, au seuil d'une
ferme ancestrale.

Peut-être tous les petits garçons s'appelleront-ils *Brandon*, d'un jour à l'autre, et toutes les petites filles *Jennifer*
— qu'ils soient américains, vendéens, birmans ou arrière-petits-

fils d'immigrés italiens dans la Meurthe-et-Moselle. Ce sera le village universel. Sans doute faudra-t-il nous faire à lui, et peut-être pourrons-nous l'aimer. On préfèrerait toutefois qu'il ne nous soit pas imposé par les sitcoms.

bravo. *Bravo* pose un petit problème aux amateurs d'opéra, qui sont souvent italophiles, et quelquefois italophones.

Ils savent, si c'est le cas, que *bravo, avant d'être l'interjection d'hommage et d'appréciation bien connue, en français, est un adjectif italien qui signifie bon, vaillant, compétent, brillant, de bonne qualité, plein de "bravura" en un mot. Cet adjectif italien, comme tout bon adjectif, s'accorde à la personne à laquelle on l'applique, bien entendu; et si un chanteur est bravo une chanteuse est brava, et des chanteurs sont bravi. Quand une cantatrice vient saluer un public enthousiaste, en Italie, il lui crie brava! brava! Et si ce même public veut rendre hommage à toute la distribution, ou bien au couple principal, il crie bravi! bravi!*

Cela étant, que faire en France ? Que faire en particulier quand on veut manifester son admiration à une chanteuse italienne, qui risquerait d'être très surprise, et peut-être froissée, si on lui disait *bravo!*, comme si elle était un homme ?

Littré a prévu cette situation, et même il est plutôt péremptoire : « En français, on dit *bravo* pour toute personne et toute chose, soit au singulier, soit au pluriel, soit au masculin, soit au féminin. *Brava, bravi, brave* sont italiens, non francisés et employés avec prétention par les dilettantes. »

Ah! bon... Pauvre chanteuse italienne... Pauvres amateurs italophiles d'opéra...

Broglie. Chambrais était un village de Normandie, aujourd'hui dans le département de l'Eure, qui en 1742, au prix d'un changement de nom, fut érigé en duché-pairie pour la famille de Broglie, précédemment de *Broglio*, originaire du Piémont. Chambrais dès lors s'appela *Broglie* — ou plus exactement *Brogli*, car les habitants ne poussèrent pas le zèle, à l'égard de leurs nouveaux seigneurs, jusqu'à adopter la prononciation italienne de leur patronyme.

À Broglie on dit donc *Bro-gli*, et ailleurs qu'à Broglie on peut aussi dire *Bro-gli, si l'on parle de ce gros village de l'Eure. Mais si l'on parle de la famille de Broglie et de ses membres (qui ont beaucoup plus attiré sur eux l'attention, au cours des deux derniers siècles, que ne l'a fait sur lui leur fief normand), on dit Broïle, si ce n'est Breuil (→* **imbroglio**).

Bruxelles. *Bruxelles*, en "français cultivé", se prononce Brussel', de même qu'on dit *Ausserre** et *Aussone* (et qu'en bonne logique — mais la logique n'a pas grand-chose à faire ici — on devrait dire *Saint-Germain-l'Aussserois*).

« Mais, pensent les cœurs simples, pourquoi dire Brusselles, puisque ça s'écrit avec un *x* ? » Question imaginée par André Rigaud dans un excellent article sur la prononciation de l'*x* dans *Vie et Langage* n° 209, août 1969 — article longuement cité par Dupré en son article *x, lettre* (*Encyclopédie du bon français*, éditions de Trévise, 1972).

On touche ici à deux problèmes très complexes, celui de la prononciation de l'x, d'une part, et d'autre part, infiniment plus général et plus vaste, celui de la conformité ou de la non-conformité entre orthographe et prononciation — de celui-ci il est beaucoup question en différents articles de cet ouvrage (→ **cinq, Gers,** etc.)

« On pourrait répondre, poursuit André Rigaud, que le nom s'orthographie *Brussel* en flamand, ce qui correspond à la prononciation réelle ; mais en réalité, l'*x* représente le son ss comme il le faisait autrefois.

« Au XIIe siècle, on écrivait indifféremment *Alessis* ou *Alexis, Massime* ou *Maxime, Alessandre* ou *Alexandre.* » Ajoutons qu'en italien on dit et on écrit *Alessio, Massimo, Alessandro,* prénom dont le diminutif est *Sandro. X* est un signe graphique extrêmement complexe, dont la prononciation varie beaucoup selon les cas. « *X,* dit Littré, a tantôt la prononciation de *ks,* comme dans *extrême,* tantôt celle de *gz,* comme dans *exercice* ; tantôt celle de *k,* comme dans *exception* (...) 2. Dans quelque nom de lieux, *x* se prononce comme s. : *Auxerre, Bruxelles,* dites ô-sê-r', Bru-sè-l'. 3. En certains mots il sonne *z* : deuxième, sixième, etc. 4. À la fin des mots où il n'est pas muet, il se prononce comme *ks* ; préfixe, sphinx, etc. 5. Dans la plupart des mots *x* final est muet, et ne sert qu'à rendre plus grave le son de la voyelle : paix, choix, généreux. » (article *X*).

Certaines des personnes qui en tiennent pour la prononciation *Brukcelles* prétendent que c'est la prononciation française par excellence, Brussel' n'étant d'après elles que la prononciation flamande. Mais ces personnes ignorent manifestement la richesse de l'histoire de l'*x* et de sa prononciation parmi nous.

La connaissent un peu trop bien, cette histoire, en revanche, celles, très rares, qui s'obstinent à dire *Savier,* pour *Xavier.* Sans aucun doute elles ont raison, mais elles sont si seules à avoir raison que la raison, à ce degré de solitude, tourne à l'excentricité. En revanche on dit encore *Saintrailles,* pour *Xaintrailles,* compagnon de Jeanne d'Arc (et village du Lot-et-

Garonne, avec un très beau château) ; et un peu *Saintrie* pour *Xaintrie*, pays de la Corrèze.

C

cadeau. Un cadeau est par définition un objet, un bien quelconque, un service, éventuellement, un plaisir qui est *offert* par une personne physique ou morale à une autre. De même que l'idée de demande est inscrite de façon constitutive dans le mot de *question** (et qu'on ne peut, en conséquence, *demander une question*), le don est inscrit dans le mot même de *cadeau* : un cadeau n'est un cadeau que dans la mesure où il est offert, ou doit l'être. Le rappel de ce caractère constitutif par un verbe tel qu'*offrir* ou *donner* est donc tout à fait inutile. On ne peut *donner un présent*, et on ne saurait *offrir un cadeau*. On ne peut que le *faire*, l'*adresser*, l'*apporter*, etc.

Tout cadeau est une chose offerte, mais toute chose offerte n'est pas nécessairement un cadeau : un appartement peut être *offert en location*. Une somme d'argent peut être *offerte en prêt*. C'est pourquoi, si l'on ne peut *offrir un cadeau*, on peut parfaitement, toutefois, *offrir* (quelque chose) *en cadeau*.

*

Les deux paragraphes qu'on vient de lire ne traitent de *cadeau* et de son environnement langagier qu'en termes de logique. Une approche historico-sociale se devrait de signaler que la langue aristocratique et bourgeoise faisait jadis peu de cas du mot *cadeau* et lui préférait *présent*, ou, plus rarement, *don*. C'est sans doute que le mot a une histoire compliquée, au cours de laquelle il est passé par des significations très éloignées de celle de *présent*, qui n'apparaît qu'au XVIIIe siècle (on la trouve chez Rousseau). *Cadeau*, à travers le provençal *cabdel*, ou *capdel*, vient du latin *caput*, la tête, et se trouve donc être un lointain cousin de *chef*, de *chapitre* et de *chapiteau*. Il a désigné les grandes lettres ornées qui inaugurait les paragraphes ou les chapitres, justement, le trait de plume qui servait à les enrichir et décorer, d'où la suggestion d'élément gratuit, inutile, luxueux, somptuaire*. Au XVIIe siècle un cadeau est une petite fête, peut-être un peu galante, qu'on offre à une femme, ou à plusieurs dames. Est-ce un lointain souvenir, plus ou moins conscient, de cette acception-là qui au XIXe siècle et jusqu'au milieu du XXe alarmait la pudeur bourgeoise ? Ou bien les gens qui connaissaient leur langue refusaient-il le changement de sens, comme c'est souvent le cas (et comme je persiste à avoir tendance à le faire, un siècle et demi après qu'il est survenu, pour *énerver** ou *formidable**, par exemple) ? Toujours est-il que certains enfants, dont certains ne sont pas trop vieux pour s'en souvenir, se voyaient dissuadés de remercier leur parrain ou leur marraine de son *cadeau* — il fallait dire *présent*.

Est-ce par un sentiment assez voisin que d'aucuns refusent obstinément de reprendre à la boutique et à la langue du commerce de détail le syntagme commode de *paquet cadeau* ? Oui et non. Ce refus a certainement un caractère social (*paquet cadeau* serait "vulgaire"), mais il faut reconnaître qu'il est aussi objectivement fondé : l'apposition est mal formée, comme la plupart de celles du français, qui ne les aime pas (mais doit en subir des centaines). Le martyr de la langue, c'est-à-dire son usage rigoureux, qui à l'instar de l'amateur de paysage se trouve blessé mille fois par jour dans ses convictions les plus chères et dans ses sentiments les plus tendres, dira donc pesamment, au vendeur ou à la vendeuse :

« Auriez-vous la gentillesse de me l'emballer comme un présent, j'entends l'offrir ? ».

Ou bien, poussant la politesse jusqu'à adopter la langue de la boutique, mais tout de même pas jusqu'à *paquet-cadeau* :

« C'est pour offrir ».

café. Le café étant une matière, comme le thé, le lait ou le vin, et le mot *café* étant un terme générique, il s'accommode mal, théoriquement, de l'article indéfini, à moins de qualification particulière : « c'est un café particulièrement robuste ». Pour désigner une quantité spécifique de cette matière ou du liquide qu'on en tire, il faudrait en bonne règle le partitif. Mais on est à peine compris, dans les restaurants et dans les... *cafés*, justement, si l'on demande *du* café. Le garçon s'empresse de remettre les mots en place : *un* café ? *deux* cafés ?

De même si vous demandez *du Perrier*, à un comptoir, vous vous faites promptement corriger : *un Perrier ?* — et cela même si l'eau de Perrier que vous réclamez va vous être versée à partir d'une grande bouteille, qui ne vous sera pas remise, comme le serait sans doute une petite, laquelle autoriserait à comprendre que *un Perrier* est une abréviation pour *un quart de Perrier*, de même que *un café* est un raccourci professionnel pour désigner *une tasse de café*.

Mon plus secret conseil (Larbaud) : « Et la deuxième, et la troisième, et la cinquième depuis l'installation. À propos de rien et à propos de tout. Sortant d'un théâtre on va prendre des rafraîchissements à la terrasse d'un café de la grande Galerie. Le garçon est Français ou parle français. Nous allons partir. "Garçon ! C'est pour payer (et il désigne d'un regard les verres vides) ces boissons." Quelques minutes après, allant prendre le funiculaire du Toledo : "Tu as dit les boissons. — Oui, les choses qu'on boit. — On dit : les consommations. — Le garçon le dit ; c'est un des mots de son métier. Mais je ne suis ni garçon ni patron, et je dis les boissons. — Mais le garçon, qui ne sait pas que tu l'as fait exprès, a dû te prendre pour un campagnard. — Ma chère amie, l'opinion du garçon m'est absolument indifférente, tandis qu'il ne m'est pas indifférent d'employer un mot vulgaire là où je peux me servir d'un mot correct. — Alors, j'ai parlé en faveur d'un mot vulgaire ; donc je suis vulgaire. Dis tout de suite que tu as honte de moi... " Il n'est pas assez sur ses gardes. Il aurait dû répondre, quoi ? Par exemple qu'il s'était cru encore en Angleterre, et que l'équivalent français du mot "drinks" lui était tout naturellement venu. Et lui demander si elle ne trouvait pas qu'en effet le vieux mot "boisson" est plus élégant, moins "français d'exportation" que "consommation". *De même qu'il convient de demander "du café" et non pas "un café" et pour cela braver le mépris du garçon.* En disant cela il aurait probablement évité "la querelle de boisson" ; mais une autre aurait surgi, pour quelque autre motif, un quart d'heure plus tard. » (C'est moi qui souligne, naturellement.)

Cependant, de nos jours, d'élégantes dames vous proposent : *Venez me voir demain après-midi : on se fera un thé ...* (Il va sans dire que *un thé* est tout à fait admissible lorsque ce qui est désigné, ce n'est pas la boisson qui va être consommée, mais le rite social au cours duquel elle sera partagée entre amis, et qui lui doit son nom : « Chantal Loisel veut donner un thé jeudi après-midi, pour nous faire rencontrer son amie Terrier. »)

ça le fait. Dans la langue *jeune*, qui par définition ne l'est qu'un temps, *ça le fait*, au tournant du millénaire, se charge de sens assez différenciés, qui vont de *c'est d'accord* à *ça marche, ça fonctionne, ça donne de bons résultats*, en passant par *c'est impressionnant, ça fait de l'effet, ça en jette*. Il s'agit là d'un niveau de langage qui ne peut guère susciter d'irritation, car il se donne d'emblée pour spécifique, et comme appartenant à une classe d'âge, et à un petit monde déterminé (même s'il est vaste). *Ça le fait* amuse plutôt, jusqu'à présent ; et ne commencerait d'agacer qu'en commençant d'être perçu, par ceux qui en font usage, comme neutre, et relevant d'une façon normale de s'exprimer. Nous ne sommes pas très loin de cette phase, malheureusement. Et déjà, dans certaines classes, des élèves disent *ça le fait* à leur professeur, et sans doute même *ça le fait pas, ça va pas le faire*.

La techno sur Léo Ferré, ça fait pas un peu... ? — Non, mais ça le fait... (Florent Pagny, France 2, 26 octobre 1999).

campagne. Jadis il en allait de la campagne comme de la retraite*, on n'était pas du tout dans la même situation selon qu'on se trouvait *à la* (loin des villes) ou *en* (engagé dans l'action militaire ou électorale, voire sentimentale). Aujourd'hui, la formidable montée en popularité de la préposition *en** embrouille cette distinction pourtant bien établie. Dans les communes de la France profonde, fort campagnardes elles-mêmes, habiter *en campagne*, c'est vivre hors du village, dans les fermes ou les hameaux épars entre les champs.

Cet usage ne paraît guère à imiter, ne serait-ce que par la confusion qu'il instaure. Cependant on l'entend se répandre, dans une acception il est vrai moins spéciale, et ne serait-ce que par imitation d'*en ville*, ou par soumission inconsciente à la loi des séries : *vivre en ville, vivre en banlieue, vivre en campagne.* Toutefois la langue actuelle, dans ce dernier cas, préfère le syntagme figé *en milieu rural*, ce qui protège un peu la poésie virgilienne d'*à la campagne.* Il semblerait que Jacques Chirac, lui, *vive perpétuellement en campagne.*

Cagliostro. La prononciation italienne est *ca-lioss-tro.* Le *g* ne se fait pas entendre. On peut décider d'adopter en français cette façon de dire, ou de n'en pas tenir compte. Warnant estime que la prononciation *Ca-gli-oss-tro*, « due à l'influence de la graphie, est populaire ». En fait elle est presque générale. (→ **Broglie, imbroglio, Champaigne (Philippe de)**)

capitales / majuscules. En matière de lettres, les capitales relèvent de la typographie, ou de la gravure, de l'art des inscriptions, voire de la décoration; les majuscules relèvent de la grammaire et de l'orthographe. C'est pourquoi nous traiterons plutôt de cette question capitale à l'article majuscule*.

Castellane. Les vieux manuels et les très vieilles gens enseignaient qu'il fallait dire *Cast'lane*, ou même *Casse-lane.* Il n'est pas assuré que quiconque s'en souvienne, même au sein de la famille de ce nom. Et dans les Alpes de la Haute-Provence, sous le Mandarom, si l'on disait *Casse-l'âne* on passerait pour un fou.

Castries. *Castries,* quant à la prononciation, fait l'objet du même et troublant dédoublement que *Broglie.* Le bon usage érudit et mondain, par définition un peu désuet, enseigne depuis toujours qu'on dit *Castre,* quand on parle du duc ou de sa famille. Mais il est hors de doute qu'à Castries, dans l'Hérault, on prononce bel et bien *Castri'*. Or il s'agit du fief ducal. Comment faire : le dernier duc de Castr' a légué Castri' à l'institut de France ? La logique en est un peu blessée...

Le mouvement général étant au rapprochement de la prononciation et de l'orthographe, *Castri'* va fatalement l'emporter. Et s'il advient qu'on parle encore du duc de Castries et des siens, ce sera sous le nom de *Castri'.* Encore heureux si famille et ville, d'ici à quelques années, ne sont pas devenues *Castrise.*

ceci dit, cela dit. *Cela* renvoie à ce qui précède, *ceci* annonce ce qui va suivre : *Après avoir dit cela, il ajouta ceci.* Pour cette raison, *ceci dit* est en haine au puriste de base. Dupré rapporte qu'un professeur avait dressé ses élèves à demander : *quel sidi ?* quand il avait dit distraitement : *ceci dit.* En une compagnie un peu sensible à ces questions-là, *ceci dit* entraîne pour qui l'emploie une très nette perte de crédit.

Il peut arriver toutefois (mais cette remarque ne concerne pas *ceci dit,* condamné sans recours) que *ceci* renvoie légitimement à ce qui précède, lorsque plusieurs éléments sont en cause — *ceci* désigne alors le plus rapproché, par opposition à l'autre : « Le banquier a dit qu'il pouvait nous faire un prêt, mais à un taux de treize et demie pour cent : ceci a tempéré nettement l'enthousiasme que nous avait inspiré cela ».

célébrer. Le verbe *célébrer* et le substantif *célébration* impliquent une idée de joie et de fête. On ne *célèbre* le souvenir que d'évènements heureux. On ne célèbre pas l'anniversaire d'une défaite, d'un crime ou d'une catastrophe. Si on le souhaite on les *commémore*, c'est-à-dire qu'on les rappelle à la mémoire, en général par une cérémonie.

Célébrer le centenaire de la *mort* d'un personnage quelconque n'aurait de sens légitime qu'à une condition, que cette mort ait été, ou soit encore, une occasion de réjouissance. Ainsi on peut concevoir qu'une ville ou un État *célèbrent* l'anniversaire de la mort d'un tyran. Mais il y a quelque chose de choquant à dire ou à écrire qu'on *célèbre* l'anniversaire de la mort de Jean Moulin, par exemple. En revanche on peut très bien *célébrer* Jean Moulin, c'est à dire le louer, en faire l'éloge, à l'occasion de l'anniversaire de sa mort (on ne saurait trop, même).

Le Maire de Paris, X., Adjoint au Maire chargé des Affaires culturelles, Y., Directeur des Affaires culturelles de la Ville de Paris, Z., Conservateur général du Patrimoine, seraient heureux de <u>*célébrer*</u> *dans les collections permanentes du musée le centième anniversaire de la disparition* de Cornélia Marjolin-Scheffer, initiatrice* du Musée Renan-Scheffer.*

(On notera au passage le net abus de capitales*.)

celui, celle, ceux (Celui désigné, celle élue, ceux dispensés, etc.). Les pronoms démonstratifs *celui, celle, ceux, celles,* ne peuvent être suivis que d'une proposition relative ou de la préposition *de.* C'est le point de vue maintes fois réitéré de l'Académie française et il est pleinement justifié. Littré est également formel sur ce point :

« Celui, celle, ceux, celles ne pouvant être employés qu'avec la préposition *de* ou les pronoms relatifs *qui, que, dont,* il en résulte qu'ils ne peuvent être suivis d'un adjectif ou d'un participe. Les construire ainsi est une faute très-commune et ancienne. Girault-Duvivier en cite cet exemple de Racine : Je joins à ma lettre celle écrite par le prince ; et celui-ci de Montesquieu : La blessure faite à une bête et celle faite à un esclave. […] Dans tous ces cas il faut employer le relatif *qui* : celle qui est écrite ; celui qui est dominant ; ceux qui sont terminés, etc. »

Il y avait jadis trois écoles à ce propos : celle qui défendait mordicus le principe ci-dessus ; celle qui, à l'opposé, estimait que ces pronoms démonstratifs pouvaient parfaitement servir de points d'appui à des participes passés et à des adjectifs (*Les enfants nés hors mariage, autres que ceux nés d'un commerce incestueux ou adultérin...* — Code civil, art. 331) ; et celle qui tentait, entre les deux, de trouver une voie moyenne et un compromis raisonnable — le parti des politiques, en somme, qui s'accommodaient d'un participe passé (*ceux nés d'un commerce incestueux*) mais eussent préféré mourir que de tolérer dans cette position un adjectif (*elle aimait beaucoup les garnitures roses mais préférait encore celles magenta*).

Il est arrivé depuis le début du XXIe siècle que le deuxième parti, le plus libéral, ou laxiste, selon les points de vue, l'a emporté de façon presque unanime. Il avait quelques bons arguments à faire valoir mais l'énormité même de son succès compromet la rigueur de ce qu'il défend. En effet, si *tous* les locuteurs publics, pour ainsi dire, se sont en même temps et comme un seul homme ralliés à une façon de dire, et d'écrire, certes, légitimement critiquée, à mon sens, par les tenants de l'orthodoxie grammaticale, ce ne peut pas être parce qu'ils ont été sensibles aux arguments des réformateurs, d'ailleurs faibles, mais relativement complexes, et qui ne sauraient en aucun cas avoir

atteint un public si large, lequel ne se soucie d'eux en aucune façon, et, dans sa grande majorité, n'est absolument pas conscient
qu'il y ait là matière à débat. C'est forcément l'imitation qui
a joué, à deux niveaux comme c'est sa manière : imitation de
l'anglais, et de son laxisme en la matière (*those addicted to his
productions*), puis imitation des imitateurs.

Celui sélectionné aura le droit de diriger l'orchestre.

Il fallait prévenir d'urgence celles potentiellement contaminées.

*Ceux acquis, comme leur nom l'indique, ne peuvent pas être
remis en cause.*

*Vous ne pouvez pas comparer ceux démissionnaires et ceux mis
à pied.*

J'aime un peu moins ceux au caramel.

*Avec des intentions plus économiques que celles régies par le
droit d'asile* (France Culture, 27 mai 2015).

Comme avec *c'est vrai que*, *pour autant* ou *ce midi*, on
est là vraiment dans le *son* d'une époque, ou d'une classe
triomphante ; mais qu'est-ce qu'une époque, peut-être, sinon le
triomphe d'une classe ou d'une caste, la durée de sa suprématie ? — on peut seulement remarquer qu'aucune caste ou classe,
même la féodale au XIIe siècle, mettons, n'a jamais exercé hé-
gémonie sociale aussi marquée que celle qui nous régit présen-
tement (et à laquelle nous appartenons nécessairement, puisque
le propre de sa puissance est de ne laisser personne en dehors
d'elle). Autant dire que *ceux mis à pied* ont de beaux jours devant
eux.

*Ils orientent l'opinion en lui indiquant les événements à célébrer
et ceux à déplorer.*

Le professeur Jean-Gérard Lapacherie m'écrivait à ce sujet, il y a quelques années :

« *Celui, ceux + participe passé : celui convaincu...* Observons les emplois de ces "pronoms démonstratifs". Il est impossible de les faire suivre d'un adjectif : *celui gentil, ceux grands, celle* (la bibliothèque) *universitaire,* etc. Devant ces emplois, nous portons immédiatement un jugement d'agrammaticalité : ils sont contraires à la grammaire de la langue et personne ne s'aventure à parler ou écrire ainsi (il faudra comprendre pourquoi cette agrammaticalité est partiellement levée lorsque l'adjectif est un participe passé : ce qui est le cas dans les emplois fautifs que vous relevez). Les constructions de ces démonstratifs sont relativement "simples" : ou un complément du nom (un groupe prépositionnel) : celle de l'université, celui de ses parents et même celui (le livre) sur la table (exemple à retenir pour la démonstration ci-dessous), ou une relative, dite déterminative — c'est-à-dire qui limite à quelques référents possibles (choses du monde ou mots du discours) ce que désigne le démonstratif : *celui qui est gentil, ceux qui sont convaincus.* Les constructions avec *celui, celle, ceux, celles,* sont restreintes (en nombre). Pourquoi ? Pourquoi l'adjectif (*celui gentil*) est-il impossible ? La raison en est simple. Elle vient de la "nature" du démonstratif : c'est un déictique (un signe d'ostension, comme un doigt pointé) : il *désigne,* mais toujours de façon lacunaire, soit une réalité du monde extérieur (quelle pomme préfères-tu ? Celle-ci ou celle-là ? Dans ce cas, la situation réelle assure la référence par ostension), soit un syntagme employé dans le discours ou qui va être employé. Dans ce cas, pour que la référence se fasse, il convient que le démonstratif soir déterminé, c'est-à-dire complété par un groupe prépositionnel (toutes n'ont pas été obligées de faire cela : celles qui l'ont été n'ont pas agi de leur plein gré) : la bibliothèque de l'université de Paris est riche, mais celle d'Harvard l'est plus encore). Il reste à examiner (ou essayer de le faire) pourquoi *celui convaincu* semble à nos concitoyens moins agrammatical, donc "possible", que *celui gentil*. Cela a pour origine, à mon sens, la "plasticité" du passif, lequel, dans la réalité des discours et de la langue, présente une grande diversité de formes (sujet + verbe au passif + complément d'agent ou d'instrument (la forme canonique, mais la moins fréquente) ; sujet + verbe au passif (sans complément) ; participe passé au passif + complément d'agent ou d'instrument (*chassé par la foudre, le grand-duc s'est envolé*) ; simple participe passé, dans un emploi d'adjectif, avec omission de l'auxiliaire être ; + les verbes de sens passif (subir, attraper une maladie) + les adjectifs dérivés (buvable = qui peut être bu) ; + des constructions pronominales ("il se consomme beaucoup d'alcool dans ce bar")... Je ne parle même pas des variétés de sens du passif, suivant le sens du verbe (état, comme V être + adjectif : la porte est ouverte ; procès : la porte a été ouverte par le vent). La plasticité du passif (phénomène assez rarement décrit dans les grammaires) tient surtout à la propriété qu'a le verbe être d'être "effacé" (Pierre est professeur. Il exerce à Béziers — Pierre, professeur, exerce à B). C'est cette propriété qui rend la construction "celui convaincu" (apparemment) moins agrammaticale que "celui gentil", d'autant plus qu'en anglais (à vérifier et, je crois, dans d'autres langues), la construction démonstratif + adj. ou participe passé est possible ».

Mgr Percerou est un homme accessible et à l'écoute de tous les catholiques y compris ceux attachés à la tradition (tweet).

Une gauche orwellienne ? Lol, pensez-vous vraiment que l'homosexualité est une "création" synthétique indépendante de celle artistique de quelqu'un ?

Le vrai débat est celui sur la gratuité des masques.

Et c'est exactement ce qui se passe avec les députés LREM, notamment chez ceux venus du centre gauche.

Il va de soi que participe présent ou passé ou même adjectif sont possibles après le pronom démonstratif s'ils figurent dans une incise ou la constituent, entre deux virgules :

"Je préfère celui, gris et bleu, que vous m'avez montré l'autre jour".

"Nous avons revu celui, échevelé, que nous avons rencontré chez vous."

Même le sévère Littré est d'accord sur ce point :

« *Celui, celle*, peut être suivi d'un adjectif ou d'un participe, quand l'adjectif ou le participe appartiennent à une incise, après laquelle vient *qui, que, dont*. Votre exemple et celui, si généreux, qu'a donné votre lettre. Ma lettre, et celle écrite par mon ami, qui vous sera remise. » On remarquera toutefois que le second exemple donné ici contredit la règle tout juste posée, et se trouve donc parfaitement incorrect — mais peut-être s'agit-il d'une simple coquille, une virgule ayant sauté. Il faut absolument deux virgules à une incise. "Ma lettre, et celle, écrite par mon ami, qui vous sera remise", serait parfaitement admissible ; *celle écrite par mon ami* ne l'est pas (hors cas de phobie de la glottophobie*, naturellement — je ne fais que rappeler la règle, ne serait-ce que pour le plaisir de ceux, nombreux et appréciés, qui en trouvent à la bafouer).

L'influent leader chiite préfère la voie politique à celle militaire.

Puisque ce sont les oiseaux sauvages qui propagent la maladie, il faut protéger ceux d'élevage.

On notera que l'empêchement de greffer un adjectif ou un participe présent ou passé sur celui, celle ou ceux, ne s'appliquent sur celui-ci, celle-ci, ceux-ci, ceux-là, celui-là, celle-là :

"Je les ai revus tous les deux, celui-ci oublieux et léger, celle-là recluse dans son chagrin".

centre ville. *Centre ville*, parfois *centre-ville*, est apparu d'abord sur les panneaux de signalisation routière et urbaine : sans doute s'agissait-il d'indiquer clairement que c'était bien le centre de la ville qu'on pointait, et pas le Centre des Impôts ou bien le Centre psychiatrique. Comme il fallait utiliser le moins d'espace possible, on a eu recours à une abréviation sous forme d'apposition, excusable en l'occurrence, mais qui manque de grâce, comme toutes ses pareilles. *Centre urbain* ou *centre historique*, comme en Italie (*centro storico*) n'eussent pas présenté le même défaut.

Mais à partir de sa modeste origine signalétique l'expression *centre ville* a fait une carrière triomphale. En quelques années, les villes ont cessé d'avoir un simple *centre*, elles ont eu forcément un *centre-ville*. C'est au point qu'on s'étonne de n'avoir pas encore été soumis à un quelconque *centre-ville de la ville*. Il n'est pas de ville du monde, en revanche, dont n'ait été évoqué un jour ou l'autre le *centre ville*. Toutes les chaînes de télévision et de radio françaises, pendant la guerre de Bosnie, nous ont parlé mois après mois du *centre-ville de Sarajevo*. À d'autres moments de l'histoire nous poursuivent *le centre-ville de Bagdad, le centre-ville de Lons-le-Saulnier, le centre-ville de Brazzaville, le centre-ville de Dili*. Ce que *ville* ajoute à *centre*, ici comme là, échappe absolument. Or si bien des laideurs de langue ont au moins l'excuse d'être commodes, et de remplir une fonction utile, en faveur de ce pléonasme-là on ne voit rien à plaider. Pourquoi parler du *centre-ville de Strasbourg* ? Qu'est-ce que cela ajoute au *centre de Strasbourg*, sinon une laideur et une vulgarité ?

cesse, cesser, ne pas cesser, n'avoir de cesse. Car il faut dire que cette histoire freudienne d'affrontement entre le bien et le mal [Doctor Jekyll and Mister Hyde] *n'a eu de cesse d'inspirer les metteurs en scène de cinéma... (TéléObs,* 9 septembre 1999). *N'avoir de cesse de,* ou mieux *n'avoir de cesse que...* ou *n'avoir pas de cesse que,* c'est ne pas lâcher prise avant d'avoir obtenu que..., ne pas prendre de repos avant que soit atteint tel ou tel résultat. "Il n'eut de cesse que cet affront soit vengé". "Elle n'a pas de cesse qu'il la remarque". Une volonté déterminée étant clairement impliquée, le sujet ne peut guère être qu'une personne, ou un objet personnifié par figure de style.

Cette tournure ancienne est de plus en plus souvent mal comprise, de nos jours, et employée à tort. C'est l'un des péchés mignons du langage journalistique courant, qui confond sa signification avec *ne pas cesser de.* Les sens sont voisins, mais néanmoins bien distincts. Bien que le mot soit un déverbal de *cesser,* la cesse n'est pas à proprement parler une interruption mais un relâchement délibéré, un repos volontaire (qui implique une interruption, il est vrai). *N'avoir de cesse de,* ou mieux *que,* c'est refuser de s'accorder le plus léger relâchement avant qu'un vœu soit exaucé, qu'un objectif soit atteint. Il serait absurde de dire *il n'a de cesse de souffrir* pour il *souffre continuellement, sans interruption* ; tout ce qui pourrait sauver la formule serait qu'on voulût y faire entrer l'idée une volonté délibérée : "Il n'a de cesse de souffrir pour tout connaître de l'amour".

154

Plus de cink* mille nouveaux cas : le virus n'a de cesse de progresser (France Culture, 22 décembre 2020).

c'est bon. *C'est bon*, au sens de *ça va*, de *c'est bien* ou de *ça suffit*, était une expression très répandue de la langue classique qui fit florès jusqu'à la fin du XIXe siècle, aux côtés de *c'est égal*, dans le parler, la littérature et surtout le théâtre bourgeois. On ne rencontre qu'elle chez Scribe ou Émile Augier. « *C'est bon,* vous pouvez vous retirer », dit-on par exemple aux domestiques. « C'est bon, c'est-à-dire j'y consens ; laissons cela », note Littré. En somme : n'en parlons plus.

C'est bon était totalement sorti de l'usage. Or il a fait un retour en force dans la dernière décennie du XXe siècle, d'abord dans la langue de la jeunesse, puis dans la pratique presque générale, où il tend à remplacer en certains de ses emplois le vieux *ça va*, menacé de désuétude par plus ancien que lui.

C'est bon, dans l'usage contemporain, sert particulièrement à indiquer que la mesure est atteinte. *Je vous en mets encore deux ou trois ? — Non, c'est bon, là, j'ai mon compte.* Comme *ça va* en *ça ira* ou *ça va aller*, *c'est bon* se décline volontiers en *ce sera bon* et *ça va être bon* : *Encore deux ou trois litres et ce sera bon.*

Il existe d'autre part, à un niveau de langage encore plus familier, une forme personnalisée où *bon*, appliqué à une ou à plusieurs personnes, signifie *qui réussit, qui atteint son objectif* ou *qui a de la chance.* Cette variante, de même que *c'est bon*, se décline à tous les temps et à tous les modes : *Si y a pas d'bouchon sur l'A1 on devrait êt' bons,* dit le chauffeur de taxi (c'est-à-dire arriver à l'aéroport à temps). *La moyenne en anglais et je suis bon* (j'aurais mon examen). *Encore deux ou trois heures de boulot et j'suis bonne* (j'en aurai fini, je serai libre).

On n'en finirait pas de relever de très légères variantes de tournure qui entraînent de considérables variantes de sens. Ainsi il existe dans le parler contemporain un ironique *il est bon, lui,* ou *tu es bon, toi* (ou plus exactement *t'es bon)* qui veut dire à peu près la même chose que l'ancien *il en a de bonnes* ou que *tu n'as pas pensé aux difficultés qu'implique ce que tu proposes* : *t'es bon, toi! Comment tu veux que je les trouve, les deux briques?*

c'est dommage, c'est grand dommage, c'est très dommage. Dans l'expression *c'est dommage, dommage* reste un substantif, ce n'est pas un adjectif. On ne peut donc l'affecter d'un adverbe de degré. Si l'on veut signifier que le dommage est en effet considérable, ou que tel événement est vraiment très fâcheux, il faudrait dire, en bonne règle, "c'est grand dommage". La tournure est peut-être un peu archaïque, ou affectée. Si l'on juge qu'elle sent trop son puriste, on garde la ressource de "c'est vraiment dommage », ou de "c'est bien dommage". Mais le souci syntaxique, s'il existe, interdira absolument *c'est très dommage.*

Le problème qui se rencontre ici est celui qui se pose également à propos d'*avoir faim, avoir peur, avoir soif. Faim, peur* et *soif,* dans ces expressions, restent des substantifs, comme *dommage,* et ne peuvent affectés, non plus que lui, par des adverbes de degré. On a "grand faim", ou "une faim de loup", pas *très faim,* ni *très peur,* ni *assez soif.*

c'est égal. C'est égal, au même titre que *c'est bon,* appartenait au XIXe siècle au vocabulaire bourgeois, dans le sens péjoratif de cet adjectif. Il y entre une nuance de ridicule. Dans le théâtre de boulevard, c'est typiquement une expression de mari trompé : « C'est égal, Madame aurait pu vous dire à quelle heure elle comptait rentrer ! » Littré la donne pour familière, et précise qu'elle signifie *quoi qu'il en soit*.

Mais tandis que *c'est bon* a opéré parmi nous un retour inattendu, *c'est égal* attend toujours son retour en grâce, serait-ce sous la forme d'un retour en farce.

c'est là que, c'est là où. *Où*, adverbe relatif, implique une précision de lieu qui après *c'est là* a déjà été donnée par l'adverbe *là*. Il faut se garder de la répéter. Après *c'est là*, dans les constructions simples, il ne faut pas placer *où*, mais *que*. *Là* et *où* ici accolés non seulement sonnent assez mal, comme toujours, mais en plus ils sont un pléonasme, en général :

C'est là, en somme, où aboutit à un moment donné le spiritisme. (Huysmans)

C'est là où il réside jusqu'au meurtre de Gianni Versace. (*Le Monde*, jeudi 24 juillet 1997)

Bien entendu, et comme d'habitude, on peut imaginer des constructions plus complexes dans lesquelles *où* serait parfaitement à sa place juste après *c'est là* : *C'est là où il réside que j'ai l'intention d'observer ses habitudes.* Dans un cas comme celui-là, le *que* qui suit normalement *là* dans l'expression *c'est là que* a seulement été remis à plus tard.

Curieusement, *c'est ici où* ne sévit pas aussi gravement que *c'est là où*. On n'entend guère, par chance, *c'est ici où j'allais, c'est ici où il venait se recueillir*, etc. L'incorrection serait exactement du même type. On la rencontre chez Pascal : *C'est ici où je veux vous faire sentir la nécessité de nos casuistes.* (*Provinciales*, VII). Et d'ailleurs, deux lettres plus loin : *C'est là où vous verrez la dernière bénignité de la conduite de nos pères* (*id.*, IX). Mais Littré, qui cite ces deux phrases, précise : « Dans le XVIIe siècle, rien n'était plus fréquent que de faire de *où* un emploi pléonastique ». Il donne aussi un exemple tiré de Molière : *C'est dans cette allée où devrait être Orphise* (*Les Fâcheux*).

Nous devons bien nous en rendre compte, en effet : la langue "soutenue" du XXe siècle français, telle qu'elle avait cours parmi nous jusqu'à ces dernières années, était sur bien des points beaucoup plus rigoureuse que celle du XVIIe siècle (et a fortiori, bien entendu, que celle du XVIe).

c'est ma faute, c'est de ma faute. Entre *c'est ma faute* et *c'est de ma faute* il existe, en faveur du premier, seul admis par les puristes, une nette différence de niveau de langue.

C'est de ma faute, ce n'est pas de ma faute, de sa faute, de votre faute sera toujours perçu comme une... faute par nombre d'auditeurs ou de lecteurs. Cependant cette construction bizarre, très répandue, a trouvé quelques défenseurs. Son étrangeté même a pu faire croire qu'elle était très anciennement installée dans la langue, et constituait un idiotisme, que peut-être il convenait de conserver pieusement. En fait il n'en est rien. *C'est ma faute*, que Littré connaît seul (de sorte qu'il n'a même pas l'occasion de condamner *c'est de ma faute*), est attesté beaucoup plus tôt que son rival populaire. Le curieux *de*, qu'on croit parfois sorti de la nuit des temps, et dispensé à ce titre de toute justification logique, est moderne, en fait, et il a une valeur causale, bien relevée par André Thérive (*Querelles de langage*) et par Dupré (*Encyclopédie du bon français dans l'usage contemporain*).

Thérive va jusqu'à penser, seul contre tous, que le *de* « serait plutôt plus correct que son absence ». « Il reste, commente

Dupré, que l'expression *c'est ma faute* appartient à l'usage litté-raire et surveillé, alors que *c'est de ma faute* appartient à l'usage quotidien ».

c'est pas grave. Quand il y avait encore des classes, linguis-tiquement, une vraie frontière de classe passait entre deux types de réponse polie à *pardon* ou *excusez-moi* : d'un côté de cette frontière on disait *c'est pas grave*, de l'autre *je vous en prie*.

Aristocratique et bourgeois, *je vous en prie* était peut-être un peu beaucoup dire, à quelqu'un qui venait de vous mar-cher sur les pieds. Populaire et petit-bourgeois, *c'est pas grave* était mieux chargé de sens. D'un autre côté, il insinuait que ce pût l'être, grave. Or il arrivait très souvent qu'on dît *pardon* ou *excusez-moi* par politesse pure, sans avoir rien commis qui mé-ritât vraiment d'être excusé — ainsi lorsque à l'occasion d'un soubresaut dans le métro on heurtait son voisin, par exemple, qui lui ne vous heurtait pas moins. Le premier à dire en sou-riant *pardon* ou bien *excusez-moi* était seulement le plus poli des deux. Et *c'est pas grave* dans ce cas précis, pouvait sembler ava-liser, fût-ce pour en réduire l'importance, une offense tout à fait imaginaire.

c'est quoi. Pendant longtemps, *c'est quoi* relevait exclusive-ment du langage bébé. À quatre ou cinq ans, et souvent bien avant quand on avait la chance de bénéficier de parents un peu vétilleux, on passait à *qu'est-ce que c'est* ou *qu'est-ce que*. Ces temps sont loin. Le langage bébé, assez bizarrement si l'on songe à l'extrême brutalité de l'espace public et des mœurs au sein du bidonville global et du bidonmonde, est désormais une composante essentielle du parler global, à la fois grossier, déstructuré et puéril, gnangnan (→ **papas, mamans, grands frères, petites sœurs, etc.**).

c'est vrai que. À l'extrême fin du deuxième millénaire, en France, *c'est vrai que...* est la scie entre les scies. Il est même à croire qu'aucune, à aucun moment de l'histoire de notre langue, n'a connu une diffusion aussi large, et pareille fréquence dans les occurrences. Même *au niveau de...* ou *quelque part*, au plus fort de leur règne qui pourtant fut lourd et long, n'ont jamais envahi si avant, tout de même, l'ensemble de la parole et peut-être de la pensée, ni imposé si largement leur présence.

C'est vrai que... bénéficie d'un relatif anonymat. Bien que l'expression soit partout, et qu'elle inaugure près d'une phrase sur deux dans la parlure la plus étroitement contemporaine, elle semble avoir été assez peu repérée, et n'avoir fait l'objet que de rares critiques. On n'en parle guère. *Quelque part* et *au niveau de...*, au plus haut de leur faveur, étaient déjà imités, cités et moqués de toute part ; et il fallait être bien sourd pour s'obstiner à les pratiquer en toute naïveté. (Il est vrai qu'il y eut beaucoup de sourds, et qu'il y en a encore. Si difficile à croire que cela puisse être, on pourrait témoigner que X, écrivain français d'un certain renom, lauréat en son temps du prix Goncourt même, ayant dit un jour, au café de Flore, qu'il lui semblait nécessaire, *quelque part*, de prendre telle ou telle mesure, et Angelo Rinaldi ayant un peu souri à ces mots, croyant sans doute à une plaisanterie, X ne comprenait pas du tout que l'on pût sourire d'un *quelque part*. Manifestement il ignorait tout du statut presque officiel de cette expression comme stéréotype consacré entre tous, à l'époque, et donc bien comique en tant que tel, en effet.)

Par comparaison, *c'est vrai que...* se remarque à peine. Comme ces trois mots n'ajoutent rien à la phrase, sémantiquement, les oreilles et le cerveau choisissent de ne pas les entendre. C'est peut-être ce qui leur permet de retentir cinq cents millions de fois par jour — et sans doute beaucoup plus, car certains malades parmi les plus gravement atteints pouvaient produire jusqu'à cinquante *c'est vrai que...* en une seule émission du feu "Panorama" de France Culture. Le *c'est-vrai-qu'*isme n'épargne aucune catégorie de la population.

Il existait jadis — et il existe encore, heureusement — un élégant et simple *il est vrai que...* auquel *c'est vrai que...*, d'extraction beaucoup plus médiocre, et de bien moins jolie tournure, pourrait se prétendre apparenté, et même d'assez près. Ces deux syntagmes, cependant, outre qu'ils appartiennent à des niveaux de langue très éloignés, n'ont à peu près rien à voir l'un avec l'autre, à la vérité.

Il est vrai que... a un caractère nettement concessif; et la proposition qu'il inaugure en appelle en général une seconde, symétrique, contradictoire et de plus grand poids : « Il est vrai que la Tunisie connaît une certaine réussite démocratique ; cela ne saurait toutefois nous faire oublier que les libertés y sont encore assez limitées ». Ou bien *il est vrai que...*, au contraire, ouvre une seconde proposition, qui apporte à la première une nuance ou une précision : « Nous ne les aimions guère ; il est vrai qu'ils avaient tout fait pour décourager notre sympathie ».

C'est vrai que... tient rarement cet emploi concessif, assez simple, mais tout de même trop subtil encore pour son extrême rusticité. *C'est vrai que...* ne remplit d'ailleurs aucun emploi, officiellement. L'expression n'ajoute aucun sens au sens. Elle fonctionne comme un signe pur, que ne perçoivent même pas comme signe, apparemment, ceux qui l'émettent.

Signe d'appartenance, pourtant, avant toute chose : mais non pas à une génération ni à un milieu, car il est presque universel, parmi les locuteurs du français aujourd'hui ; signe d'appartenance à une époque plutôt, à la communauté des gens qui parlent comme tout le monde, sans faire d'histoires ni trop s'interroger sur ce qu'ils disent et comment.

Il paraissait aller de soi, jadis, que ce qu'on allait dire était *vrai* — puisqu'on prenait la peine de le dire. Faut-il que le rapport avec la vérité se soit distendu parmi nous — à force de publicité généralisée, de volonté d'appartenance et de conformité, d'effacement du narcissisme moral, d'indifférence à l'honneur et de dévaluation de la parole, pour qu'une affirmation simple ne suffise plus, soit perçue comme ne suffisant plus, par celui qui l'émet et par celui qui la reçoit ; et pour que la plupart de nos contemporains estiment indispensable de la faire précéder de la proclamation dogmatique de sa vérité !

Moins il y a de vérité, plus s'affichent ses imitations. Moins le verbe a de poids et de prix, plus il y a de *c'est vrai que...*

On pourrait croire, les voyant fleurir de toute part, à une réévaluation perpétuelle, une épuisante et toujours insuffisante réinjection de valeur, en le discours. Mais c'est plutôt d'inflation qu'il s'agit : au lieu de réinsuffler du sens à la parole en la maniant avec plus de scrupule et plus de précaution (et ce serait là *vraiment* une réévaluation, cette fois), on se contente piteusement d'ajouter des zéros sur ses billets, et des *c'est vrai que...* à chacune de ses phrases.

L'étape suivante, dans cette course désespérée vers la valeur — course non seulement vaine, mais contre-productive par définition — ce serait *c'est vrai que c'est vrai que...* On en a déjà relevé quelques occurrences...

*

En une vingtaine d'années, la situation ne s'est pas beaucoup améliorée. Peut-être entend-on un peu moins *c'est vrai que*..., je ne sais ; mais je crains, si c'est le cas, que ce ne soit parce que la tournure s'est fondue dans la rumeur du siècle, et parce qu'elle est devenue, littéralement, et pour parler comme Mandelstam, *le bruit du temps*. Quand on évoque ses victimes, et elles sont innombrables, on ne sait pas soi-même si l'on désigne les infortunés qui sont exposés en permanence, comme vous et moi, à ce bruissement insupportable et qui, pour leur malheur, le perçoivent, et le perçoivent pour ce qu'il est, une nuisance sonore intolérable ; ou bien si l'on évoque les malheureux qui ne le remarquent pas dans leur propre voix, et le charrient incessamment sans même s'en rendre compte.

Au demeurant la formule méritait bien de devenir l'emblème, en quelque sorte, et l'étendard, de ce que j'ai nommé d'autre part le *négationnisme de masse*, ou *faussel**. Les Français, et les Européens en général, vivent dans un monde dont le phénomène de très loin le plus important, à savoir le Grand Remplacement*, le changement de peuple et de civilisation, le génocide par substitution, la destruction systématique de leur identité et de leur histoire, a été dissimulé et nié avec la dernière énergie par toutes leurs institutions, qu'elles soient politiques, culturelles, scolaires, universitaires, publicitaires ou médiatiques, et cela des lustres durant. Si l'évidence de cet épisode est un peu moins contestée aujourd'hui, c'est qu'il est presque achevé, et que les mêmes autorités qui l'ont nié avec acharnement invitent les mêmes populations, à présent dépossédées de ce qui fut leur patrie, à se réjouir de l'heureux dénouement de ce qui avait été censé ne pas survenir, n'exister pas, n'être en aucune façon la réalité. On n'a donc fait que passer d'un mensonge, sans doute sans précédent dans l'histoire par son ampleur (à la possible exception des grandes religions), à la négation de ce mensonge — en somme à une dimension supérieure du faux.

Sans doute est-on en droit de se demander, dans ces conditions, si le formidable afflux de *c'est vrai que*..., dont nous sommes submergés, et le *c'est-vrai-qu'isme* ou *cévrékisme* en général, n'ont pas été la réaction immunitaire, bien pénible elle-même, d'un corps social soumis de toute part au mensonge global, à la négation massive de ce qui survient en pleine lumière. *Il est vrai que tout est faux*, dit l'homme qui parle : le faux est le fond implicite de tout discours ; mais par exception ce que je vais dire est vrai. Quand tout est faux, le vrai lorsqu'il se présente a besoin d'être expressément signalé comme tel ; et c'est seulement par un redoublement de la spirale du mensonge qu'il s'expose à être lui-même, à son tour, mensonger. Rien n'est plus inquiétant, on le sait, que les êtres qui disent à tout propos *je ne vous cacherai pas que*..., *je vais être franc avec vous*..., *pour dire toute la vérité*... etc. : alarmants procédés de démarcheurs en encyclopédies, d'agents immobiliers, d'épouses infidèles et de marchands de voiture d'occasion. C'est sur fond de négationnisme de masse qu'à chaque phrase fleurit *c'est vrai que*...

ch'ai pas quoi, j'sais pas quoi, je ne sais pas quoi. Ces formules — ceux qui les emploient n'en paraissent pas toujours très conscients —, sont nettement péjoratives. Elles devraient donc n'être employées qu'avec beaucoup de prudence, sauf désir délibéré de blesser ou d'humilier ceux dont les désirs ou les propos, par exemple, seraient ainsi résumés.

La semaine dernière vous nous avez expliqué ch'ai pas quoi, là, que Montaigne il avait voulu... dit l'élève plutôt mal élevé. Et le journaliste discourtois : *Mais l'année dernière vous aviez déjà publié un roman ou j'sais pas quoi, où déjà vous exprimiez...*

ceux (habilités, etc.) (participe passé ou adjectif après un pronom démonstratif) → **celui.**

Champaigne (Philippe de). Il y a moins d'un demi-siècle encore, dans les familles cultivées, on apprenait aux enfants à prononcer *Champagne.* Aujourd'hui, même entre spécialistes de la peinture française du XVIIe siècle, qui dirait *Philippe de Champagne* se verrait certainement soupçonné de confondre la Mère Angélique Arnaud avec la veuve Clicquot.

Léon Warnant, très curieusement, en 1987 encore, dit que le nom du peintre se prononce *Champagne* et non *Champaigne,* « qui est rare ». Cette précision est vraiment inattendue. Il n'est pas question tous les jours de Philippe de Champaigne, sans doute, mais lorsque son nom apparaît on entend presque toujours *Champaigne,* de nos jours, et c'est la prononciation *Champagne* qui est rare, et même plus que rare, alors qu'elle a pour elle la plus ancienne tradition.

La plupart des dictionnaires des noms propres et des encyclopédies donnent les deux orthographes, mais la graphie *Champagne* est peu répandue.

Il faut noter que le nom *Montaigne* a subi exactement la même évolution. Mais comme on parlait plus et plus souvent de Michel de Montaigne que de Philippe de Champaigne, l'évolution a été plus rapide.

Jadis, plutôt que d'aligner la prononciation sur la graphie, comme on le fait de nos jours, on alignait la graphie sur la prononciation. Boileau écrit *Montagne*, quand il parle de l'auteur des *Essais*. Très longtemps on a dit *Montagne*, pour *Montaigne*. Cependant Warnant est au-dessous de la vérité quand il écrit que *Montagne* est « vieilli, et peut-être pédant ». La prononciation *Montagne*, pour le nom de Michel Eyquem, est sans exemple contemporain qu'on sache. D'autre part le même Warnant n'est pas très cohérent, en prenant parti pour *Champagne* d'une part et pour *Montaigne* de l'autre. On serait tenté de dire que c'est la langue qui ne l'est pas, ou l'usage — et certes ils ne le sont pas toujours. Mais en l'occurrence ils ont fini par trancher en faveur de *Champaigne* et *Montaigne*. Toute résistance en faveur de *Montagne* serait désormais vaine, et relèverait de l'excentricité. En revanche on peut encore se battre en faveur de *Champagne*; mais c'est se montrer un peu inconséquent, si l'on dit *Montaigne*.

La question de l'*i* avant *gn* et après *a* ou *o* a été assez peu étudiée. Littré n'en dit pas un mot dans ses articles *a, i, g, o* etc. Warnant ni le *Robert* ne l'abordent non plus. Elle est pourtant très intéressante, et complexe. Dans la plupart des combinaisons du type *a-i-g-n* et *o-i-g-n*, il semble que le *i* ait été une sorte de non-lettre, en français classique, tout à fait comme le *g*, en italien, dans les combinaisons *g-l-i-o* et *g-l-i-a* (→ **Broglie, Cagliostro, imbroglio**). La lettre s'écrit, mais elle ne se prononce pas. Elle n'est dans le mot qu'une trace historique. Les noms de famille ou de lieux tels que *Chassaigne* ou *Cassaigne, La Cassaigne*, etc., se prononçaient et se prononcent encore quelquefois, *Chassagne* ou *Lacassagne*.

Parmi les noms communs, les exemples vivants de cette étrangeté sont de plus en plus rares, mais on dit encore *o-gnon* pour *oignon*, jusqu'à quand? La prononciation *foire d'empo-gne* (pour *empoigne)* n'est pas tout à fait morte, bien qu'elle ne sorte pas beaucoup dans la rue. Si l'on était cohérent, pour le coup, il faudrait dire *un homme à po-gne.* Le mot *pogne,* qui paraît presque argotique, et le mot *poigne* en fait n'en sont qu'un. Littré recommande encore de prononcer *po*-gnan pour *poignant,* po-*gnar* pour *poignard, po-gnarder,* pour *poignarder* et *po-gnée* pour *poignée.* « Quelques-uns disent *poi-gnée* »… En revanche il ne semble pas qu'on n'ait jamais dit *so-gner* pour *soigner.*

chance. Les garçons de quinze ans ont 55 % de chances de plus que les femmes d'avoir des difficultés scolaires (Les Matins de France Culture, 18 mais 2018 — le journaliste veut dire "de risques".) On a des *chances* d'obtenir quelque chose de positif ou de rencontrer quelqu'un d'intéressant, on court des *risques* d'être affecté par des événements ou des gens déplaisants, désagréables. Cette distinction est précieuse et doit absolument être conservée.

Il a quand même pas mal de chances de péter, leur barrage.

La réa à quatre-vingt-dix ans, tu te dis quand même que t'as de grosses grosses chances d'y rester.

chaque fois (à chaque fois). Il faut dire et écrire *chaque fois, chaque fois que…,* et non pas *à chaque fois,* tournure que rien ne justifie. Cette faute si répandue doit être relativement récente car on ne la voit signalée nulle part. Il va sans dire qu'*à chaque* n'est pas à proscrire en soi : « À chaque occurrence du Nom, sa charge d'honneur est vérifiée ».

*

Pour un *pentimento*, voir toutefois *époux, épouse*, in fine. Et :

« Entrée de ballet : espèce de scène que font les danseurs à chaque fois qu'ils entrent sur le théâtre » (*Dictionnaire de l'Académie française*, première édition, 1695, art. "Entrée").

« Je ne puis m'empêcher de vous dire & redire que vous preniez garde à ne lire pas beaucoup à chaque fois, ni de la sainte Écriture, ni des livres saints » (Jean du Verger de Hauranne, abbé de Saint-Cyran, *Lettres chrétiennes et spirituelles*, lettre XXXII ; éd. Vve M. Durand, S. Hure, R. Le Duc et J. Le Mire, Paris, vol. 1, 1645, p. 257).

« Vous avez raison, répliqua Tyrcis, car si à chaque fois que vous avez été blessé d'une nouvelle beauté, vous aviez reçu une plaie incurable, je ne sais si en tout votre corps il y aurait une place saine » (Honoré d'Urfé, *L'Astrée*, partie I ; éd. Toussaint Du Bray, Paris, 1615, page 36).

Etc.

Pour l'emploi de *chaque* en général, la règle de ses rapports avec *à* serait celle-ci : si *chaque* porte sur une circonstance de temps pur, on n'emploie pas à : *chaque heure, chaque jour, chaque semaine, chaque mois, chaque hiver, chaque année...* ; si *chaque* porte sur une circonstance qui est un événement, on emploie à :

« À chaque arrivée et à chaque départ de train, on aperçoit des familles entières se diriger vers la gare » (Paul Poiré, *Six semaines de vacances*, IV ; Hachette, Paris, 1880, p.93).

« À chaque événement, on change de système, [...] » (Marquis d'Argenson, *Journal*, 15 juillet 1741).

« Or *chaque fois* participe indissociablement de ces deux cas, m'écrit-on, et est donc légitimement susceptible de l'une ou l'autre syntaxe, et cela d'accord avec l'usage. » Bien, bien, bien — le lecteur fera donc comme il l'entend, selon son habitude. Pour ma part je ne dirai ni n'écrirai *à chaque fois*.

cher. Il faut prendre garde que certaines choses, toujours immatérielles, et quel que soit le montant de ce qu'elles coûtent, ne sauraient être *chères*. Un loyer, par exemple, ne peut pas être *cher*. Une dépense ne saurait être *chère*, et pas davantage une valeur. Il n'est pas concevable qu'un prix soit *cher*, ni *coûteux*, ni *onéreux*. Il serait absurde de dire qu'un coût est *cher*, ce qui reviendrait à dire qu'il est *coûteux*. Et bien entendu il ne saurait n'être *pas cher*, non plus qu'un loyer ou un prix. Tous sont *élevés, considérables, ruineux*, abusifs, disproportionnés, absurdes, faramineux, ou bien au contraire *bas, médiocres,* "*économiques*", *intéressants*, peu élevés. C'est l'appartement, c'est la robe, c'est le voyage qui sont chers (ou bon marché). Aucun des mots qui sont de la même nature que *prix* ne peut être accolé à *cher* ou à *pas cher*; s'il l'était, ce serait comme si un prix était donné comme étant *d'un prix élevé*.

chez. Il doit exister malgré tout un curieux *instinct* de la langue, indépendant de la pure connaissance, car en beaucoup de locuteurs du français quelque chose s'alarme vaguement — ou *s'alarmait*, au début — à la nouvelle que c'était la semaine des prix cassés, *Chez Monoprix*, ou qu'on ne nous voulait que du bien, *chez France Télécom*. Une certaine bizarrerie frappe, dans ces formules, même quand on n'en connaît pas la raison. Et puis on s'habitue à elles, à force de les entendre.

Selon la règle ancienne, que souvent on ne sait pas qu'on sait, *chez*, dont la signification étymologique est *dans la maison de*, ou *à la maison de*, ne peut être suivi que de la désignation d'une ou de plusieurs personnes, ou êtres personnifiés, que ce soit par leur nom ou par leur qualité : *chez Philippe Brossard, chez les Dutour, chez ma tante, chez le coiffeur, chez les Anciens, chez Pierre-Guillaume de Roux, chez Pline, chez les fourmis.*

Lorsqu'une maison d'édition porte un nom de personne, l'emploi de *chez* pour la désigner est parfaitement légitime. Sans doute il est bien rare, lorsque l'on dit *chez Gallimard*, qu'on pense expressément à Gaston Gallimard ou à ses descendants, comme on pensait au libraire lui-même, au XVIIIe siècle, si le livre portait la mention *chez Berry, rue Saint-Nicaise* ou *chez Marc-Michel Rey, à Amsterdam* ; de nos jours, c'est plutôt la firme qu'on a en tête. Il reste que *chez* est à peu près incriticable, si la raison sociale de cette firme est une référence à une personne particulière, vivante ou morte, ou à ses initiales : *chez Grasset, chez Denoël, chez Julliard, chez Plon, chez José Corti, chez P.O.L...*

Il n'en va pas de même si la maison d'édition dont on veut parler porte un nom qui n'est pas un nom de personne. L'emploi de *chez*, dans ce cas-là, ne peut que faire vibrer très douloureusement les oreilles sensibles à l'épaisseur du temps, dans le langage, et à ses processus d'élaboration. Passe encore, au bénéfice du doute, pour *chez la Délirante* ou *chez le Promeneur* ; mais *chez la Différence* n'est vraiment guère admissible, ou pas admissible du tout, même — pour peu qu'on admette, évidemment, l'idée que ceci ou cela puisse l'être jamais, admissible ; et par conséquent ne pas l'être.

Chez le Seuil nous est en général épargné, jusqu'à présent, tant son absurdité est patente, même pour les plus sourds locuteurs. Mais les *chez Minuit* ou *chez la Table Ronde* sont pléthore, malheureusement.

Un peu de connaissance du monde de l'édition est nécessaire, bien entendu, pour s'en sortir. Il importe d'avoir une idée de ce que recouvrent certaines initiales, par exemple. Ainsi il faut savoir que *P.O.L* est un homme, et que *P.U.F.* ne l'est pas. *Chez P.U.F.* serait tout à fait ridicule. "Le livre est paru aux P.U.F."

« *Aussi loin que je force ma mémoire, je me vois chevauchant ces pavés, à pied ou en voiture, à bicyclette ou à pétrolette* », écrit Lacouture dans ce "Pont de pierre", paru chez Confluences » (*Le Nouvel Observateur*, 27 octobre 1999). *Chez Confluences* est évidemment indéfendable. Mais ici c'est l'état général de la "copie*" qui pèche par de nombreux côtés. La citation de Lacouture étant entre guillemets*, il n'y a pas lieu qu'elle soit aussi en italique, d'autant qu'il ne s'agit ni d'une langue étrangère ni de poésie. Les guillemets eux-mêmes, en tout cas, devraient être en romain. *Pont de pierre*, en revanche, devrait être en italique, puisque c'est le titre de l'ouvrage de Lacouture. Les guillemets sont ici tout à fait inutiles. Et pour finir on se demande s'il ne faudrait pas une capitale à *Pierre*, puisqu'il s'agit du nom officiel du pont, et pas seulement de l'indication du matériau qui a servi à sa construction...

Il faut croire que *chez*, dans l'inconscient collectif, a conservé beaucoup de précieuses suggestions d'intimité, de rapports personnels et de chaleur humaine, car les publicitaires, par qui surviennent nombre des détériorations dont la langue est victime, manquent rarement de l'utiliser en association avec des noms de sociétés dont l'image aurait tout à gagner, jugent-ils, à un peu d'humanité, et de personnification : *chez Monoprix, chez Champion, chez Alcatel, chez Charbonnages de France.* Le message subliminal est à peu près celui-ci, en l'occurrence : vous pouvez venir chez nous, vous y rencontrerez des êtres humains comme vous et moi, ce sera comme à la maison...

Le grand public emboîte le pas.

En 2020, dans le parler et même dans l'écrit le plus courant, et même chez les journalistes, surtout chez eux, il n'est pour ainsi dire plus de firme ou d'organisation internationale dont le nom ne puisse être précédé de chez : *chez Air France, chez CGT, chez Modem, chez Radio France, chez Aéroports de Paris*, etc.

Chez la Banque Postale, notre priorité est votre sécurité.

Toutes les maisons d'éditions sont tombées les unes après les autres, et jusqu'au Seuil, finalement, car on a pu relever plusieurs occurrences de *chez Seuil*. Les ministères pourraient être les prochaines victimes de cette extension infinie de *chez*, qui pourrait bien avoir pour cause principale l'effondrement semble-t-il sans limite du pauvre *à** :

Chez l'Intérieur, on attire l'attention sur les chiffres.

Chez Affaires étrangère, on minimise l'incident.

Chez l'Élysée, c'est silence radio.

chiant, chier. La France, et cela dès avant le général Cambronne, a toujours entretenu avec l'excrément un rapport très particulier. Il l'obsède. Longtemps, toutefois, elle est restée assez discrète sur ces relations. Aujourd'hui, ravie, elle les étale avec complaisance.

Il n'est pas nouveau qu'*éprouver de l'ennui*, ou bien *subir des ennuis*, se soit *s'emmerder* ou bien *être emmerdé, avoir des emmerdements*. Néanmoins ces expressions étaient réservées, jadis, à des cercles bien particuliers. Leur usage, aujourd'hui, s'est presque généralisé.

La quantité de leurs occurrences est inférieure cependant à celle du verbe *chier* et de ses dérivés, *chiant, chiatique, chierie, chieur, chieuse*, qui forment véritablement, avec leur antonyme *sympa*, le fonds sonore de l'existence en France, celui de la rue et de l'autobus, du train et du métro, de l'avion, des restaurants et des cafés, des salles de spectacle et des lieux de plaisir, de la vie professionnelle et de la vie familiale, semblerait-il : tout ce qui n'est pas *sympa* est forcément *chiant*, ou bien *à chier*; et même ce qui est *sympa* peut tout de même être *chié*.

Putain il est chié le mec : on peut dire qu'i s'emmerde pas...

On veut croire que les personnes qui en font un si libéral usage n'entendent pas, dans *chiant*, ou du moins pas chaque fois, le verbe *chier*, ni ne se représentent nécessairement l'action qu'il désigne. On aimerait à penser qu'elles se restreindraient un peu au bénéfice de leur entourage, si c'était le cas. Mais en fait rien n'est moins assuré : d'une part parce que l'excrément a désormais droit de cité dans tous les milieux et dans tous les échanges, et parce que tendent à disparaître, d'autre part, les notions de *niveaux de discours* ou d'opportunité du ton.

À l'instar de l'ensemble de la société, les adolescents éprouvent de moins en moins le besoin d'adapter leurs propos et leur vocabulaire à leurs interlocuteurs successifs. L'idéal moral, pour eux et pour tout le monde, étant d'être *soi-même* en toute circonstance, ils ne voient pas pour quelle raison, s'ils peuvent dire à leurs camarades, dans la cour du lycée, qu'un film est *chiant*, il leur faudrait chercher un autre terme pour qualifier le même film devant leur grand-mère, ou devant leur professeur.

Elle est chiante, cette prof, c'est pas croyable! dit très naturel-lement une jeune fille à table, lors d'un dîner très *rêveuse bour-*

geoisie, à ses parents et à leurs invités — ne s'étonnent que les convives qui eux n'ont pas d'enfants, sans doute.

Ou bien c'est cette jeune femme assez élégante, par sa toilette, et lectrice du *Monde*, apparemment, qui dans une grande et bonne librairie dissuade à haute voix son mari d'acheter un livre, dont pourtant elle lui dit grand bien, sur la foi d'un article de Josyane Savigneau :

Mais non, le prends pas, j'te connais, tu vas encore m'insulter la gueule, après, si tu le trouves chiant!

*

Chiant et la merde sont assurément l'expression du déplaisir et de l'opinion dépréciative, en français de caniveau — lequel, ayant de longue date conquis tout le trottoir, tend à s'imposer sur toute la largeur de chaussée. Ceux qui auraient tendance à déplorer cet état de fait pourront peut-être se consoler par la situation de la langue anglaise, surtout celle des États-Unis, en laquelle les mots *fuck* et *fucking* tiennent à peu près le même rôle, mais avec une assiduité et une omniprésence encore bien plus remarquable. On a parfois l'impression, quand on entend des conversations entre Américains, dans la vie réelle et plus encore au cinéma, que ce soit dans les milieux de la délinquance et du crime organisé ou dans la *middleclass* bourgeoise et petite-bourgeoise, parmi les adultes et les vieillards tout autant que chez les adolescents, au sein des familles, entre parents et enfants, au sein des couples, dans les relations d'affaires et dans la vie professionnelle, que *fuck* et *fucking* sont à peu près un mot sur deux; que *fucking*, en particulier, est une sorte d'adjectif homérique qui serait attaché systématiquement, chez les sujets les plus atteints, à tous les substantifs quels qu'ils soient. Une table, une fenêtre, une mère, une école, un dîner, un voyage ne peuvent pas être *une table*, *une fenêtre*, *un dîner* ou *un voyage*, il faut absolument qu'ils soient *a fucking table, a fucking window, your fucking school, your fucking mother, that fucking dinner, this fucking trip.* À ce degré-là, et les trois-quarts au moins de la population semblant contaminés, il n'y a plus lieu de parler de maladie individuelle. Il s'agit de toute évidence d'une très grave maladie de la langue, et, partant, de la société dont elle est l'expression — à moins, naturellement, que ce ne soit l'inverse, et qu'il ne faille voir en la société, et dans l'état sans lequel elle git, l'expression d'un état de la langue : il est plus que probable que les deux hypothèses sont également justes.

Les Français et autres usagers de la langue française qui trouveraient la consolation un peu maigre devraient tout de même s'aviser d'une essentielle différence entre les deux situations. Outre que le *chiant* et la *chierie* sont tout de même un peu moins prégnants et invasifs en français que ne le sont le *fuck* et le *fucking* en anglais (qui d'ailleurs n'ont même pas l'avantage d'en exclure le *shit* et le *shitting,* et qui convoquent plutôt, en traduction, les putes, les putains et toute la putasserie...), on ne peut pas ne pas remarquer, donc, que la merde (*forgive my French*) est un objet de dégoût assez répandu et, semble-t-il, bien naturel. On pourrait certes préférer que ce dégoût s'exprimât moins audiblement, et plus délicatement, que les gens disent d'une pièce de théâtre, d'un concert ou d'un film qui ne leur a pas plu qu'ils étaient "horriblement ennuyants" ou "au-dessous du médiocre" plutôt que *chiants comme pas possible*; mais enfin il faut reconnaître, du bout des lèvres, une certaine cohérence entre le sentiment et son image, entre l'opinion et son expression; tandis qu'on voit mal, en revanche, ce qu'ont bien pu faire aux Américains, et à tous ceux qui parlent comme eux, à travers le monde, le sexe, le plaisir ou la baise, suivant les contextes et les cas, pour qu'ils tiennent à les associer infailliblement à tout ce qui leur déplaît, ou les dégoûte, les exaspère, ou ne va pas. Il faudrait leur demander encore une fois, avec Montaigne :

« Qu'a faict l'action genitale aux hommes, si naturelle, si necessaire et si juste, pour n'en oser parler sans vergongne et pour l'exclurre des propos serieux et reglez ? » (Essais, livre III, chap. 5).

Ce n'est pas qu'eux, les anglophones, n'en parlent pas, de l'"action génitale" : ils ne parlent que d'elle au contraire. Mais pourquoi comme on crache, toujours ? Pourquoi cette manie de l'associer à tout ce qui suscite la colère, ou le mépris ? Et comment ne pas voir dans cette folie ravageuse, qui ne paraît pas troubler grand-monde, une préfiguration dans la langue de ce bidonville universel, plein de violence et d'épidémies, bacilles ou tics de langage, que je ne me lasse pas de dénoncer comme l'horizon indépassable du remplacisme global davocratique, autrement dit des industries de l'homme ?

Choderlos de Laclos. Chaud-der-lo de Laclo (plus ou moins), et non pas *Koderlosss de Laclosss.* → *De Chirico.*

choix. Le mot *choix* possède à la fois un sens actif et un sens passif, il peut désigner aussi bien l'action de choisir que l'objet, être ou chose, qui est choisi. Ainsi le terme n'a-t-il pas tout à fait la même signification dans : "vous avez le choix" et dans : "vous avez fait un très bon choix". Cependant la suggestion de l'action à opérer ("faire un choix") l'emporte toujours sur celle du résultat de ce choix ("c'est votre choix"). Même dans l'objet du choix, homme, femme, cheval, parapluie, reste agissante l'idée qu'une autre décision aurait été possible, et c'est elle qui l'emporte. Il en va là comme pour *option*, ou pour *alternative*. Si deux possibilités seulement se présentaient, il ne saurait y avoir deux *choix*. Il n'y en a qu'un, lui et son résultat : mais on pourrait écrire *est* plutôt que *et* — son résultat est la trace de l'opération qui l'a désigné.

— *Rattraper les mails en retard ou se lancer dans la lecture du livre que tout le monde s'arrache.*

— *Personnellement* [commente l'auteur du livre que tout le monde s'arrache], *un des deux choix me semble s'imposer* (Twitter, dialogue entre un lecteur et un auteur à succès).

cinéphile, cinéphilie. Ce sont là de ces mots qui, à l'instar de *musique*, ont totalement changé de sens en quarante ou cinquante ans de Grande Déculturation. La cinéphilie était l'amour du cinéma, du *cinématographe*, aurait dit Bresson, *en tant qu'il est de l'art* — il faudrait presque dire *du grand art*, tant ce mot-là aussi, *art*, a changé de sens. Les cinéphiles s'intéressaient à cette étroite partie de la production cinématographique que donnaient à voir des réalisateurs qui étaient aussi des artistes, de grands artistes, comparables aux grands écrivains et aux grands peintres par l'ampleur de leur vision, la hauteur de leur inspiration et l'excellence de leur invention technique : les Dreyer, les Eisenstein, les Jean Renoir, les Fritz Lang, les Pabst, les Visconti, les Pasolini, les Bergman, les Pialat, etc. Cinéphiles et cinéphilie ne constituaient qu'une petite partie du goût pour le cinéma mais c'était de loin la plus active, la plus passionnée, la plus savante. On aurait d'ailleurs tort de croire que n'en relevait qu'une part infime des amateurs de salles obscures : on ne pouvait guère être étudiant sans se rattacher à elle peu ou prou, elle disposait dans toutes les villes de France, au moins les villes universitaires, mais aussi beaucoup des autres, d'au moins une salle réservée, souvent appelé d'art et d'essai, et il lui était rendu hommage une ou deux fois par semaine sur les petits écrans et les chaînes les plus suivies — à des heures sans cesse plus tardives, il est vrai, ce qui aurait dû alerter sur le désastre qui s'annonçait.

On exagèrerait à peine en soutenant qu'aujourd'hui la ciné-philie est passée tout entière du côté de l'industrie culturelle, de l'industrie du divertissement et plus particulièrement de l'in-dustrie du divertissement. Les notions de qualité artistique et de niveau esthétique s'en sont à peu près complètement reti-rées. Un cinéphile est un amateur qui se rend deux ou trois fois par semaine au cinéma : ce qu'il va y voir n'entre pour ainsi dire plus en ligne de compte. Un grand classique est un film qui a marqué son époque en rencontrant un grand succès com-mercial à sa sortie, ou bien qui est très régulièrement diffusé et rediffusé à la télévision : c'est *Le Grand Blond avec une chaus-sure noire*, *La Soupe aux choux*, *La Veuve Couderc* ou *Le Grand Bleu*, ce n'est plus du tout *Le Cuirassé Potemkine*, *Les Visiteurs du soir* ou *Le Grand Sommeil*. Ces deux séries d'exemples montrent au demeurant que les deux définitions ont des frontières assez floues, que des échanges sont possibles, voire de doubles appar-tenances (*Autant en emporte le vent*, *Noblesse oblige*, *Les Tontons flingueurs*, tout Hitchcock?). Mais c'est précisément ce qui a joué contre le mot et la chose, *cinéphilie*, en vertu du procédé favori des destructeurs, des négateurs, qui aiment à dire que les mots, les choses, les notions et les concepts n'existent pas, qu'il s'agisse de l'Europe, de la culture et des races, dès lors que leurs confins sont poreux et leurs définitions, contradictoires. De fait, de la cinéphilie, même si le mot demeure plus ou moins, avec une signification changée, il ne reste qu'assez peu de chose à la vérité. La plupart des salles d'art et d'essai ont fermé depuis longtemps, Louis de Funès est considéré comme le plus grand acteur de sa génération, et même si l'on souscrit à des abonnements coûteux pour avoir accès à des films du grand répertoire ils sont présentés à la va comme je te pousse, comme la musique sur les chaînes musicales, sans présentation savante, sans indication de nom d'auteur, souvent, sans la moindre date; et le corpus du grand répertoire s'est autant élargi du côté du succès commercial qu'il rétrécissait du côté du grand art : rien ou presque rien de trop ancien, rien de trop *highbrow*, rien qui risque de plomber les audiences — vingt *Pouic-Pouic* pour un *Septième Sceau*, quand ce serait sur "Ciné-Classique".

cinq. Il existait et il existe encore des règles de prononciation de *cinq*, qui figuraient dans tous les manuels, jusqu'à une date récente : *cinq* se prononçait *cink* quand le mot n'était suivi par rien ("Combien étaient-ils? *Cink*". "J'en ai acheté vingt-*cink*") et se prononçait *cin'* quand il ne faisait que précéder un autre nombre, un substantif, un adjectif ou n'importe quel autre mot — à moins que ce mot ne soit un nom de mois, ou ne commence par une voyelle, la liaison s'opérant alors normalement : "une pièce de *cin'* francs", "*Tombeau pour cin' cent mille soldats*", "ce tremblement de terre aurait fait *cin'* cent mille victimes...". Toutefois : "nous sommes le *cink juillet*", "il a *cink'* adorables filles".

En ce qui concerne les mois, l'exception tient à la nécessité de laisser au quantième son autonomie, pour ne pas donner à penser qu'il multiplie le nom qui le suit : il n'y a pas cinq fois le mois de juillet, on est au cinquième jour de ce mois-là. *Cinq juillet* est une abréviation, qui met en apposition deux éléments parfaitement indépendants. Jusqu'au XVIIIe siècle, on écrivait d'ailleurs le 5 *de* juillet. C'est pourquoi on dira le *cink octobre*, bien sûr, mais aussi le *cink* mai, ou le *vingt-cink mars*, bien que dans ces cas-là *cinq* précède des consonnes.

Ces règles étaient celles du "français ", elles le sont encore. En tant que telles elles sont bafouées d'un cœur léger, jour après jour, par la radio et la télévision, pour ne rien dire des conversations privées. Elles sont difficiles à défendre, parce que ne peut être allégué en leur faveur que l'usage, même si l'on peut prétendre que c'est *le bon usage.* Or l'usage change, et celui qui tend à s'imposer, de nos jours, c'est plutôt de dire *une pièce de* cink *francs* et *vingt*-cink *blessés dans une collision de chemin de fer.*

Usage contre usage, donc : usage ancien contre usage moderne, usage aristocratique et bourgeois contre usage populaire et petit-bourgeois, usage scrupuleux contre usage relâché. Le plus étrange, c'est que le relâchement procède du scrupule, et que ceux qui disent *vingt-cink blessés* le font par ignorance ou par mépris de la tradition, certes, mais plus encore par un vertueux souci de prononcer *toutes* les lettres, ce qu'ils croient conforme aux plus stricts préceptes de l'orthodoxie langagière.

Six et *dix* sont sur la même pente que *cinq*, mais nettement moins avancés dans la descente. Les règles classiques de prononciation sont à peu près les mêmes, les concernant, mais elles se sont beaucoup mieux maintenues jusqu'à nos jours : "Combien étaient-ils ? *Disss,* mais je n'en ai aperçu que *sisss.* ". "D'autre part il y a eu *si'* morts, et *di'* blessés". Il n'est pas tout à fait sans exemple, cependant, qu'il soit question de *disss blessés*, et de *sisss nouvelles mesures.*

Le cas de *sept*, en revanche, est assez différent et personne, qu'on sache, sauf peut-être des étrangers sans expérience du français, n'a eu jusqu'à présent l'idée de prononcer *sepppt.* Mais rien ne dit que cela ne puisse pas se produire : « La prononciation de *p* dans "psaume" et dans "psautier" est reparue au XIXe siècle : après "sept" siècles de silence.

« (Dans "sept", précisément, comme dans "baptême" ou dans "sculpture", *p* est demeuré muet.)

« Perceptible et imprononçable.

« (Certains prétendent l'avoir vu reparaître de nos jours dans "cheptel" ou bien dans "péremptoire". Cela après des siècles de retrait et de mutisme. Des siècles d'inscription luxueuse — tel un "articulable-inarticulable" au cœur de ces mots. J'avance l'hypothèse que leur lisibilité était telle qu'elle les vouait au silence.) Aussi bien, il avait sonné de nouveau, un beau matin, au cours du XVIe siècle, dans "Rédempteur", dans "l'Égypte" qu'il est, dans le "somptueux" qu'il est, par affectation de Rome et de l'écrit.

*

« Les grammairiens ont médité longuement sur ces espèces graphiques dont le statut est si particulier. Ils leur donnèrent le nom de lettres quiescentes.

« D'autres leur donnèrent le nom de consonnes ineffables.

« Même, ils proposèrent différents procédés de négation graphique par eux-mêmes très paradoxaux — pour noter graphiquement leur absence phonique au sein de l'inscription matérielle — en les signalant par un point destructeur. Ils appelèrent ce procédé, qui consiste à pointer la lettre luxueuse afin de ne pas la porter à la bouche, *l'exponctuation.* » (Pascal Quignard, *Petits Traités, XIIIe traité, L'e*)

Il est très étrange que le métier de journaliste audiovisuel, de radio ou de télévision, semble être un des seuls où ne soit exigée aucune compétence technique ou professionnelle — ce semblerait devoir être celui, au contraire, où soit le plus rigoureusement requise une parfaite maîtrise de l'instrument de travail, en l'occurrence la langue, puisque l'influence funeste que peut avoir un cacophone sur son entourage est multipliée par plusieurs centaines de mille ou par plusieurs millions lorsqu'il s'exprime sur les ondes. Il va sans dire que chacun est libre de prononcer ce qu'il veut comme il veut ; mais, dans la mesure où les règles régissant le langage n'ont pas encore été officiellement abolies, est-il bien raisonnable de choisir, pour parler à des masses de citoyens, des personnes qui les ignorent, délibérément ou par... ignorance ? La vérité est que ces règles sont sans poids, idéologiquement, face à la nécessité de donner leur chance à égalité, professionnellement, à tous les âges, à tous les sexes, à toutes les classes, à toutes les origines et même, donc, à tous les niveaux de diplômes et à toutes les compétences ou incompétences culturelles.

À la radio un journaliste qui présente les informations, à la mi-journée, a pour tic langagier, bizarre et exaspérant, mais pas tout à fait inédit, même si on ne connaît pas de cas aussi marqués que le sien, d'introduire dans les phrases et même dans les mots de brèves coupures, des blancs d'une seconde, des silences, qui se superposent à la ponctuation et se substituent à elle. Il met un point d'honneur à en placer entre le nom et le prénom, par exemple. Le même, d'autre part, est habité d'une passion consumante pour l'expression *ou quand*... qui permet, après une première formulation d'une information, d'en offrir immédiatement une seconde, idéalement avec plus de recul, avec l'aspiration apparente à établir une loi :

Au Bélarus le président Alexandre [blanc] *Loukachenko menace les manifestants de sanctions* [blanc] *aggravées, ou quand le pouvoir refuse de céder aux revendications* [blanc] *de la rue. De notre correspondant à Minsk Fouad* [blanc] *Ouassadine. Journal de la* [blanc] *rédaction.*

Ou quand..., *ou quand...*, *ou quand...*, pourquoi pas, cette construction n'a rien de critiquable en soi ; mais lorsqu'elle revient deux ou trois fois par bulletin, si ce n'est davantage, elle relève manifestement d'un tic, ou d'une manie, qui devraient être soignés ailleurs que sur les ondes.

À la télévision une envoyée spéciale cumule et combine tous les accents imaginables, qu'ils soient d'origine sociale, régionale, culturelle ou professionnelle, celui-ci étant peut être le plus marqué puisqu'il consiste — et il est bien loin de ne sévir que là — à marquer fortement les syllabes finales des phrases ou des membres de phrases, sans doute pour éviter qu'elles ne se perdent, et probablement aussi, en l'occurrence, pour atténuer ou dissimuler un peu, d'ailleurs sans succès, les autres particularités langagières du discours. De l'ensemble il résulte un son où tout sonne faux, non pas psychologiquement, mais musicalement : pas une voyelle n'est ce qu'elle devrait être, pas une accentuation ne tombe où elle devrait tomber.

On aurait estimé jadis que le métier où se produisent ces praticiens de l'information orale est bien le dernier où ils auraient dû s'engager, le dernier pour lequel ils auraient dû être choisis par leurs employeurs publics. Mais les critères de choix ont changé, un peu comme pour les ministères et secrétariat d'État : il s'agit moins d'utiliser des compétences repérées et, dans les cas qui nous occupent ici, d'honorer et respecter la langue — ambition qui au contraire devient de plus en plus suspecte, idéologiquement —, que d'assurer dans les équipes, dans les journaux télévisuels ou radiophoniques, parmi le personnel à l'œuvre, une juste représentation de toutes les régions, de toutes les origines sociales, de tous les niveaux d'études et de compétence culturelle. Tout le monde a donc sa place, nonobstant ce qui aurait pu apparaître, en d'autres temps, comme des obstacles dirimants. Il ne s'agit plus d'offrir au public l'excellence, ou, à défaut, la meilleure qualité possible ; il s'agit de lui tendre un juste miroir de lui-même.

Plus de cinkkk mille nouveaux cas : le virus n'a de cesse* de progresser (France 2, 22 décembre 2020).

Cinq-Mars. Le nom de *Cinq-Mars*, Henri d'Effiat, l'infortuné favori de Louis XIII, et le titre de la pièce que lui a consacrée Vigny, se sont toujours prononcés *Cin'-Mar*, ou *Saint-Mar*, en société polie. Mais lorsque pour une fois la malheureuse pièce est montée, une première occurrence depuis des lustres, le metteur en scène déclare, à la radio :

— *On dit Cinkkk-Marsss. On a décidé de dire Cinkkk-Marsss : c'est plus simple.*

circoncire, circonscrire. Mieux vaut éviter, évidemment, de faire une confusion entre les verbes *circoncire* et *circonscrire* :

C'est un livre un peu maladroit dans la façon qu'il a de circoncire les questions... (France Culture).

Jacques Capelovici fait très justement remarquer, d'autre part, que *circonscrire* un incendie, ce n'est nullement l'éteindre ou le maîtriser, comme paraissent le croire beaucoup de journalistes, mais seulement « *tracer une limite* autour du sinistre pour l'empêcher de s'étendre. »

citations. Il en va des citations comme des scies, elles sont sujettes à des modes, à des emballements de faveur, à des omni-présences qui les rendent insupportables et invitent à les éviter absolument quiconque a un peu d'oreille et de pudeur. Environ la fin de la seconde décennie du XXIe siècle, un sondage sur les plus populaires plaçait en tête, comme chaque année depuis des lustres, la fameuse citation de Michel Audiard sur les cons, qui « osent tout, c'est à ça qu'on les reconnaît ». Venait ensuite celle, à demi-apocryphe, de Bossuet, selon laquelle « Dieu se rit des créatures qui déplorent les effets dont elles chérissent les causes » — je me rappelle qu'un homme politique de haut vol, sans doute fort dépourvu d'oreille, se ridiculisa sans doute à ja-mais lorsqu'il l'offrit sans la moindre ironie à un public qui s'en gargarisait à tort et à travers depuis des lustres.

Bossuet est concurrencé par Voltaire, un Voltaire pas beau-coup plus authentique que lui, auquel notre époque si notoire pour son indifférence à la liberté d'expression quand ce n'est pas pour son négationnisme* global aime à faire dire : « Je ne partage pas vos idées mais je me battrai jusqu'à la mort pour que vous puissiez les exprimer ». On s'étonnera sans doute un peu plus qu'Hölderlin et même Charles Maurras, pourtant mal partis, soient parvenus à se glisser dans ce très sélectif groupe de tête, l'un avec « Là où est le danger, là est ce qui sauve », l'autre avec « Tout désespoir en politique est une sottise absolue », dont le sens paraît assez voisin. Ces messieurs sont talonnés par Al-bert Camus, qui a trouvé le moyen, lui, d'installer *deux* de ses phrases dans le répertoire le plus éculé. Ce sont l'immarcescible « un homme ça s'empêche » et, plus sécotineux encore s'il se peut : « Mal nommer les choses [en fait : *un objet*], c'est ajou-ter au malheur du monde ». Des plaisants n'ont pas manqué de se livrer à l'amalgame : « Dieu se rit des cons qui ajoutent au malheur du monde en se battant jusqu'à la mort pour qu'une sottise absolue soit cause qu'un homme ça s'empêche de faire croître le danger de désespoir en politique, ce qui sauve des effets de chérir les idées qu'on ne partage pas : c'est à ça qu'on les reconnaît ». Ou bien : « Le désespoir en politique ajoute au malheur du monde, c'est à cela qu'on le reconnaît, car Dieu se rit des créatures qui se battent jusqu'à la mort par bêtise absolue, pour permettre qu'un homme ça s'empêche de mal nommer les choses là où croît le danger de chérir les effets des causes qu'on ne partage pas ».

clair, c'est clair. Clair est un des plus jolis mots de la langue. Il est peu d'adjectifs dont l'apparence et la sonorité donnent plus heureusement l'illusion d'un accord profond et pour ainsi dire originel avec la signification, si séduisante elle-même en l'occurrence.

Dans ces conditions, on ne sait trop si l'on doit se réjouir où s'attrister de l'extraordinaire succès de *clair* et de *c'est clair* dans le parler le plus contemporain, et spécialement celui de la jeunesse. Dans les banlieues et dans les beaux quartiers, dans les lycées et dans les boîtes de nuit, à l'armée, sur les terrains de sport, on dit *c'est clair* toutes les cinq secondes, et dans un sens qui est parfaitement incritiquable, celui de *c'est une chose assurée, il est incontestable que…, voilà un fait certain.*

Si l'on peut trouver quelque chose à déplorer dans ce phénomène, ce ne peut être qu'en son ampleur. *C'est clair* est une scie, on ne saurait le nier. On peut ne pas aimer les scies. Mais celle-ci a bien meilleure allure que les autres.

C'est clair que…, en revanche, ressemble trop à l'insupportable *c'est vrai que**…, dont il n'est qu'une variante aggravée, pour que soit étendue jusqu'à lui l'indulgente sympathie qu'on accorde naturellement à *clair*, et à *c'est clair...*

Clemenceau. Il faut prendre garde que le nom du Tigre ne prend pas d'accent. Lui-même tenait beaucoup à ce défaut, qui ne change rien, que je sache, à la prononciation : *Clémenceau.*

colérer. Un hapax ? :

« *C'est souvent très difficile à prouver* » *colèrent déjà plusieurs des syndicats* (France culture, 19 août 2020 — on remarque une nette propension des journalistes à user de verbes de plus en plus bizarres, pour introduire ou désannoncer leurs citations. On était habitué à *déclare, répète, hoquète, s'ébaudit, s'échauffe, s'attriste, s'enthousiasme, s'emporte* ou même *vitupère*, voici *s'étrangle, s'abat* (?), *se rassure, s'abasourdit, se chiffonne* ou donc *colère*).

colonie, colonies, colonisation. La colonisation, historiquement, désigne des transferts de population. La notion de *colonie*, dans l'histoire de la civilisation occidentale, apparaît avec les relations de la Grèce avec la Grande Grèce, une partie de la population des cités grecques primitives les quittant, pour des raisons économiques ou politiques, et allant s'établir sur les rivages anatoliens, sur la mer Noire, en Sicile, en Italie du Sud et jusqu'en Provence, afin de fonder d'autres cités, les *colonies*. En ce sens rigoureux la colonisation britannique mérite mieux son nom que la française, les Anglais, les Écossais, les Gallois et les Irlandais ayant véritablement colonisé l'Amérique du Nord, l'Australie, la Nouvelle-Zélande, et, dans une moindre mesure, l'Afrique du Sud. Les Français, eux, par comparaison, n'ont guère colonisé à proprement parler que deux fois et en deux régions du globe, au Canada aux XVIIe et XVIIIe siècles, en Algérie au XIXe et au XXe siècle. Là ils ont fondé des villes, des villages, des espaces français, ou du moins peuplés de Français (et accessoirement, pour ce qui est de l'Algérie, d'Espagnols, d'Italiens, de Maltais, de juifs déjà sur place). Ailleurs, et ce qu'écrivant il ne s'agit nullement de diminuer leurs torts, leurs responsabilités ni même leurs crimes, qui certainement furent à l'échelle de leurs mérites, de leur apport et de leurs bienfaits, ailleurs ils ont surtout *conquis*, très classiquement. Dans *empire colonial*, *empire* est sans doute plus pertinent que *colonial*, au sens strict. Pas de transferts massifs de population métropolitaine vers l'Afrique noire ou l'Indochine, pas même vers le Maroc ou la Tunisie : des administrateurs coloniaux, des soldats, des petits commerçants, quelques hommes d'affaires, des médecins, des prêtres, des professeurs et des instituteurs — peu de monde en tout, et qu'il est facile de retirer quand survient l'inévitable décolonisation. Si pénible qu'elle ait pu être pour les colonisés (lesquels, semble-t-il, ne jugent pas toujours beaucoup plus plaisante et confortable l'indépendance qui a suivi...), la colonisation militaire, administrative, économique, culturelle, même, est peu de chose auprès de la colonisation *démographique*, qui est la seule colonisation véritable. C'est pourquoi l'auteur de ce livre va répétant, non sans susciter parfois quelque émoi, mais avec la plus ferme conviction, que la France et l'Europe occidentale, celle qu'on peut appeler l'Europe *livrée*, comme la France elle-même est *livrée*, sont aujourd'hui cent fois plus colonisées, et plus profondément, car *démographiquement*, qu'elles colonisèrent jamais elles-mêmes. L'intérêt de cette remarque, et l'espoir qu'elle fait naître, c'est quelle inscrit l'actuelle colonisation massive de l'Europe, y compris de pays comme la Suède, la Suisse, le Danemark ou la Norvège qui eux-mêmes n'eurent pour ainsi dire jamais de colonies, dans la longue histoire des conquêtes coloniales : et donc de la décolonisation, notre combat.

L'actuelle colonisation de l'Europe présente plusieurs traits spécifiques. Premièrement elle est peu militaire, ou elle l'était peu jusqu'à présent, la nocence*, la délinquance et, de plus en plus, le terrorisme constituant néanmoins son bras armé, de plus en plus et mieux en mieux armé. Deuxièmement elle est triangulaire, étant moins voulue et organisée par ceux qui l'exécutent, d'ailleurs sans réticence aucune, que par ceux qui la commanditent, l'encouragent ou la laissent s'opérer, et qui d'ailleurs sont moins des hommes ou des groupes que des mécanismes ou des machines, qu'on les nomme *davocratie**, *Technè* ou *remplacisme** *global*. Troisièmement elle est la première colonisation de l'histoire à se dérouler aux frais exclusifs des colonisés, selon le principe qui, en Chine, fait payer par les familles des condamnés à mort la balle qui va les tuer. Et quatrièmement elle est aussi la première, sans nul doute, à se dérouler au nom de l'horreur de la colonisation, des colonisations passées — horreur au demeurant assez exagérée, alors qu'il n'en était nul besoin, par une histoire nettement révisionniste, toute au service de la conquête présente.

C'est seulement à partir d'une reconnaissance de la colonisation de l'Europe que peut prendre forme une très nécéssaire volonté et une non moins indispensable entreprise de décolonisation du continent et de notre pays. D'aucuns parlent volontiers de *guerre civile*, comme une des plus vraisemblables issues de l'intenable situation actuelle, en France. Si guerre il devait y avoir, ce qu'à Dieu ne plaise (mais elle serait tout de même moins hideuse que la soumission, ou que la Soumission), ce serait bien plutôt une guerre *de libération coloniale*, et qui ne se-rait *civile*, si ce ne peut être évitée, que marginalement. Pour une guerre civile, il faut un peuple. Or nous en avons au moins deux, et en fait bien davantage.

combien. (→ *comment*). *Est-ce qu'on a une idée de combien ça va coûter ?* (France Culture, informations, 3 janvier 2000). Il aurait fallu :

« Combien cela va-t-il coûter ? Est-ce qu'on en a une idée ? »

Ou tout simplement :

« Est-ce qu'on a une idée de ce que cela va coûter ? »

comme. Après *comme*, et surtout avant, mieux vaut éviter les phrases négatives, qui s'accordent mal avec cette conjonction :

Comme son frère, Sophie n'était pas issue de la grande famille des gens du voyage. Comme sa sœur, Frédéric n'était pas né dans la sciure (à propos d'un frère et d'une sœur qui se sont lancés dans le cirque après des débuts de carrière tout à fait classiques dans les affaires). Mieux aurait valu :

« Non plus que son frère, Sophie n'était issue *etc.* Pas plus que sa sœur, Frédéric… »

Ou bien :

« Comme son frère, Sophie était étrangère à la grande fa-mille *etc.* Comme sa sœur, Frédéric était né loin de la sciure des pistes. »

Comme, d'autre part, ne saurait se combiner, sous peine de grave pléonasme, avec *aussi*, dont la signification impliquée est la même. On ne pourrait pas dire :

Comme son frère, Sophie aussi était étrangère à la famille du cirque.

Et l'on a peine à croire que depuis soixante ans des millions de chrétiens répètent après leurs prêtres, dimanche après dimanche si ce n'est jour après jour :

Pardonne-nous nos offenses comme nous pardonnons aussi à ceux qui nous ont offensés. On pourrait envisager, si on était résolu à sauver à tout prix cette phrase impossible et pourtant consacrée, que non seulement nous pardonnons à ceux qui ne nous ont *pas* offensés mais nous pardonnons *aussi* à ceux qui nous ont offensés. Et nous demanderions à Dieu d'agir de même. Mais que pourrait bien signifier de pardonner *à ceux qui ne nous ont pas offensés* ? Non, décidément, cet *aussi* de la liturgie est une position intenable.

*

Ajoutons que *comme*, à soi seul, et non plus qu'*avec**, n'implique en aucune façon le pluriel :

La Sainte-Chapelle, comme les autres monuments parisiens, sont très atteints (France 2, 27 décembre 1999).

Axel comme Sarah n'ont qu'une impatience, reprendre la mer (France Culture, 14 juillet 2020). On aurait plus d'indulgence pour *l'un comme l'autre n'ont qu'une impatience*, mais *n'a qu'une impatience* sera toujours meilleur. *Comme* n'est pas une conjonction de coordination mais, entre deux substantifs, introduit un rapport de comparaison.

comme ça. Il existe dans l'usage contemporain un très curieux *comme ça,* dont il est difficile de parler tant il a peu de substance. Son sens est de n'en avoir pas. Ce qui serait le plus près d'en tenir lieu serait quelque chose qui s'approcherait vaguement de *sans préparation, sans intention particulière, par hasard...* mais pour les occurrences les plus intéressantes, même ces significations floues sont encore bien trop dire.

J'étais entré comme ça dans un magasin, je cherchais rien de spécial, mais j'ai remarqué cet objet bizarre, qui quelque part m'interpellait.

Non, j'm'interroge comme ça sur qu'est-ce qu'il a voulu faire, exactement.

Rien, j'suis allé comme ça chez un copain, un moment, et puis j'suis rentré à la maison.

Ce *comme-ça-là* ne doit pas être confondu avec un autre *comme ça,* beaucoup plus populaire encore, mais qui lui n'est pas dépourvu de sens, même s'il s'agit d'un sens un peu parasitaire :

Alors i'm'a dit comme ça que j'avais qu'à tout lui raconter bien en détail, qu'on finirait par s'arranger.

comment. Comment est un des points centraux de ce qu'on pourrait appeler, hélas, *l'effondrement syntaxique* — la fin du règne de la syntaxe, cette convention, ce contrat social, ce détour, ce *moins* de l'expressivité au bénéfice d'un *plus* de l'expression.

Comment évite le détour, justement. En bien des occasions il offre un raccourci commode, mais qu'il faut se refuser, non seulement si l'on vise au style soigné, mais dès lors qu'on aspire, moins ambitieusement, à la simple correction. En un mode d'expression très relâché mais très répandu, y compris dans le parler "intellectuel", *comment* remplace *la façon de, la manière dont*. Adverbe, le mot s'associe très mal avec une préposition, qui est censée mener plutôt à un substantif.

… s'interroger sur comment faire face à cette perspective de crise (sur la façon de faire face à cette perspective, sur les moyens de faire face, etc.).

Il était vachement intrigué par comment j'allais faire pour m'en tirer (par la façon dont j'allais m'en tirer).

Je vais essayer de lui parler, mais je suis pas sûre du tout de comment il va réagir (de sa façon de réagir, de sa réaction).

On peut tout imaginer en matière de comment protéger les Français (en matière de protection des Français, sur les façons de protéger; ministre de la Santé, 22 juillet 2020).

Sera généralement considéré comme admissible, en revanche, "La commission devait étudier comment obtenir la mise en examen de Milosevic", car la proposition interrogative indirecte, là, "comment obtenir la mise en examen de Milosevic" est le complément d'objet direct du verbe "étudier", comme elle peut l'être des autres verbes dits "de connaissance" ("savoir comment …", "ignorer comment …", "apprendre comment …, "se demander comment", etc.). On lit dans *L'Encyclopédie*, par exemple, à l'article "Logique", tome 9, p. 641 :

« Pour que notre esprit opère bien il n'est pas nécessaire d'étudier comment il y réussit ».

Et chez Froissart :

« Au parderrain nous sommes ci enclos et n'en pouvons partir ni issir hors fors par danger et sur ce j'ai moult imaginé et étudié comment nous ferons et comment de ci à notre honneur nous istrons ; ... » (*Chroniques*, tome premier, Livre I, Partie II ; A. Desrez, Paris, 1835, p. 657).

Mais voilà qui n'atténue qu'un moment les malheurs du pauvre *comment*. *Pourquoi*, à vrai dire, est couramment soumis aux mêmes mauvais traitements. Lui remplace *la raison pour laquelle, les motifs pour lesquels, les raisons, les motifs, les causes*, etc. :

Un homme qui parlait longuement de pourquoi il avait fait des films (Bertrand Tavernier, Culture Matin).

Il m'a posé tout un tas de questions sur pourquoi j'étais là (sur mes raisons d'être là).

En de telles phrases, on voit exactement le lieu et le moment où l'expression et sans doute la pensée quittent d'un coup la structure syntaxique, pour sauter sans protection dans le vide du sens. L'influence de l'anglais, et surtout de l'anglais d'Amérique, a été certainement déterminante, ici. *Sur* comment* et *sur pourquoi* sont des adaptations brutales des *on how, about how, of how, on why* du parler des États-Unis, où déjà ils relèvent d'un mode d'expression relâché, quoique général. Mais l'anglais est une langue éminemment laxiste, à la syntaxe débonnaire, aux structures plutôt molles et plastiques : c'est sans doute ce qui lui a valu de devenir universelle : ou bien c'est au contraire la pratique approximative de l'anglais, dans les pays et parmi les peuples les plus divers, dont ce n'est pas la langue maternelle, qui a entraîné cette plasticité extrême, sans doute commode mais peu favorable à la rigueur. Le français, au contraire, de moins en moins répandu dans le monde, en conséquence moins exposé à être malmené par des locuteurs qui le connaissent mal et n'y voient qu'un moyen de communication immédiate et de transaction, devrait se concentrer sur son génie propre, volontariste et logique, où signification et grammaire œuvrent de concert, l'une protégeant l'autre.

commerce. Le mot *commerce* a parmi nous une longue et riche histoire — qui d'ailleurs n'est pas exclusivement commerciale, loin de là : *le commerce des âmes, une femme d'un commerce exquis, Commerce,* revue de Valery Larbaud, de Léon-Paul Fargue et de Paul Valéry... Mais la langue petite-bourgeoise régnante l'a enrichi depuis une vingtaine d'années d'une acception nouvelle, qui a connu un succès foudroyant, encore que de médiocre qualité : *un commerce* est désormais un *lieu de commerce,* un local où l'on se livre au commerce, ce que la génération précédente nommait *un magasin,* et qui s'est appelé longtemps *une boutique.* Peut-être s'agit-il d'une abréviation de *fonds de commerce.* Toujours est-il que c'est la première fois que le mot revêt un sens concret.

Alain Rey, il est vrai, signale que dès 1812 le mot désignait *une entreprise commerciale.* Rey indique d'autre part que le latin *commercium* a pour sens *négoce, lieu où se fait un échange économique* (c'est nous qui soulignons), *droit de commercer* — ce qui tendrait à établir que l'acception *magasin, boutique,* qui nous paraît tout à fait vulgaire, possède pourtant ses lettres de noblesse. En fait de *lieu où s'opère un échange économique,* néanmoins, *commercium* paraît avoir désigné non pas une boutique, une échoppe, mais plutôt ce que nous appellerions aujourd'hui *une place de commerce* : le *Gaffiot* donne un exemple de Pline, *commercia et litora peragrare,* « parcourir les places de commerce et les points du littoral ». *Une entreprise commerciale,* d'autre part, ce n'est ni une boutique ni un magasin. On pouvait dire d'un homme, au XIXe siècle, qu'il avait un commerce de vins, ou un commerce de peaux ; ni l'une ni l'autre de ces expressions ne désignaient l'endroit où avait lieu ce commerce, endroit qui peut-être n'existait même pas.

Commerce pour *magasin,* donc, paraît bien être une invention récente. Sauf en leurs plus récentes éditions, les dictionnaires traditionnels ne font pas état de ce sens. Le Grand Robert le relève, mais ne trouve pas d'exemple littéraire à en citer, heureusement.

À la vérité on se trouve ici, et comme souvent, devant une question de niveau de langue, et plus précisément de niveau *social* de la langue. *Commerce* au sens de *magasin* et de *boutique* appartient, de même que l'expression *tenir un commerce*, à la langue populaire et petite-bourgeoise; appartient ou plutôt *appartenait*, car cette langue de classe s'étant acquis, par conquête pacifique, l'ensemble du parler contemporain (ou peu s'en faut), *commerce* l'a suivie dans son élévation, et c'est désormais le terme officiel, ou presque, le plus courant en tout cas, pour désigner de façon générique une épicerie, une boulangerie, une boutique de mode, une pharmacie ou une magasin de meubles.

Les panneaux de signalisation, à l'entrée des villes et des bourgs, ont peut-être joué leur rôle, en l'occurrence, comme ils l'ont fait pour *centre-ville** : *tous commerces*, précisent-ils. Mais peut-être veulent-ils signifier que dans la direction qu'ils désignent on se livre à tous les commerces...

La résistance au mot de *commerce* en faveur de celui de *magasin*, qui pour le même usage l'a précédé dans la faveur des Français, serait plus facile si *magasin* s'était montré de façon incontestable à la hauteur de sa tâche. Or ce n'est pas tout à fait le cas. Il y a une certaine inadéquation entre ce terme-là et la fonction d'achat et de vente au détail que remplit le local qu'il désigne.

Un *magasin*, à l'origine, c'est un endroit où l'on emmagasine les marchandises, en quelque sorte un *entrepôt*. D'ailleurs, quoiqu'un peu sous le boisseau, ce sens est resté vivant, comme en témoignent *les magasins généraux* ou les *magasins de l'Armée*.

Le mot est d'origine arabe. Il vient de *makhzen*, « au pluriel *makhâsin*, "dépôt de marchandises", du verbe *khazan*, "rassembler, amasser" », écrit Littré. Il nous est arrivé par l'intermédiaire de l'italien *magazzino*, ou plus vraisemblablement du provençal. On le rencontre dès le XIIIe siècle dans des textes commerciaux marseillais, où il désigne exclusivement des entrepôts d'Afrique du Nord, plus particulièrement ceux de Bougie. La précieuse épicerie de quartier aux horaires élastiques, tenue par des arabes, ce serait donc très légitimement qu'on l'appellerait un *magasin*. Mais on dira plutôt une *boutique*, et bien sûr un *commerce*, de nos jours.

Le *magasin*, jusqu'au XVIIIe siècle, c'était ce qui était *derrière* la *boutique*, et qui servait à emmagasiner la marchandise avant sa mise en vente. Les librairies sont les premiers lieux de commerce à proprement parler qui se soient intitulés *magasin*.

Au cours du XIXe siècle, le terme de *magasin* a supplanté celui de *boutique* comme étant sinon plus noble, du moins plus attrayant et de plus grand effet commercial : un *magasin*, c'était une boutique plus vaste, et mieux aménagée non seulement pour le commerce mais aussi pour le confort et l'agrément des chalands.

Aujourd'hui *boutique* s'est vengé de *magasin*, ce qui tendrait à confirmer que ce dernier terme a toujours été perçu confusément comme inapproprié : jadis humiliée, la boutique semble à présent plus authentique, et couturiers et parfumeurs lui ont redonné des lettres de noblesse et de crédit. Ce qui est amusant c'est que l'étymologie de *boutique*, comme celle de *magasin*, renvoie non pas au lieu de commerce lui-même, mais à l'espace de *dépôt* qui le plus souvent lui est attenant : *boutique* en effet vient du grec *apothêkê* (*ê* prononcé *i)*, qui a donné d'autre part le terme savant d'*apothicaire*, et qui était lui-même issu du verbe *apotithenai*, mettre en réserve.

On voit qu'aucun des mots français qui ont successivement ou concurremment désigné un local où s'opère le commerce des marchandises n'est tout à fait fondé en droit pour cet emploi. *Magasin* est celui qui paraît le plus neutre, socialement. Mais son air naturel est d'emprunt, on l'a vu — comme souvent l'air "naturel" des mots. Il reste que *commerce* sent un peu la... *boutique*.

Boutique s'est lancé dans une carrière anglo-saxonne et suggère outre-Manche et outre-Atlantique, et probablement au-delà, un édifice ou une institution commerciale à la fois de petite taille et d'un certain luxe, qui compense leur exiguïté par leur confort et leur opulence, ou qui en font une vertu : *a boutique hotel* est un petit grand hôtel, un palace de poche (ou le prétend).

commettre. *Commettre*, dans son usage le plus vivant, a un sens nettement péjoratif. On *commet* un crime, un délit, une faute de goût, un péché, un massacre architectural (ou autre). *Commettre*, dit Littré, c'est « Faire, *en parlant d'un acte répréhensible* » (c'est moi qui souligne). Un écrivain pourra dire par modestie, ou par plaisanterie (encore qu'elle soit un peu usée), qu'il a *commis* tel ou tel ouvrage. Un critique littéraire, en revanche, ne pourra parler du même livre avec le même verbe qu'en donnant à sa phrase un caractère insultant, ou à tout le moins moqueuse, provocante. L'ennui est que même parmi les critiques littéraires il arrive qu'on connaisse mal sa langue, ou qu'on ne perçoive plus les nuances et les connotations d'expressions par trop répandues, telles que *commettre un livre*, *commettre un tra-*

vail, commettre un premier essai sur le commerce des grains dans le Haut-Ségala au XVIIIe siècle. D'aucuns emploient *commettre* sans intention d'insolence ou d'agressivité, et sans se rendre compte qu'ils sont bel et bien impolis — un peu comme d'autre, ou les mêmes, emploient *bouquin,* dans le même contexte, et d'ailleurs il n'est pas rare qu'il y ait cumul.

Mélanie Murakanavalo, ça fait deux ans en arrière, vous aviez commis un premier bouquin que nous on avait bien aimé, je me souviens, chez "Lis pas la bouche pleine"...

communiquer. Le verbe communiquer, de transitif qu'il était, est devenu intransitif : on communiquait les pièces d'un dossier, on communiquait une information, on communiquait les intentions d'un tiers, à présent on communique tout court, c'est-à-dire qu'on entretient des relations avec les médias, en général sur un sujet particulier — on communique et surtout on ne communique pas, si le sujet est épineux ou si on essaie d'enterrer l'affaire :

Ils ont fait ce qu'il fallait pour lancer le produit, ils ont beaucoup communiqué sur sa popularité chez les stars.

Depuis le début de la rumeur, le palais a manifestement décidé de ne pas communiquer.

« "Il compte beaucoup pour moi. Il est très protecteur. Je sais qu'il est très fier de me voir sortir enfin la tête de l'eau", avait-elle [Loana] déclaré au magazine Closer. *Un véritable choc pour elle, qui n'a évidemment pas encore communiqué à ce sujet. »*

En fait le verbe est intransitif depuis très longtemps, mais dans une tout autre acception que celle dont il question ici :

« Les deux pièces communiquent par une porte dérobée, un escalier secret, de petits couloirs ».

D'autre part la nouvelle carrière de *communiquer* intransitif, dans l'acception qu'on vient de signaler, n'a pas du tout mis fin à l'ancienne :

« Je ne manquerai pas de vous communiquer tout ce que j'aurai pu apprendre sur son compte ».

complexer (se), complexifier (se), compliquer (se). Une première, à ma connaissance, sur France 2, aux nouvelles, à propos des orages en Corse (10 juin 2015) :

La situation va se complexer dans les heures qui viennent...

Certes on voit bien comment cette nouveauté a pu se produire. Il existe un adjectif *complexe*, donc, dans l'esprit de la jeune journaliste, devenir complexe, ou *plus* complexe, c'est se *complexer*. Cependant, pour cette signification-là, il existe déjà un verbe qu'on peut, il est vrai, ne trouver pas très joli : *complexifier.* D'autre part *complexer* exister également, mais pour un autre sens : *donner un complexe* (dans l'acception psychologique et psychanalytique du terme) :

« Elle l'a complètement complexé, ce pauvre enfant ».

Être complexé, c'est souffrir d'un ou plusieurs complexes. On pourrait, dans ces conditions (je ne sais pas si cela a déjà été fait), imaginer un *se complexer* qui voudrait dire *commencer à souffrir d'un complexe, acquérir un complexe* :

« Il n'y a pas de quoi se complexer pour si peu ».

On n'est pas là dans un très haut niveau de langue, de toute façon, mais on se trouve à cent lieues du peu défendable *se complexer* de France 2.

complot, complotisme, conspirationnisme. Il y a certes des complots, et il y a aussi des théories du complot, dont la plupart ne sont sans doute que des allégations de complot, des affirmations de complot, vraies ou fausses. Mais il y a surtout des théories des théories du complot, et même une théorie des théories du complot, maniaquement et même un peu gâteusement prisée par la Presse, qui en a fait l'un de ses marronniers préférés, moins innocent qu'il n'y paraît.

Les diverses hypothèses, pour la plupart totalement farfelues, qui ont fleuri, et quelques-unes sous la forme de *théorie,* en effet, après les tragiques événements de New York le 11 septembre 2001, ont totalement déconsidéré, sans doute un peu abusivement, et de façon sans doute très appréciable pour les comploteurs véritables, toute assertion de quelconque complot. C'est devenu, sous le nom très péjoratif de *complotisme,* ou de *conspirationnisme,* la forme la plus basse et la plus décriée de toutes les participations au débat public. Le pouvoir idéologique, c'est-à-dire essentiellement, selon mes vues, le remplacisme* global, la davocratie* remplaciste et négationniste*, a vu là, à très juste titre, et comme en l'accusation de *racisme* ou en celle de *mépris de classe,* une arme absolue de langage, un moyen radical de déconsidérer tous ceux qui s'aviseraient de s'interroger à voix haute sur son origine de pouvoir, sur ses fondements, sur ses mécanismes, ses voies et ses moyens. À cette aune, et pour la seule raison que rien n'était plus déconsidéré et déconsidérant que le complotisme et les théories du complot, *tout* ce qui déplaisait devenait complotisme, à commencer bien sûr par la moindre hypothèse politique, économique ou idéologique qui se risquait à mettre ou à dénoncer le Grand Remplacement. De même qu'en régime de dictature de la pensée toute opinions divergente ou contestatrice ne peut faire l'objet que de *pédagogie**, et de toujours plus de pédagogie, de même toute mise en cause de l'immigration de masse, de la submersion migratoire et du génocide par substitution est aussitôt assimilée, avec une rigueur mécanique souvent assez risible, à du complotisme. *Complotisme* est le nom que donnent les comploteurs à toute tentative de révélation de leur crime. Complotiste est le qualificatif qu'attribuent les bénéficiaires ou les suppôts d'un système à tous ceux qui le mettent en cause. Si *Le Capital* paraissait de nos jours, il serait qualifié de théorie du complot (et dans une certaine mesure, il en est une). En les acceptions incroyablement augmentées, bouffies, que revêtent de nos jours ces mots et expressions, tout projet politique est un *complot*, tout mécanisme économique ou idéologique est une *conspiration*, tout exposé de leur réalité est une *théorie du complot*.

compter (sans), (sans compter). Nombreux sont les succès langagiers dont les mots ou tournures intéressés se passeraient bien, parce qu'ils les bousculent profondément et qu'eux-mêmes, les bénéficiaires supposés de cette faveur, en sortent tout tourneboulés, et parfois méconnaissables. Ainsi de la tournure *compter sans*, qui relevait naguère d'un niveau de langue assez soutenu et se trouvait relativement peu utilisée. Voilà soudain que la langue médiatique s'en empare et que *compter sans* fait l'objet d'une brutale et suspecte faveur. Je dis *brutale* parce qu'elle est subite et vive ; je dis *suspecte* parce que je ne suis pas sûr qu'elle soit très éclairée. Il y a surtout que *compter sans* est tellement malmenée par la foule de ses nouveaux usagers qu'elle en est complètement retournée et que, plus d'une fois sur deux, elle est devenue *sans compter.*

Ce renversement procède très certainement d'une confusion. *Sans compter* existe déjà, en effet, et même en deux acceptions, toutes les deux plus répandues que *compter sans.* C'est d'abord *sans regarder à la dépense, à la quantité ou à l'effort* (*dépenser sans compter, donner sans compter, se sacrifier sans compter,* etc.); c'est d'autre part *en plus, d'autant plus,* cela dans l'expression *sans compter que* (*sans compter que nous ne sommes même pas certains de la nouvelle*). *Compter sans* a une tout autre signification (*ne pas tenir compte de, omettre dans ses calculs*) : *c'était compter sans l'avocat de la défense, un des ténors du barreau.* Dire ou écrire *c'était sans compter l'avocat de la défense* devrait signifier qu'on ne l'a pas pris en compte quand a été établi le nombre des personnes présentes. *Sans compter* a un sens quantitatif, *compter sans* qualitatif.

concert. La productrice, sur France Musique, d'une émission dont le titre même contient le mot *concert* parle couramment, néanmoins, du *concert* donné par un unique pianiste. Il me semble qu'elle a tort et, quoique le mot doive lui être bien familier, qu'elle ne s'est pas suffisamment interrogée sur son sens. Il faut être au moins deux et de préférence davantage, pour donner un *concert,* mot qui implique qu'on se soit *concerté* ou mis *de concert.* Pour un soliste qui se produit seul, mieux vaut de très loin dire un *récital.*

*

Concert est au demeurant l'un de ces mots que le brutal changement de sens du mot *musique,* durant le dernier quart du XXe siècle, a entraîné à ses côtés avec une formidable impétuosité, de sorte que, comme *musique* soi-même, comme *opus*, ou *festival*, il se retrouve aujourd'hui dans un environnement social, culturel et sonore dont le moins qu'on puisse dire est qu'il ne lui était pas familier, lors de sa première vie. Le terme de *concert*, avant le Petit Remplacement, désignait une séance de musique orchestrale ou de musique de chambre relevant de ce qu'on appelait alors la *musique* et de ce qu'il faut appeler désormais, pour se faire comprendre, la *musique classique*, ou la *musique savante*, voire la *veille musique*. Dans neuf sur dix ou davantage de ses occurrences aujourd'hui, il désigne ce qu'on nommait jadis une *séance de variétés*, ou une *soirée de music-hall*. C'est en quelque sorte un transfuge de classe ; mais, contrairement à la plupart de ses congénères, il est passé d'une classe culturelle et sociale "supérieure" à une classe culturelle et sociale "inférieure". On ne saurait toutefois parler d'évolution *descendante*, à son propos, puisque c'est au *pouvoir* qu'il se ralliait de gré ou de force, à la nouvelle classe dominante qu'il offrait ses services pour son arsenal culturel, à la petite bourgeoisie dictatoriale à vocation universelle qu'il faisait don de sa personne. Du moins ne s'est-elle pas montrée ingrate à son égard, et l'a-t-elle adopté avec un enthousiasme formidable.

Je vois j'ai le gamin il est dingue de musique, vous avez pas un concert de Daft Punk qu'il aurait raté.

Déjà avec les jeunes les concerts vous avez toujours le souci que ça tourne mal, les bagarres, les couteaux, les attentats et tout, en plus maintenant la contagion, c'est pas une vie pour une maman.

concerto. Le pluriel du mot *concerto* obéit de fait, dans l'usage contemporain, et au moins parmi les mélomanes, à des règles extrêmement bizarres.

Le mot italien a été reçu en France dans la première moitié du XVIIIe siècle. Il s'y est très bien acclimaté, et sans être tout à fait francisé (sans doute pour éviter la confusion avec *concert*, reçu de même origine dès le début du XVIe siècle), il s'est trouvé suffisamment assimilé pour donner au pluriel *concertos*, comme un mot français. On dit les *concertos brandebourgeois*, les *concertos de Mozart*, les *concertos de Beethoven*. Il serait tout à fait ridicule de parler des *concerti* de Saint-Saëns ou de Ravel.

Seulement est intervenue là-dessus la grande vague de faveur de la musique baroque, porteuse d'un plus grand souci d'authenticité dans les interprétations et d'un goût, voire d'une exigence, à l'égard des instruments anciens. Cette vague a considérablement élargi le répertoire traditionnel, et révélé des œuvres et bien souvent des compositeurs dont les noms mêmes étaient inconnus, pour beaucoup d'entre eux, des amateurs de musique classique. C'est alors qu'on commença à entendre parler des *concerti* de Corelli ou de Geminiani, voire des *concerti* de Vivaldi — qui se trouve exactement sur la frontière entre les deux pluriels.

Le schéma est le même pour les mots et les noms de la musique, de la peinture, de la littérature ou de la géographie : quand ces mots ont fait partie de la culture française traditionnelle, telle qu'elle a régné jusqu'à la dernière guerre, grosso modo, ces noms sont en général francisés. Quand ils sont apparus plus récemment dans le patrimoine culturel de la France, ils gardent leur caractère étranger — soit que l'impérialisme culturel français ait diminué, soit qu'une curiosité plus grande se manifeste pour ce qui est étranger *en tant que c'est étranger*, dans son *étrangèreté* même, si l'on peut dire.

Curiosité dans la curiosité, ce sont les concertos les plus anciens qui échappent à la francisation, parce qu'en fait ils sont pour nous les plus récemment découverts, les moins familiers. Le pluriel de *concerto* est donc *concertos* pour les *concertos* du répertoire traditionnel, c'est-à-dire postérieurs au premier tiers du XVIIIe siècle, tandis que le pluriel de *concerto* est *concerti* pour les *concerti* inconnus de nos parents ou de nos grands-parents, les *concerti* du XVIe, du XVIIe ou du début du XVIIIe siècle.

Ajoutons que si le mot *concerto* est accompagné d'une qualification quelconque en langue italienne, il sera d'autant plus opportun de lui laisser son pluriel italien : un *concerto grosso*, des *concerti grossi* (plutôt que des *concertos grossos*, qui ont vraiment une drôle d'allure) ; un *concerto da camera*, des *concerti da camera*, etc.

confirmez la demande. Voilà un exemple parmi cent de l'extrême étrangeté de la langue d'Internet, et plus spécialement des dits réseaux sociaux, où l'on est constamment obligé de s'accommoder de formules toute faites qui ne disent pas du tout ce qu'on voudrait dire ou ce que l'on croirait judicieux et opportun de dire dans telle ou telle circonstance mais qui sont tout ce qui vous est proposé, avec leur contraire, qui ne correspond pas non plus, et peut-être encore moins, à nos intentions ou à notre sentiment. Il en va de ces expressions préformatées comme des réponses entre lesquelles il faut choisir dans les tests des magazines ; et dont il arrive couramment qu'aucune ne corresponde le moins du monde à notre cas mais il faut bien en choisir une tout de même, si nous voulons savoir dans quel pays du monde nous serions le plus heureux ou bien quelle religion satisferait le plus adéquatement nos aspirations profondes.

Confirmez la demande est une des possibilités suggérées à un membre de Facebook auquel un autre membre propose son amitié. Le membre sollicité peut aussi *Supprimer l'invitation*, ce qui est une façon un peu radicale de ne pas l'accepter. Mais *confirmer* n'a jamais voulu dire *accepter*. C'est plutôt à celui ou celle qui a formulé la proposition qu'il reviendrait de la confirmer, éventuellement, c'est-à-dire de certifier qu'ils l'ont bien adressée. Des tiers pourraient aussi confirmer son existence. Celui qui la reçoit pourrait aussi confirmer qu'elle lui a bien été envoyée. Mais l'agréer, y consentir, lui donner une réponse positive, ce n'est en aucune façon la *confirmer*. Ce verbe semble avoir été placé là tout à fait par hasard.

congés. Les jeunes femmes et les hommes de la météorologie, à la télévision, ne cessent de nous dire quel temps il va faire sur nos *congés de fin de semaine*. Ils nous parlent aussi des *congés de février*, et de plus en plus des *départs en congé* ou des *retours de congés*. Or ces personnes sont censées s'adresser à la France entière, et *congé* est un terme socialement et même juridiquement très connoté, qui ne concerne qu'une partie de la population.

Congé vient du latin *commeatus*, lui-même issu de *commeare*, voyager, circuler. Dans *commeatus* est très vite entrée une idée de *permission*, d'*autorisation*. Un *congé*, c'est une « autorisation accordée à un salarié de cesser le travail » (*Grand Larousse*). Tous les Français n'ont pas besoin de *permission* pour partir en voyage ou pour prendre un peu de repos. Il existe en France, outre un bon nombre de chômeurs, de personnes à la retraite et d'oisifs, une quantité non négligeable de travailleurs indépendants, qui ont eu la chance ou la volonté de pouvoir organiser leur vie de telle sorte qu'ils n'ont à solliciter l'autorisation de personne pour cesser le travail s'ils le souhaitent. Pour ceux-là la fin de semaine n'est pas un *congé*, ni leur séjour à la mer, à la campagne, à la montagne ou à l'étranger s'ils peuvent se l'offrir. Et ils ont droit tout autant que les salariés à savoir le temps qu'il va faire. Le terme neutre est *vacances.*

Vacances est peut-être un peu beaucoup dire pour la fin de semaine, soit. Mais alors il n'y a qu'à parler de la *fin de semaine* tout court, et éviter en tout cas *congé*, mot qui ne concerne qu'une partie de la population et qui ne saurait être généralisé — pas en tout cas avant que ne soit achevée la prolétarisation générale.

conséquent. Un homme *conséquent* — il est un peu ridicule d'avoir à le rappeler — c'est le contraire d'un homme *inconséquent* : c'est un homme qui agit avec esprit de suite, ou dont les actes sont accordés avec les paroles, ou avec les convictions :

« ... et je me rendais bien compte que la position à mes yeux scandaleuse de Bernard était simplement celle d'un chrétien conséquent » (Emmanuel Carrère, *L'Adversaire*).

Conséquent signifie *qui témoigne le souci de tirer les conclusions logiques de ce qui précède.* Un discours *conséquent*, ce ne serait pas un long discours, mais un discours dont tous les enchaînements auraient été soigneusement préparés. Le risque de malentendu serait si grand, toutefois, que mieux vaut s'abstenir, et de manière générale n'appliquer *conséquent* qu'aux personnes.

« *Conséquent* pour *considérable* est un barbarisme, dit Littré, que beaucoup de gens commettent et contre lequel il faut mettre en garde. »

Le système photoélectrique, digne du départ du Grand Prix du Pacs à Vincennes, a permis de totaliser 98 403 partants. Chiffre précis, net et sans bavures. Une belle et grosse manif, donc, moins importante que prévue — ils en espéraient le double — mais consé-quente tout de même (*Le Monde*, 2 février 1999).

Dans le domaine pécuniaire, en particulier, l'emploi de *conséquent* au sens de *considérable*, outre qu'il est en effet très incorrect, présente un caractère vaguement répugnant, comme une grosse pudeur qui s'étale :

Elle a fini par faire un héritage conséquent...

C'est un prix à la dotation très conséquente...

Je ne m'étais pas rendu compte qu'il s'agissait d'une affaire aussi conséquente...

Conséquent, non plus d'ailleurs qu'*important**, ne saurait en aucune façon signifier *gros* :

Comment était le kyste qu'on lui a enlevé ?

— Déjà assez conséquent.

Quant à *conséquent avec soi-même*, c'est une formule qui frise le pléonasme : on ne voit pas très bien avec qui d'autre que soi-même on pourrait être *conséquent* : *Soyez un peu conséquent avec vous-même, pour une fois !*

J'ai entendu un bruit assez conséquent.

L'hostilité des grammairiens des générations précédentes à l'égard de *conséquent* utilisé dans le sens de *gros*, de *grand* ou d'*important* a un très net caractère *social*, qui montre à quel point, jusqu'aux années récentes, la faveur ou la défaveur des tournures et des mots étaient liées à leur "appartenance de classe", si l'on peut dire. De tels critères sont à peu près in-admissibles parmi nous, et peut-être faut-il s'en féliciter. Tou-tefois on ne comprend rien à l'histoire de la langue, ni même peut-être à son esprit, si l'on ne se souvient pas de leur longue pertinence.

« *Conséquent* au sens de *important* appartient au style bouti-quier », écrivait René Georgin en 1956. Il ajoutait perfidement qu'on trouvait cette impropriété chez Giono. Et de renchérir, toujours dans *La Prose d'aujourd'hui* : « *Un monsieur conséquent, un appartement conséquent* ressortissent au style concierge ». Cette fois-ci il compromet jusqu'à Proust : *Il n'y avait pas dans les environs de Combray de ferme si conséquente que Françoise ne supposât qu'Eulalie eût pu facilement l'acheter.* Mais en l'occur-rence on peut imaginer qu'il s'agit de style indirect libre, et qu'en fait c'est Françoise qui parle d'*une ferme conséquente.* Il faut l'espérer, car même le doux Dupré, qui n'en est pas coutu-mier, monte sur ses grands chevaux quant à cette question-là :

« On peut dire que l'emploi de *conséquent* pour *important* fait une très fâcheuse impression de vulgarité, même dans la conversation courante, et qu'il faut donc le proscrire absolu-ment ».

C'est un homme discret dont je n'ai personnellement jamais vu le visage mais qui dispose de moyens conséquents.

construction. Il ne saurait être question de donner ici un cours d'analyse logique, quand bien même on en serait capable. Toutefois il n'est pas possible non plus, dans un ouvrage consa-cré aux points délicats du français contemporain, de passer tout à fait sous silence les problèmes de *construction*, qui sont peut-être ceux que l'usage actuel pose avec le plus d'insistance.

On oublie, ou bien on n'a jamais su, que deux verbes, pour faire l'objet d'une coordination, doivent se construire de la même manière et régir de la même façon leurs éventuels com-pléments :

... et que la syntaxe est un réseau de contraintes, qui à tout moment pose et répond à des questions de logique.

Les habitants de la région de Brest, en particulier, pourront voir et s'étonner d'une deuxième lune dans leur ciel nocturne (Antenne 2, 3 février 1999).

Il aurait érigé en système et personnellement participé aux viols de femmes musulmanes dans sa ville natale de Foca, où il était chef de la police.

Les coureurs alignés au départ sont tous impliqués ou concernés dans les affaires de dopage, ce qui tout de même ne manque pas de poser problème, quelque part.

On oublie, ou on n'a jamais su, que deux prépositions ou expressions prépositives, pour faire l'objet d'une coordination, etc. :

Que s'est-il passé en Serbie depuis la mort de Tito dans et au sujet de cette province du Kosovo etc. (*Le Monde*, samedi 14 mars 1998).

On oublie, surtout, ou on n'a jamais su, que le sens n'est pas tout, que se faire comprendre n'est pas la seule obligation de celui qui parle, ou qui écrit, et que la syntaxe est un réseau de contraintes, qui à tout instant pose et résout des questions de logique — d'où le nom d'*analyse logique*, pour le vieil exercice scolaire trop délaissé d'examen des structures de la phrase, et des rapports entre eux de ses divers éléments :

Comme me l'a demandé Philippe (vous écrit Jacques), *veuillez trouver ci-joint une copie de son manuscrit.*

Le verbe principal de la phrase est *veuillez*. Philippe n'a pas demandé à Jacques, d'évidence, que vous *vouliez* quoi que ce soit. Il lui a demandé de vous envoyer son manuscrit. Si seulement Jacques avait écrit : "Comme me l'a demandé Philippe, je vous prie de trouver ci-joint *etc.*". Sans doute Philippe n'a-t-il pas demandé à Jacques de vous *prier* de quoi que ce soit, du moins est-ce à Jacques qu'il a demandé quelque chose, et c'est Jacques en effet qui agit, ainsi que l'implique la conjonction *comme*. Mais pour atteindre à la totale correction syntaxique, il est difficile d'éviter un détour : "Comme me l'a demandé Philippe, je vous envoie son manuscrit, que vous voudrez bien trouver ci-joint".

Le secrétaire d'Etat américain a menacé l'Indonésie de subir un grave préjudice (30 septembre 1999). Non : de *lui infliger*, de *lui faire subir* — un infinitif doit avoir le même sujet que le verbe dont il dépend.

coordination. On en a dit un mot à l'article précédent, mais il ne sera pas trop d'y revenir ici car c'est un des points où l'effondrement syntaxique, ou bien, dirons-nous pour être moins dramatique, *l'insouci de la grammaire*, est le plus manifeste. Jadis la question ne se posait pas, au moins entre les personnes, beaucoup plus nombreuses qu'on ne croit, qui parlaient à peu près correctement le français. À défaut de connaissances grammaticales, le seul génie de la langue, cette intériorisation de la grammaire et du vocabulaire à travers les générations, l'eût interdit. Mais le génie de la langue n'a pas bonne presse, idéologiquement, et il s'efface en les êtres à mesure qu'il est vu d'un plus mauvais œil par la société. Toujours est-il que c'est lui, que c'est bien lui, aux côtés de la syntaxe, de la grammaire et des maîtres et maîtresses d'école, qui interdisait aux locuteurs du français d'associer deux verbes, en particulier, qui se construisaient différemment, étant l'un transitif direct, par exemple, et l'autre indirect :

C'est dans ce contexte de danger islamiste que le président Ben Ali ralentit ou même revient sur le processus de démocratisation qu'il avait initié.

Il a apporté son aide et a fait travailler des médecins républicains espagnols réfugiés à Toulouse chassés par l'Espagne franquiste (Wikipédia, article *Joseph Ducuing*, 1885-1963).

Lui nie complètement avoir utilisé et abusé de la magie noire (France Culture, "La Grande Table", 23 juin 2019). Que ce locuteur, au lieu de vouloir innover, ne s'en est-il tenu à la formule rituelle *user et abuser*, dont les deux verbes, et pour cause, se construisent pareillement — ce qui n'est pas le cas d'*utiliser* et *abuser*.

La difficulté de coordination se rencontre particulièrement avec les verbes qui paraissent s'associer d'eux-mêmes et néanmoins se construisent différemment — ainsi *entrer* et *sortir*, *aller* et *venir*, ou *revenir*. On ne peut dire et écrire, par exemple :

J'ai beaucoup de mal à entrer et sortir de cette voiture (on n'entre pas *de* cette voiture ; il faut allonger : "j'ai beaucoup de mal à entrer dans cette voiture et à en sortir". On ne pourrait dire non plus : *j'ai beaucoup de mal à y entrer et sortir* (on n'y sort pas : il faut faire un détour — "j'ai beaucoup de mal à y entrer et à en sortir")).

J'y suis allé et revenu en trois jours (on *n'y* revient pas — pas en tout cas au moment où l'on quitte un endroit. Il faut donc : "j'y suis allé et en suis revenu en trois jours" ; ou bien, mieux : "j'ai fait l'aller et retour en trois jours").

Abel Hermant, qui ne passe pourtant pas pour laxiste, fait preuve d'une demi-seconde et d'une once de fausse indulgence, sur ce point ; mais il s'en repent bien vite. Dans ses *Lettres à Xavier sur l'art d'écrire* (Hachette, 1925), on peut lire, p. 123 :

« Mon enfant, je n'imagine pas que vous eussiez jamais dit, fût-ce par étourderie : "J'entre et je sors du jardin". Mais enfin, si vous l'aviez dit, j'entends d'ici le cri douloureux que ni M. Lancelot [*l'auteur, avec Antoine Arnaud, de la* Grammaire de Port-Royal] ni moi n'aurions pu retenir. Cependant, après réflexion, la plus simple loyauté m'eût obligé à représenter au petit-neveu du sous-diacre que nous n'aurions crié ni l'un ni l'autre s'il vous avait pris fantaisie de parler grec et de traduire mot à mot *j'entre et je sors du jardin*; car les jeunes gens de Platon, Socrate lui-même, usent sans scrupule de cette tournure, qui est une énormité pour nous, et qui apparemment n'offensait pas leurs oreilles.

« Quelle que soit ma superstition des Grecs, je ne puis nier notre avantage en ce point, et je vous conseille une fois de plus de vous en tenir au génie de la langue française, si c'est en français que vous écrivez. »

[...] *Spinoza, La Boétie et Thoreau qui tous ont parlé, défendu et postulé un droit à la résistance* (on parle *de* quelque chose, on défend ou postule quelque chose — il n'est donc pas possible d'associer par coordination le premier verbe aux deux autres).

La guerre va pousser Stravinski vers la Suisse romande où il va rencontrer et travailler avec Charles-Ferdinand Ramuz (France Musique, 13 novembre 2020).

De ce point de vue-là j'appelle ou je suggère de nous recentrer sur un autre type de discours (on appelle *à* et on suggère *de* — il est donc tout à fait impossible d'associer ces deux verbes par un lien de coordination. On pourrait à la rigueur appeler à nous recentrer sur un autre type de discours ou se contenter de le suggérer.

copie. Le terme spécialisé de *copie*, qu'on rencontre en imprimerie et dans les maisons d'édition en des expressions telles que *préparation de copie*, désigne un état du texte où l'orthographe à proprement parler ni le style ne sont plus en cause, théoriquement, non plus que la mise en page, mais plutôt la présentation presque physique de la phrase et de ses caractères.

L'état de la *copie* est presque toujours ce qu'il y a de plus négligé, dans les publications hâtives et non professionnelles (qui sont parfois le fait de "professionnels"). Et c'est l'un des domaines où s'observe le plus cruellement la décadence de la chose écrite.

Petits journaux, journaux d'entreprise, feuilles ronéotées, dépliants publicitaires, brochures touristiques, dossiers de presse, envois en nombre, courrier d'associations fournissent en abondance des exemples de *copie* traitée dans la plus parfaite indifférence.

On peut ranger provisoirement dans la rubrique *copie* le noble art de la ponctuation* et ses règles : la règle qui interdit, par exemple, qu'un sujet, s'il est unique, soit séparé de son verbe par une virgule — cependant il peut l'être par *deux* virgules, bien entendu, s'il y a incise ; ou bien la règle qui exige que les virgules marchent par deux, justement, dans la plupart des cas...

Exemples de mauvais état de la *copie*, pour des raisons de ponctuation :

le trésorier, après consultation du comité exécutif a décidé de porter à la connaissance de l'assemblée générale etc.

Ou bien :

le trésorier après consultation du comité exécutif, a décidé de porter à la connaissance etc.

Il faut une virgule après *trésorier* et une autre après *exécutif* ;
et l'on pourrait aussi, à la rigueur, ne pas mettre de virgule du
tout — mais si l'on en met elles doivent absolument marcher
par deux.

Entre le verbe et son complément, de même, il peut y avoir
deux virgules, qui délimitent une incise ; il peut n'y en avoir pas
du tout (c'est la règle générale) ; mais il est exclu qu'il y en ait
une, et une seule.

Le régime des *capitales* (ou *majuscules)* est l'un de ceux où
se remarquent les plus sérieux errements dans la *copie* de production courante. On voit paraître après des points-virgules,
par exemple, des majuscules qui n'ont absolument pas de raison
d'être (sauf si elles ornent des noms propres, évidemment). Les
titres de personne (*président, directeur, conseiller général, comte,
marquis, colonel, archevêque,* etc.) et les noms d'institutions (*musée du Louvre, consulat d'Espagne, conseil général)* font de même
l'objet d'une profusion de capitales tout à fait dépourvue de nécessité, et même de légitimité.

Les adjectifs dérivés des noms de nation, surtout, et les majuscules qu'on leur alloue ou leur refuse, sont l'objet de considérables désordres dans l'état de la copie d'un grand nombre de
textes. On rappellera ici que si *un Italien* a pleinement droit à
sa majuscule, le même mot n'a aucune raison d'en être pourvu
quand il est question d'*un metteur en scène Italien* ou de *la cuisine
Italienne.* (→ **majuscules.**)

*Saint-Girons, capitale du Cousserans, aujourd'hui rattaché à
l'occitanie, était au 12ème siècle partie intégrante de la Gascogne. Sa
langue, comme d'ailleurs celle du val d'Aran aujourd'hui Espagnol
était le Gascon tel qu'on le parlait en Armagnac, Béarn ou Bigorre.
Pour preuve de cette appartenance, on peut voir à l'église de Saint-*

Vallier un portail du 12ème siècle dont la clé de voûte est ornée du sceau des Ducs de Gascogne.

Ci-dessus pas de faute d'orthographe à proprement parler, ni de syntaxe, mais la copie est dans un état déplorable : à *occitanie* il faudrait une capitale, tandis qu'à *Espagnol*, en l'occurrence, il n'en faudrait pas, non plus qu'à *Gascon* ; et à *Ducs* pas davantage. Si l'on décide, comme il est très légitime et presque indispensable, de mettre une virgule après *Sa langue*, il faut en mettre une également après *Espagnol*. Ajoutons qu'il n'est pas de bon usage d'écrire en chiffres arabes le quantième des siècles : *XIIe siècle* plutôt que *12ème siècle...*

convenir, être convenus, avoir convenu. Le verbe *convenir* présente la particularité de se conjuguer avec un auxiliaire différent selon qu'il a tel ou tel sens.

Quand il signifie *plaire, agréer, seoir, être conforme à ce qu'on cherche*, il se conjugue avec le verbe *avoir.* « Cet appartement m'a convenu, j'ai décidé de le louer. » « L'arrangement nous aurait convenu, mais les délais étaient vraiment trop courts. »

Quand il signifie *tomber d'accord, reconnaître, avouer*, il se conjugue avec le verbe être (comme font *venir, revenir, parvenir, intervenir*, etc.) « Les deux parties sont convenues de se revoir la semaine prochaine. » « Il est convenu qu'il était allé un peu loin. »

Cette phrase souvent citée en exemple résume bien la double règle : « La marchandise nous a convenu et nous sommes convenus d'un prix. »

Malheureusement la construction de *convenir* au premier sens influe exagérément sur celle, pourtant parfaitement logique, de *convenir* au deuxième sens, et le verbe est très souvent construit avec *avoir* dans un cas comme dans l'autre.

La France et la Grande-Bretagne ont convenu d'un moratoire sur l'affaire de la vache enragée. Non : *sont convenues.*

coordonnées. Quel petit ou grand *Robert* saurait dater au jour près l'apparition de *coordonnées*, dans le sens de *nom, adresse et numéro de téléphone* ? Qui saurait retrouver la personne qui la première eut l'idée d'employer ce mot dans cette acception-là ? Cette personne a toute chance d'être vivante parmi nous.

À vrai dire Alain Rey, qui est presque le petit et le grand Robert à lui tout seul, donne à ses questions de sérieux éléments de réponse, comme d'habitude, dans son *Dictionnaire historique de la langue française* (publié d'ailleurs aux éditions du dictionnaire Le Robert). Il écrit : « Le nom féminin *coordonnées*, attesté dès 1754 comme terme de géométrie, est directement composé sur *ordonné(e)*. Par analogie, il est employé en astronomie, géographie, et dans l'argot des grandes écoles, au sens d'"éléments permettant de situer précisément quelque chose, quelqu'un". Ce sens est passé dans l'usage familier avant de devenir courant pour "éléments, adresse, téléphone, etc. permettant de retrouver, de joindre quelqu'un" (mil. XXe s.). »

L'origine serait donc à la fois scientifique et argotique (« l'argot des grandes écoles ») ; et au fond nous n'aurions connu qu'un élargissement (foudroyant) d'un usage assez anciennement attesté dans un milieu particulier. Ce que sachant le mystère ne fait que se déplacer de la question de la naissance à celle du succès. Quoi donc a pu persuader tout un peuple, presque du jour au lendemain, qu'il était opportun d'appeler *coordonnées* les divers éléments qui permettent de se mettre en relation avec telle ou telle personne?

La commodité, sans doute : car jadis on n'avait qu'à dire *l'adresse*, puis ce fut *l'adresse et le numéro de téléphone*, et de nos jours ce sont fréquemment *l'adresse, le numéro de téléphone, le numéro de télécopie, "l'*e-mail*", etc.* » — tous éléments de localisation que le vilain mot de *coordonnées* serait seul à pouvoir désigner ensemble.

Est-il si vilain, d'ailleurs? Ici interviennent nécessairement des éléments de psychologie personnelle et de psychologie sociale, et culturelle, qui d'ailleurs, à un degré plus ou moins marqué, sont agissants à propos de la plupart des mots et des expressions ici répertoriés. Qu'est-ce qui fait qu'un terme comme *coordonnées*, qui remplit, nous venons de le voir, un rôle utile et peut-être même indispensable au sein de notre vocabulaire (on ne lui connaît pas de substitut satisfaisant), semble à certains d'entre nous inadmissible de laideur et de vulgarité, tandis que d'autres l'adoptent ou l'ont adopté sans seulement y songer?

D'aucuns lui reprocheront son origine argotique, tempérée toutefois par ses liens avec l'astronomie et les grandes écoles. D'autres, ou les mêmes, lui en voudront de sa longueur, ou bien de son défaut de naturel. Mais il n'y a guère de *naturel*, dans la langue, et ce que nous ressentons comme tel n'est jamais, le plus souvent, que l'effet d'un long usage. *Coordonnées* n'aurait donc contre lui, essentiellement, que d'être trop neuf. Or c'est un mal dont les choses, les êtres et les mots guérissent vite.

Il y a bien sûr que certains tempéraments font d'emblée un accueil bienveillant au nouveau, et d'autres pas. Mais la langue, ici comme ailleurs, a un statut spécial. Car tel qui est très ouvert à la nouveauté dans le domaine des arts plastiques ou de la musique, par exemple, s'accommodera très mal des innovations langagières, et les rejettera pour lui-même; tandis que celui-ci ou celle-ci, très hermétique au contraire aux initiatives de la mode, par exemple, ou du goût en général, accepte sans barguigner les mots tout juste consacrés par l'usage, et s'en sert comme s'ils avaient toujours fait partie du paysage.

En son sens moderne, *coordonnées*, par définition, n'a pas d'inscription au sein de notre littérature. Ce n'est pas un mot littéraire. Il entrerait difficilement dans un texte de quelque prétention esthétique, sauf bien sûr dans des dialogues de roman ou de théâtre, qui très souvent ont pour fonction de figurer la langue *réelle*, la langue telle qu'on la parle vraiment, à l'époque où l'œuvre est produite.

Mais qui dit que ce ne saurait être là l'ambition de la littérature en général? Et qu'un art littéraire qui soit vraiment de son temps ne serait pas capable d'intégrer ces mots du jour, qui n'ont pas plus de passé que ne veut en avoir un style en cours d'invention?

Ici la distinction s'impose, de sorte qu'il est à craindre qu'on ne tourne en rond. Car il y a mots du jour et mots du jour — mots dont un style vierge peut faire sa nourriture, et mots qu'il rejettera avec horreur. Qu'est-ce qui en décide? Leur allure? Leur son? Leurs résonnances sémantiques? Ou bien les individus ou les groupes qui les ont ou non adoptés?

À qui appartient *coordonnées*? À quels milieux? À quelles tranches d'âge? À quels genres de caractère? À quels types humains?

Que suggèrent ces syllabes, en dehors de leur sens? Qu'est-ce qu'elles connotent? Que font-elles naître comme images, comme souvenirs et comme associations d'esprit?

Telles sont probablement les questions dont les réponses pourraient décider si la littérature — pour autant qu'elle ait elle-même un avenir — est à même ou ne l'est pas d'adopter un jour *coordonnées* (à moins qu'elle ne l'ait déjà fait?). Sans doute sommes-nous tentés de dire non. Puis survient un grand écrivain, dont la manière nous est aujourd'hui inconcevable, et qui donne à *coordonnées*, sans y toucher, la grâce peu vraisemblable d'aller de soi.

cordialement. Les anciens manuels de correspondance — qui, il est vrai, n'avaient pas meilleure réputation, auprès des personne sachant écrire des lettres, que le manuels de savoir-vivre auprès des gens du monde (si l'on avait besoin d'un manuel c'est qu'on n'en était pas...) —, les anciens manuels de correspondance, donc, étaient unanimes : *cordialement* était la formule de politesse la moins honorifique, en fin de lettre, celle qui s'utilisait pour les personnes que beaucoup de ces manuels appelaient encore les *inférieurs*, et notamment celle qui étaient employées par l'auteur de la lettre, ses métayers, ses domestiques. *Cordialement*, en somme, tenait l'autre bout de la chaîne qui commençait à "Je vous prie de bien vouloir agréer, Monsieur, l'assurance... etc.". C'était le 0 de ce 20, le F de cet A, l'oméga de cet alpha. Il est assez significatif que ce soit précisément cette formule-là, la moins engageante, la moins coûteuse, la plus familière, qui se soit imposée comme la formule générale, universelle, qu'on relève même, un peu absurdement, dans le courrier administratif.

Il faut voir, naturellement, comme pour tout le reste ou peu s'en faut en matière de langage, une influence de l'anglais, les Anglo-Saxons, et spécialement les Américains, se moquant de longue date du caractère fleuri des formules de politesse françaises, qui pourtant étaient peu de choses auprès de celles des autres peuples latins, les Italiens ou les Portugais (où les *Votre Excellence* ou *Votre Seigneurie* furent longtemps de rigueur, jusqu'en les modes d'emploi de réfrigérateurs). *Cordialement* marque une victoire de la simplicité, et plus encore peut-être de la simplification, qui est au cœur du remplacisme* global tayloro-fordien. Son imposition comme formule unique, ou peu s'en faut, est plus encore typique de la prolétarisation générale, ou peut-être plutôt du petit-embourgeoisement universel — mais les deux sont de plus en plus difficiles à distinguer. Il est certain que les sociétés égalitaires, très favorables aux industries de l'homme et à l'interchangeabilité de la matière humaine, ne sont pas favorables au respect : au respect à l'égard des anciens "supérieurs", bien entendu, mais aussi, plus paradoxalement, au respect à l'endroit des anciens "inférieurs".

coup (du). Chacun a ses bêtes noires, dans la langue, ses fautes ou ses poncifs qu'il ne peut pas supporter. Pour ma part je désignerai le pluriel après *avec* (*Avec Dutertret, nous avons vraiment fait le tour de la question*), le redoublement du sujet (*Le problème il est là*), *sur comment* (*Il faut s'interroger sur comment diminuer le taux marginal*), et quelques autres. Ah, oui, si, et *dont* après *de* (*C'est de la Slovénie dont nous allons parler à présent*). Par comparaison, *du coup* ne me dérange pas trop, je l'avoue. Mais ce pauvre *du coup* est véritablement haï par un tas de gens, à proportion sans doute de sa popularité exagérée auprès d'un tas d'autres. De toute part on m'adjure de faire un article *du coup*, et de le pourfendre de la belle façon comme il convient. Voilà, je le fais. Mais j'ai beau me battre les flancs, je n'arrive pas à m'exciter bien fort contre cette tournure, à laquelle je trouve même d'assez jolies connotations classiques. On disait *un coup* pour

222

une fois, dans la langue du XVIIe siècle. *Madame, encore un coup, cet homme est-il à vous ?* (Corneille, *Nicomède*). *Madame, encore un coup, souffrez que je vous aime* (Corneille, *Othon*). Dupré dit de l'expression *encore un coup* qu'elle est « un peu populaire aujourd'hui ». C'est vrai, elle ne l'était pas, elle l'est devenue (quoi que puisse encore vouloir dire « un peu populaire » en 2020...). Il en est allé de même de *du coup*, qui a suivi la même évolution. Mais je ne vois pas que l'une ou l'autre soit incorrecte. *Du coup* signifie *en conséquence, par voie de conséquence, de ce fait*. Si l'expression se voit gratifiée d'un autre sens, elle devient éminemment critiquable, bien sûr. Mais j'avoue entrevoir mal ce que cet autre sens pourrait être. J'imagine que ce qui exaspère tant, dans *du coup*, c'est la fréquence, me dit-on frénétique, de ses occurrences, dans les copies d'élèves, notamment, et la parlure des cours de récréation. Les scies et autres tics de langage sont toujours bien pénibles, en effet. Comme je ne me trouve guère exposé à celle-ci, personnellement, je ne puis qu'en relever par on-dit le caractère irritant, sans mettre beaucoup de conviction intime à sa dénonciation.

*

Ah, si, tout de même, voici un exemple qui me permet de mieux comprendre l'irritation si répandue contre *du coup*, acrimonie que je croyais ne pas partager, et d'autant moins que j'emploie moi-même assez volontiers cette tournure :

> *Bonjour à tous, je suis supercontente de vous rencontrer aujourd'hui, du coup moi je m'appelle Lily.* Il faut reconnaître que tout peut être perçu comme assez agaçant, de l'extérieur, dans ce mode de présentation d'une jeune femme, étudiante, qui a été engagée pour seconder des professeurs débordés et jouer dans les classes un rôle de stagiaire, si l'on comprend bien. *Supercontente* est peu professoral et devrait sans doute être tenu à

distance des salles de classe. *Moi je m'appelle Lily* relève éminemment de la *civilisation du prénom**, voire du surnom, qu'on peut juger tout spécialement inopportune dans le système scolaire, au moins entre élèves (et assimilés) et professeurs. Et *du coup* est aussi gratuit et dépourvu de sens, dans cet exemple, que le *par contre* des vendeurs de chaussure, quand ils veulent vous vendre, en plus d'une paire de chaussures, une boîte de "crème soignante pour les cuirs" ou bien une paire de formes.

    couper. *Intempéries : entre 6000 et 8000 foyers sont coupés d'électricité dans le Sud-Ouest* (*info BFMTV*, insert, capture d'écran).

Après la fameuse cantatrice *interdite de chanter* ou le pape *interdit** *de carte bleue*, voici les usagers *coupés d'électricité*, cette fois sans l'excuse du précédent *interdit de séjour*. On est là au cœur de l'effondrement syntaxique, dont le propre est d'effacer les différences entre l'actif et le passif, l'acté et l'actant, le sujet et l'objet. Faut-il préciser que ce ne sont pas les foyers qui sont coupés, c'est l'électricité qui l'est. Peut-être a pu jouer, dans l'esprit un peu embrumé de ce sous-titre de bas d'écran, une confusion avec des foyers qui seraient "coupés des secours", "coupés du reste du monde", voire "coupés de l'électricité" (de l'approvisionnement en électricité). Mais la construction retenue ne laisse aucun doute sur l'amalgame abusif avec l'électricité coupée (à des milliers de foyers). La construction est conforme à des centaines d'autres exemples très représentatifs de la langue du jour, et qui tous témoignent du même écroulement inquiétant au sein de la structure mentale (*œuvres spoliées** *à leurs propriétaires*, etc.)

coupes sombres, coupes claires. Les coupes sombres paraissent plus radicales que les coupes claires, car le sombre fait plus peur que le clair. Néanmoins c'est le contraire qui est vrai : une *coupe sombre* respecte le caractère sombre de la futaie ou de la forêt qu'elle affecte, elle est tout fait partielle, comme le serait, en l'occurrence, une *décimation* (un arbre sur dix) ; une *coupe claire*, au contraire, met à jour le sous-bois, fait largement pénétrer la lumière dans le bois. C'est donc tout à fait à tort qu'on dira et, a fortiori, qu'on écrira, quand on voudra signifier qu'un texte, un budget ou un groupe de militants ont été considérablement réduits, qu'ils ont été victimes de coupes sombres : non, c'est de coupes claires, qu'il faut dire. Et si l'on veut recommander, à une personne qui vous consulte sur un manuscrit, de l'élaguer quelque peu, mais sans attenter à la matière essentielle qui fait tout son intérêt et sa qualité (ce ne sont jamais des moments faciles...), il faut lui conseiller de procéder à des coupes sombres. Le danger est évidemment qu'on risque de n'être pas compris. La vie du puriste est un long martyre. Et les *coupes sombres* appartiennent indubitablement, avec les *solutions de continuité**, les initiatives qui *font long feu** et les voitures où *ça sent l'écurie**, en voyage, aux pires occasions de malentendu.

Air France annonce des coupes sombres dans ses effectifs (à en juger par le ton du journaliste, il doit s'agir plutôt de coupes claires, hélas).

courriel. Ce sont nos amis Québécois, je crois bien, toujours soucieux, à juste titre, d'éviter les anglicismes, qui ont proposé et adopté *courriel*, pour *e-mail*. J'avoue n'être pas très enthousiaste, face à cette innovation à demi-consacrée, car je soupçonne toujours les personnes qui disent un *courriel*, pour un *e-mail*, de dire un *courrier* pour une lettre (v. article suivant) :

car enfin pourquoi appellerait-on *courriel* un simple message électronique, si l'on n'appelait pas *courrier* une unique lettre sur papier ? Et si l'on trouve *message électronique* un peu long, pourquoi ne pas dire tout simplement *message* ? Ah, par crainte d'une confusion avec *message téléphonique* ? Ne suffirait-il pas de s'en remettre au contexte pour la lever, et de préciser seulement dans les cas où il n'y suffirait pas ?

En revanche, *courriel* pourrait très bien faire l'affaire comme pendant électronique de *courrier* parfaitement employé :

"Elle reçoit un très abondant courriel".

"Peut-être mon message s'est-il perdu dans la masse de votre courriel ?"

courrier. En un tournemain, il y a dix ou quinze ans, *une lettre* est devenue *un courrier*. *Écrire une lettre,* très brusquement, a commencé à se dire *faire un courrier*.

Je lui ai fait un courrier.

Je vais lui faire un courrier.

Il faudrait que vous nous fassiez un courrier pour préciser ces différents points.

On ne sait pas ce qui a décidé de ce changement, de ce passage abrupt, dans le sens du mot, du tout à la partie. Le *courrier*, jusqu'alors, c'était *l'ensemble* des lettres qu'on envoyait ou que l'on recevait : « Ce matin il y a beaucoup de courrier ». Dans certaines acceptions le terme était à peu près synonyme de *correspondance* : « Il faut que je m'occupe de mon courrier ».

À la vérité cet ensemble pouvait être vide : « Il n'y avait rien au courrier ». Cette expression, longtemps très vivante, et qui n'a pas disparu tant s'en faut, nous aide à nous souvenir que la récente évolution de sens n'est pas la première qui se soit produite, loin de là ; et que la déplorer (comme on fait), c'est prétendre fixer pour l'éternité — l'éternité qui reste à notre langue — un état du vocabulaire qui lui-même est seulement l'effet d'une évolution relativement récente, laquelle, en son temps, avait certainement été très déplorée, déjà, par les tenants de l'état antérieur.

Quand nous disons *rien au courrier, quelque chose au courrier, courrier* ne désigne plus exactement l'ensemble des lettres et des plis qui sont ou qui ne sont pas arrivés, mais une commodité, un rite, un service, le passage du *courrier*, le mot pris cette fois en un sens encore plus ancien, celui de facteur ou de *préposé*.

Courrier, c'est ainsi qu'on appelle, à l'âge classique, l'homme qui *court* pour porter les lettres (on a dit aussi un *porteur*). La formule récente, comme il arrive souvent, n'est que la résurrection mot pour mot d'une formule ancienne ; mais si elle est exactement semblable à elle en apparence, en revanche son sens est tout différent. « Je vous envoie un courrier » signifiait (et signifie encore quelquefois) *je vous envoie une personne qui va vous porter une lettre.* Aujourd'hui *courrier*, dans la même expression, désigne en général la lettre elle-même.

La métonymie a beaucoup fonctionné, dans cette affaire, et non moins son contraire. L'intervention de l'une et de l'autre est classique, bien sûr. Mais cette intervention est tellement visible, le passé est si clairement lisible nonobstant, les sens anciens sont tellement présents, tellement proches encore, si faciles à reconstituer, que des aberrations comme *faire un courrier*, à tout le moins, devraient bien nous être épargnées.

coûter, valoir. Les verbes *coûter* et *valoir* ne sont en aucune façon synonymes. Ce que *coûte* un objet, c'est le prix qui en est demandé, la somme dont il faudra s'acquitter pour l'obtenir. Ce qu'il *vaut*, c'est sa valeur à la fois réelle et pour le moment tout à fait abstraite, indépendante de toute transaction en cours. À un marchand de vêtements ou à une vendeuse il ne faut donc pas demander combien *vaut* une veste mais ce qu'elle *coûte*.

« C'est un tableau qui m'a coûté trois cent mille francs il y a cinq ou six ans, et qui vaut aujourd'hui deux ou trois millions. »

« Sa voiture lui coûte une fortune mais il ne peut pas la vendre, car elle ne vaut rien. »

« Cette maison coûte huit cent mille francs, d'après la petite annonce. À mon avis elle vaut à peine la moitié. »

crainte de, crainte que. Si nous aimons la locution classique *crainte de* (pour *de crainte de)*, parce qu'elle est rapide et légère, mais surtout parce qu'elle est classique, nous sommes mal placés pour critiquer *direction* (pour *en direction de)*, qui est un raccourci de même espèce, et qui n'a contre lui que d'être récent, et d'avoir un peu trop de succès — mais le principe est le même.

Littré dit justement que *crainte de*, pris adverbialement, se dit des choses et non pas des personnes. En effet on ne dirait pas *il est parti crainte de Jacques.*

On comprend déjà moins bien pourquoi le même Littré paraît déconseiller un complément à l'infinitif, d'autant qu'il cite un bel exemple tiré de *La Nouvelle Héloïse* : « On n'osait interroger personne, crainte d'apprendre plus qu'on ne voulait savoir ». Supervielle écrit avec bonheur : *Je vais me devançant crainte de m'attarder.*

Mais surtout on ne comprend pas du tout pourquoi Littré rejette *crainte que*, sans donner de raison. Et l'on se félicite que Montherlant et bien d'autres ne l'aient pas écouté : « Il se garda de le lui dire, crainte qu'elle l'assiégeât pour qu'il prît pension chez elle ».

Le *Larousse du XX*ᵉ *siècle* donnait cette tournure pour familière. Le moins qu'on puisse dire est qu'elle ne l'est plus.

crime. Empruntée à l'anglais, la confusion si souvent évoquée en ces pages entre l'actif et le passif ne se limite plus aux verbes mais tend à gagner aussi les substantifs, du moins ceux qui s'y prêtent. Ceux-là sont essentiellement les substantifs qui nomment des actions ayant à la fois des auteurs et des objets, des bénéficiaires ou des victimes. Suivant la nature profonde de mots qui paraissent quasiment synonymes, le complément d'objet n'est pas le même, traditionnellement. Ainsi le complément d'objet d'un crime est son auteur, le complément d'objet d'un meurtre, d'un assassinat ou d'un viol est sa victime. Or cette règle implicite tend à s'effacer. Un crime appartient désormais autant à sa victime qu'à son auteur.

Vous avez douze treize ans, vos parents vous emmènent voir Les Atrides, *vous assistez au crime d'Agamemnon ça vous marque, forcément.*

cruche (ton). Je ne comprends pas pourquoi les associations féminines ne protestent pas contre cette mode idiote et qui n'en finit pas de s'attarder, celle qui consiste à faire prononcer à des jeunes filles ou des jeunes femmes des annonces publicitaires, au sens étroit ou au sens large, sur le ton le plus niais qu'elles puissent atteindre. À certaines on n'a rien demandé du tout, d'évidence : on s'est contenté de bien les choisir et de leur faire confiance. D'autres ont dû être forcées un peu, j'imagine, dirigées, poussées, priées d'exagérer un peu pour la circonstance et l'enregistrement leurs intonations les plus bêtes, de surjouer la bécasserie émerveillée et quelquefois d'y glisser quelques suggestions ou ambiguïtés sexuelles.

Les chaînes censément culturelles, qu'elles soient de radio ou de télévision, Arte, France Culture, France Musique, font un usage particulièrement marqué de cette affectation comique (on imagine ou on espère qu'elle l'est délibérément, bien qu'à la longue elle soit devenue plutôt exaspérante...), dont elles se servent surtout pour faire la promotion de telle ou telle émission à venir, ou d'elles-mêmes. Mais les chaînes généralistes ne sont pas en reste et je n'en sache pratiquement aucune qui ne cède quotidiennement à cette tendance un tantinet sadique (pour les auditeurs et les téléspectateurs, mais d'abord pour les malheureuses qui sont obligées de se prêter à cette longue pitrerie). Les garçons et les hommes employés sur les ondes peuvent avoir naturellement une voix ou une élocution jobardes, bien entendu, mais il ne me semble pas qu'on leur demande expressément d'en jouer et si possible d'en accentuer le caractère nigaud — cela du moins à la radio ou à la télévision car pour les haut-parleurs de galeries marchandes ou de grands magasins il se peut qu'eux non plus ne soient pas épargnés. Mais enfin c'est très majoritairement aux femmes et plus encore aux jeunes filles, aux jeunes femmes, aux anciennes ingénues du vieux répertoire, qu'il est demandé de fournir vocalement cet effet. Et j'y vois pour ma part une sérieuse atteinte, peu critiquée je crois bien, à la dignité du beau sexe.

culture. Culture est de ces mots qui, comme *logique**, a été victime au cours des derniers lustres d'un tel émiettement sémantique que son sens global, traditionnel et "absolu" en demeure sérieusement ébranlé.

Ce sens était double, à la fois actif et, si l'on peut dire, patrimonial : d'une part le "développement des facultés intellectuelles par des exercices appropriés" ("il s'adonne à la culture des Lettres et néglige la culture des sciences"), d'autre part le *résultat* de ces exercices, *l'état de* développement intellectuel acquis grâce à la *pratique* du développement intellectuel, bref ce que nous appellerions familièrement le *bagage* culturel.

À ces deux sens il convient d'ajouter un troisième, qui les précède protocolairement mais pas historiquement, la Culture avec un grand c plus ou moins virtuel, la culture dont il est question dans l'appellation *ministère de la Culture*, la culture en tant que somme non pas de ce que connaît et apprécie tel ou tel individu particulier mais de ce que l'ensemble des individus pourraient savoir et ressentir s'ils voulaient s'en donner la peine et s'ils disposaient d'assez de temps, et de moyens. La *culture*, en ce sens emphatique, c'est l'ensemble des connaissances qui peuvent être connues et des arts qui peuvent être aimés ou appréhendés, tout à fait indépendamment du fait qu'ils le soient ou pas :

« La culture ne tient aucun rôle dans la vie quotidienne de cette région ».

L'émiettement a sans doute commencé avec le concept idéologique de *culture bourgeoise*. Certes la bourgeoisie, en tant qu'elle fut à partir d'une certaine époque la "classe dirigeante", et en tant qu'elle s'opposait structurellement, en cette qualité, à la petite-bourgeoisie et au prolétariat, certes la bourgeoisie offrait à ses membres des moyens d'accès à la culture infiniment plus aisés que ne pouvaient faire dans le même temps, aux leurs, les classes en rivalité avec elle. Peut-être en résultait-il que la culture était en quelque sorte *accaparée* par la bourgeoisie, qui la considérait comme sa propriété, ou du moins comme sa chasse gardée, un privilège de classe parmi d'autres. Peut-être. Mais la culture n'en était pas *bourgeoise* pour autant. La culture — toujours au sens de ce mot dans l'appellation *ministère de la Culture* — n'est ni bourgeoise ni aristocratique ni prolétaire ni petite-bourgeoise ni paysanne. Elle *est*, tout simplement. Les différentes classes essaient avec un inégal succès de se l'approprier, parce qu'elle est un élément de pouvoir, à la fois, de prestige et de jouissance. Mais à partir du moment où le concept de *culture bourgeoise* conquiert droit de cité, intellectuellement, celui de *culture populaire* devient inévitable, bientôt suivi par ceux de *culture aristocratique, culture rurale, culture ouvrière* et même *culture petite-bourgeoise*, si antinomique que ces deux termes aient pu paraître dans un autre contexte.

Il semble qu'à cet émiettement il n'y ait aucune limite concevable. À peine a-t-on vu passer (non sans effroi) la fameuse *culture d'entreprise*, voici venir bien sûr la *culture syndicale*, bientôt subdivisée en autant de *cultures* qu'il y a de syndicats, sans parler des *syndicats maison*. Non seulement il y a une culture pour tous les groupes humains et tous les cantons, il y a une culture pour toutes les pratiques, tous les systèmes, toutes les attitudes et toutes les techniques : *culture de négociation, culture de grève, culture des loisirs* et même une presque aporétique *culture de la violence* (encore que la culture au sens de *ministère de la Culture* soit bien entendu pleine de violence, de bruit et de fureur).

La culture du Crédit Lyonnais est de s'autosatisfaire sans jamais admirer les autres. (Jean-Yves Haeberer, *Cinq ans de Crédit lyonnais.*)

La culture de la vente en kiosque est presque inexistante chez Bayard Presse, apprend-on à... (Culture Matin, le 8 janvier 1999. Et certes on aime à se l'entendre dire.)

D'aucuns s'essaient comme ils le peuvent à recoller les morceaux. Mais ce qu'ils s'efforcent tant bien que mal de reconstituer n'a plus grand-chose à voir avec la culture dans l'acception qu'eut longtemps ce mot-là. Il suffit pour s'en convaincre de voir les pages "culturelles" des journaux, à commencer par ceux qui ont passé longtemps pour les plus intellectuels, ou "cultivés". Aux côtés de la littérature, de la philosophie, de la peinture et de la musique* au sens ancien du terme, trouvent place désormais non seulement le cinéma et le jazz, par exemple, mais la bande dessinée, la chanson et la chansonnette, la *house*, la *techno*, les *tags* et toutes les *cultures de rue*. La culture n'est plus ce qui sortait l'homme de lui-même, elle est ce qui le confirme en son état; non plus un idéal à poursuivre, mais le simple relevé plus ou moins objectif des curiosités réelles et des pratiques les plus répandues, en matière de loisir. De même que les dictionnaires d'usage, ayant renoncé à prendre leurs exemples dans la littérature et à fournir les éléments d'un débat normatif, se contentent d'indiquer à l'usager ce qu'est l'usage en effet, de même, les instruments médiatiques d'information culturelle, ayant renoncé à offrir à leurs lecteurs ou auditeurs les moyens d'accès à ce qu'ils ne sont pas encore, mais pourraient devenir, leur tendent, par une tautologie toute semblable, le pauvre miroir de ce qu'ils sont déjà, après enquête de marché.

*

L'entrée qui précède date du siècle dernier, et son air n'en laisse rien ignorer. Ainsi elle évoque à plusieurs reprises la culture *au sens du ministère de la Culture*, mais ce sens, qu'on aurait pu croire, alors, un peu plus protégé que les autres, s'est à peine moins effondré qu'eux. Il recouvrait jadis ce que l'on nomme assez vulgairement la *grande* culture, et que les Américains appelaient un peu drôlement *legitimate culture*, la culture *légitime* — aujourd'hui il va sans dire que toute culture est légitime. La culture *au sens du ministère de la Culture* recouvre à peu près tout et n'importe quoi, et notamment les dites *industries culturelles*, qui jadis eussent passé assez facilement pour le contraire de la culture, pour la seule raison qu'elles sont des industries. Elles ne sont pas loin de constituer aujourd'hui l'essentiel de la culture, au contraire, y compris et peut-être d'abord *au sens du ministère de la Culture*, ne serait-ce que quantitativement, et, bien sûr, financièrement.

Je me suis beaucoup occupé de ces questions-là, en particulier dans trois ouvrages au moins, *La Grand Déculturation*, *Décivilisation* et *Les Inhéritiers*, courts essais qui, tout en continuant d'exister chacun à titre individuel, figurent tous les trois à présent, parmi d'autres, dans l'épais recueil *Le Petit Remplacement* — j'invite à s'y reporter les lecteurs qui seraient curieux de mes vues sur ces sujets. J'y exprime par exemple le sentiment que le mot *culture* est assez difficile à défendre, non seulement, en aval, parce que mille occurrences inconsidérées l'ont rendu assez facilement exaspérant, mais aussi, en amont, parce qu'il n'est pas d'origine très noble, ni très ancienne. Ni les monarchies, ni la féodalité, ni les différentes noblesses d'Ancien Régime, ni l'Église, ni avant elles les cités antiques, ne se sont souciées de *culture* à proprement parler. Dans le meilleur des cas elles s'intéressaient aux humanités, à l'art, aux arts, aux beaux-arts, et encore non sans méfiance mêlée d'enthousiasme de la part de l'Église, qui entendait bien qu'ils servissent le dogme et la foi mais n'entendait nullement qu'ils se substituassent à elle — on voit encore dans de sombres chapelles d'églises de beaux tableaux dont sont précisés en grand détail le sujet et la signification sans que soient seulement indiqués le nom de l'artiste et la date.

La culture est difficile à défendre parce qu'elle est, il faut bien le reconnaître, un concept et un mot *bourgeois* (et que la bourgeoisie n'a pas bonne presse). Hegel l'avait immédiatement perçu : elle est une perte d'in-nocence, par rapport à l'art, un second degré de l'art. Elle est la noblesse de la bourgeoisie, son substitut d'ancêtres, son héritage. Ah, dit la bourgeoisie à la noblesse, vous êtes plus anciens, vous êtes plus nobles, vous avez plus d'aïeux, et plus lointains, mais nous sommes plus cultivés, plus savants, plus intelligents. C'est à peu près le régime qui sera dominant du milieu du XVIIIe siècle à la fin du XXe et l'on pourrait même dire en caricaturant à peine, si des dates plus précises étaient réclamées, de 1789 à 1968 : d'une vraie révolution à une fausse. Mais la fausse n'est pas de moindre conséquence que la vraie : elle inaugure symboliquement l'ère du faux, du substitut, de l'imitation, du remplacement, du faussel*. Elle marque aussi les débuts d'une nouvelle classe dominante, la petite bourgeoisie, qui porte l'imitation dans son nom même, puisqu'elle n'a d'existence que par rapport à une autre. Ce trait suffirait à la vouer au statut de classe impériale du remplacisme global, qu'elle tient en effet. Elle lui ajoute un trait de génie, qui va à l'encontre des pratiques de toutes les classes dominantes avant elle : au lieu d'exclure comme elles le faisaient elle intègre de force au contraire, elle avale, elle intègre. La noblesse était furieuse que de nouveaux venus devinssent nobles, la petite bourgeoisie ne tolère pas qu'on ne devienne pas petits-bourgeois.

Sous la dictature de la petite bourgeoisie[1], tout devient culture c'est-à-dire que plus rien ne l'est. Quand il n'y a plus de culture, on appelle culture ce qu'il y a. Culture n'est plus qu'un autre nom pour le loisir, l'emploi du temps, l'emploi qu'on fait de son temps quand on n'a rien à faire. L'essentiel est de ne vexer personne, que personne ne soit ou ne puisse se dire humilié, que ce soit socialement ou, pis encore, ethniquement, racialement. Il va sans dire dès lors que toutes les cultures se valent, que toutes celles qui sont apportées par tel ou tel individu ou par telle ou telle "communauté" sont également précieuses, et que d'ailleurs la culture en général est plus faite de ce que chacun lui apporte que de l'enrichissement qu'il viendrait y chercher. L'enrichissement c'est lui.

Il en va là comme de l'éducation. Je vais m'efforcer de ne pas convoquer une fois de plus Pierre Bourdieu, mais il est évident qu'il est la figure centrale de cette histoire. Avec son confrère Passeron il dénonce l'héritage comme tenant dans l'enseignement une place capitale, et bien sûre abusive à ses yeux, car source inévitable d'inégalité. C'est parfaitement bien observé, encore que la connotation, de par son évidence, soit allé à peu près sans dire pendant vingt ou trente siècles de culture occidentale. Et c'est au moins aussi vrai, en effet, pour la culture que pour l'éducation. La culture n'est certes pas toute héritage, elle perdrait beaucoup de son sens et de son prix si elle était limitée à cela. Mais elle est cela d'abord, et, on peut le dire, essentiellement. Elle ne pourrait être rien d'autre si elle n'était pas cela avant tout. Et si l'on ne veut pas qu'elle soit cela, par idéal démocratique, ou antiraciste, si l'on entend faire en sorte

---

1. *La Dictature de la petite bourgeoisie*, Privat, 2005 ; Chez l'auteur, 2018 ; texte repris dans le recueil *Le Petit Remplacement*, Chez l'auteur, 2018 ; éditions Pierre-Guillaume de Roux, 2019.

que les nouveaux venus à ses abords soient exactement à égalité
à son égard avec ceux qui en jouissent depuis toujours, ou depuis une ou deux générations, alors il faut impérativement que
ceux-là ne jouissent plus de rien, qu'il n'y ait pas d'héritage, et
qu'elle ne soit rien, une coquille vide — ce qui est à peu près la
situation actuelle.

*Et en même temps la culture coréenne s'exporte plutôt bien : de
plus en plus de restaurants coréens ouvrent en France.*

curseur. Le curseur est vraiment un héros de notre temps,
et devrait être érigé en saint patron des personnes déplacées.
Lui-même, en effet, est déplacé en toute occasion, et sans doute
accomplit-il des miracles car s'il faut en croire les autorisés de
parole il n'est problème si redoutable qui ne puisse être résolu
ou renversé à la seule condition de *déplacer le curseur* (sans oublier toutefois de *changer de logiciel*). Le pauvre curseur n'en peut
plus.

Cyril, Cyrille. Beaucoup des usagers de la langue française
se font d'elle, désormais, une idée si élémentaire, tellement sim-
plette et pour tout dire si grossière qu'ils croient que le *e* final
est en toute circonstance la marque du féminin.

Or s'il est bien vrai que le *e* final joue dans notre langue un
rôle de premier plan pour marquer le féminin, il n'en reste pas
moins qu'un nombre considérable de noms propres, de substantifs et d'adjectifs parfaitement masculins se terminent par un *e* :
*Stéphane, Pierre, Camille, Amédée, prince, miracle, mirage, pro-
dige, pécuniaire, somptuaire, superbe, invincible, brave, oculaire,*

obscène, *oblique*, etc. — on pourrait continuer la liste presque indéfiniment.

Le *e* final *sert* à marquer le féminin, il *contribue* à cette tâche, mais d'une part il a bien d'autres fonctions et d'autre part il n'est en aucune façon la marque absolue du féminin.

Le prénom *Cyrille* est un prénom français, ou plus exactement *qui existe en français*, quoiqu'il ait été peu porté aux siècles anciens, sans doute parce que ses connotations étaient peu catholiques — le plus fameux des trois saints Cyrille étant Cyrille le Philosophe, apôtre des Slaves avec son frère Méthode, et inventeur mythique de l'alphabet *cyrillique*. Prénom de patriarches, de popes et de grands-ducs, *Cyrille* ne commença à se répandre en France qu'au temps de l'alliance franco-russe. Il fit alors une assez belle carrière, dans un registre pittoresque et slavophile. Mais pour atteindre le plein succès populaire dont nous le voyons jouir aujourd'hui, il était desservi par un soupçon de féminité. Ce soupçon était aussi mal fondé que possible. N'importe : *Cyrille* devint *Cyril*, dans une version vulgarisée, *dés-historicisée*, si l'on peut dire, et que n'ont pu promouvoir, ou adopter, que des personnes auprès de qui ne comptaient pour rien le passé de ce prénom parmi nous, ni le concile de Constantinople, ni l'hérésie nestorienne, ni le voyage du missionnaire heureux chez les Khazars.

Cyril, en somme, qui ne figure dans aucun dictionnaire, témoigne plus d'ignorance que de virilité. Au raccourcissement dont il est le résultat il a perdu beaucoup de poésie méthodique, et de glagolitique saveur.

D

d' → *d'où, où.*

d'accord, être d'accord, être bien d'accord que. D'accord, être *d'accord, se mettre d'accord,* vieilles expressions parfaitement correctes, sont néanmoins l'un de ces points par lesquels le français contemporain paraît soudain, dans le flot du discours, s'affranchir de toute espèce de syntaxe. Quand on dit *c'que j'aurais bien envie* ou *c'que les travailleurs ils ont besoin,* on s'avance absolument sans filet au-dessus du fleuve de parler. Il n'y a plus là aucune référence à la grammaire. Il en va tout à fait de même lorsqu'on annonce : *je suis bien d'accord qu'il faudra veiller très étroitement sur les décrets d'application.* Or il est même des Premiers ministres, et pas parmi les plus déboutonnés, pour n'être pas au-dessus de pareilles incongruités. (→ *comment*).

dame. (*dame Janet Baker, dame baker*) → **sir** (*sir Leon Brittan, sir Brittan*). De même que *Sir*, le titre de chevalerie anglais *Dame* porte sur le prénom et non pas sur le nom. Il faut dire *Dame Janet Baker*, ou *Dame Janet* (dans les occurrences suivantes), et surtout pas *Dame Baker*, qui trahirait une méconnaissance profonde de la société britannique et surtout, plus grave, de la littérature anglaise.

En français le mot est d'un usage un peu délicat, comme d'ailleurs *monsieur, ce monsieur, Monsieur*. On dit *une dame* en sa présence, par politesse. Si elle n'est pas à portée d'oreille, on dit *une femme*, à moins qu'elle ne soit âgée. En dehors de ce cas dire *une dame* impliquerait une sorte d'infériorité sociale consentie, ou assumée, par rapport à la personne à qui l'on s'adresse, ou bien à celle dont on parle. Les serviteurs, les personnes employées par celles auxquelles elles s'adressent, ou bien les gens très jeunes parlant à des personnes plus âgées, diront *une dame* : « Une dame vous a téléphoné ». Entre égaux, au sein d'un couple, on dira *une femme*. Si la personne dont on parle est âgée on dira *une vieille dame*. « J'ai rencontré une vieille dame qui m'a demandé de vos nouvelles. » Une vieille dame n'a pas les mêmes implications qu'*une vieille femme*, qui insinue une idée de faiblesse, de pauvreté ou de maladie.

date. En anglais de France, pour ne pas dire *en franglais* comme Étiemble, une *date* est un rendez-vous, spécialement et presque exclusivement un rendez-vous sentimental ou sexuel.

Ah non ce soir impossible, j'ai une date.

Jamais à la première date, c'est un principe absolu.

dater. *Discussion à la pause dej sur « est-ce qu'on peut dater un mec de droite ? »* (Mme Caroline De Haas, Twitter, 30 juin 2020). À cinq ou dix ans près, on ne voit pas pourquoi on ne le pourrait pas.

dates. Pour les dates du deuxième millénaire, comme pour les nombres en général qui se succèdent de 1100 à 2000, il existe en français deux façons de dire, qui sont à égalité grammaticale : *mille cent vingt-huit* ou *onze cent vingt-huit, mille trois cent quatre-vingt-neuf* ou *treize cent quatre-vingt-neuf, mille sept cent quinze* ou *dix-sept cent quinze*. Elles sont à égalité grammaticale mais elles ne sont pas à égalité culturelle, ni sociale. Une seule appartient à la langue "cultivée". Celle-ci prononce *douze cent quatorze, quatorze cent cinquante-trois, seize cent vingt-huit, dix-sept cent quinze*. Elle n'a jamais dit *Marignan mille cinq cent quinze*. Pour elle Monteverdi n'est pas mort en *mille six cent quarante-trois* mais en *seize cent quarante-trois*. On peut parfaitement dire *mille cinq cent soixante-douze* ou *mille six cent quarante-neuf*, c'est absolument correct, mais d'une correction d'habit trop neuf, qui montre qu'on en est à ses tout débuts dans le monde de la culture et de l'histoire.

S'agissant du XIe siècle, la question ne se pose pas. Pour les dates du XIXe et du XXe siècles, l'usage est beaucoup moins fixé que pour les siècles précédents. Il admet indifféremment *mille huit cent soixante-dix* et *dix-huit cent soixante-dix, dix-neuf cent quarante* et *mille neuf cent quarante*.

> *Mille-huit-cent-trente ! sous les tonnelles ailées*
> *Les parents raisonneurs accueillent les époques*
> *Tandis que les pardons d'assassins qu'ils invoquent*
> *Donnent les goupillons sur les granges brûlées...*

(Levet)

Pour les dates antérieures à l'ère chrétienne, → *moins (- 430)*.

dauphin. Dauphin était en France, depuis le règne de Philippe VI, le titre porté par le fils aîné et héritier du roi, suivant l'une des conditions mises à la session du Dauphiné par le dernier dauphin de Viennois, Humbert III, en 1346. Le duc d'Angoulême, fils de Charles X, fut le dernier dauphin de France. On peut, par plaisanterie, appeler *dauphin* le fils de la maison, dans une famille, ou le successeur désigné du patron, dans une entreprise. Mais il est tout à fait ridicule d'appeler sérieusement *dauphin* le prince héritier d'autres trônes que celui de France et, notamment, dans les traductions, de rendre systématiquement par *dauphin* les mots *Kronprinz*, *tsarévitch*, *diadoque* ou tout autres terme ou tournure qui signifie *prince héritier*, dans la langue de départ. C'est aussi absurde qu'il le serait, en anglais, d'appeler *Prince of Wales*, *prince de Galles*, un héritier du trône de France, ou d'Espagne, ou de Russie, sous prétexte qu'au Royaume-Uni l'héritier de la couronne porte ce titre-là. *Dauphin*, pour désigner des fils de Pierre le Grand ou de Marie-Thérèse fleurit pourtant dans toute sorte de documentaires ou de films, ou plutôt dans leurs traductions, qui sont en général au-dessous du médiocre, dès qu'elles requerraient quelque connaissance de l'histoire ou de la géographie, ou un peu de culture générale, et pas seulement la maîtrise des langues impliquées, qui, à défaut de ces lumières-là, est nécessairement incomplète. C'est ainsi que les appellations royales, impériales, papales, princières, ducales, épiscopales ou cardinalices, *Votre Majesté*, *Votre Altesse*, *Votre Sainteté*, *Votre Grâce*, *Votre Éminence*, *Votre Excellence*, *Son Excellence*, etc., paraissent attribuées tout à fait au hasard, souvent, dans la langue d'accueil, et parfois aussi dans la langue d'origine. Ces appellations ont certes beaucoup varié, à travers les siècles. Mais elles étaient à peu près stabilisées dans les deux ou trois derniers. Et de toute façon il serait bon de savoir ce qu'elles étaient aux différentes époques, avant de se mêler de traduire — sans quoi l'on contribue à éloigner encore et à rendre plus opaques, ou, qui pis est, fausses, mensongères, les sociétés révolues.

Quelle position pour le futur dauphin du trône ? (Chaîne "Histoire", 23 décembre 2020, documentaire autrichien sur l'impératrice Marie-Thérèse, traduction française, à propos du futur Joseph II — ajoutons que *dauphin* signifiant *héritier du trône* (en France), *dauphin du trône* est de toute façon un pléonasme, ou une impropriété : une de ces formules, comme *Sir Churchill*, ou *royaume d'Allemagne*, qui montrent en deux secondes qu'on n'a pas la moindre idée de la société qu'on évoque...)

davantage. La tournure *davantage que* est critiquée par la plupart des grammairiens depuis la fin du XVIIIe siècle, mais les arguments avancés contre elle ne sont ni très clairs ni très convaincants. *Davantage que* est chez Amyot, chez Malherbe, chez Pascal, Molière, Bossuet, Mme de Sévigné. Littré lui donne sa caution. Abel Hermant brise des lances en sa faveur :

« Un de mes lecteurs me reproche d'écrire *davantage de* et *davantage que.* Je sais bien que les grammairiens ont décidé que c'étaient là des solécismes, mais qu'ils se mêlent de ce qui les regarde : ce n'est pas leur rôle d'inventer des fautes qui n'en sont pas, et si grammairien que je sois moi-même, je continuerai d'écrire *davantage que, davantage de,* avec Malherbe, Descartes, Pascal et tous les grands écrivains français. » (*Nouvelles Remarques de M. Lancelot pour la défense de la langue française*).

Tout le monde est d'accord pour rejeter comme absolument incorrect le tour *davantage* + adjectif (ou adverbe) + *que* : *il est davantage malheureux que moi* (cité par Dupré). « Ce qui ne peut se dire, estime René Georgin, c'est : *il est davantage travailleur que son frère*, tour du français populaire. » Mais le même Georgin s'accommode de *davantage de* et de *davantage que*, dont il rappelle qu'ils étaient d'usage courant au XVIIᵉ siècle, et où il voit des archaïsmes et non des incorrections.

On peut donc se buter assez légitimement dans l'usage de *davantage que*. Il convient simplement de savoir que beaucoup d'auditeurs, de lecteurs, de correcteurs éventuellement, jugeront qu'on commet une faute. Le problème est donc purement moral, encore qu'assez classique en somme : faut-il s'interdire un parti que l'on sait être juste, dès lors qu'il est cause de scandale (et de déconsidération pour soi-même)?

davocratie, davocratie directe. *Néol.* Dans le vocabulaire du *remplacisme* global*, ou peut-être plutôt de l'*antiremplacisme** (nécessairement antidavocratique), la *davocratie* est le gouvernement du monde par Davos, la station de montagne suisse où se réunissent tous les ans les principaux acteurs du monde économique et financier. On pourrait dire plus rigoureusement, cette fois dans la langue de Peter Sloterdijk, que la davocratie est la *gestion managériale du parc humain* par les Grands Financiers, les banquiers, les multinationales, les médias, les "gafas" et les fonds de pension, le nombre et le profit. De même que le *remplacisme* (dont elle est la traduction en acte) tend nécessairement à être *global*, la davocratie, elle, tend nécessairement à être *directe*, c'est-à-dire à neutraliser la strate purement politique et politicienne de l'administration rationnelle du monde, à se substituer à elle : elle est en somme la manifestation d'une impatience ou d'une lassitude, de la part des hyperriches, face au microcosme politique et au personnel élu — l'hyperclasse estime désormais pouvoir se passer des hommes et des femmes politiques, les remplacer par des gestionnaires plus compétents et plus sûrs, qu'elle a elle-même formés et désignés (naturellement par le truchement d'élections "libres", c'est-à-dire prédéterminées par les choix et les suggestions des médias, et par les respectives sommes d'argent investies par les différents candidats, et d'abord à eux allouées).

À cet égard et à plusieurs autres le macronisme et la France macronienne sont le meilleur exemple connu jusqu'à ce jour, le *cas d'école*, non seulement de la davocratie en général mais de la davocratie *directe* en particulier : élimination de la caste politique antérieure, dont presque toutes les figures principales sont forcées de quitter la scène ; éclatement ou satellisation des principaux partis qui se sont précédemment succédés au pouvoir ; gouvernement composé de figures presque toutes nouvelles et inconnues, choisies moins en fonction de leurs appartenances politiques et de leurs compétences que des exigences croissantes de la parité, de la diversité et de la représentativité des appartenances diverses, sexuelles, ethniques, physiques, sociales, générationnelles, géographiques ou autres ; Assemblée nationale largement désignée suivant les mêmes principes, c'est-à-dire composée majoritairement de clients qui doivent tout au pouvoir, ne sauraient le menacer et sont intellectuellement et culturellement les plus médiocres, dans l'ensemble, de toute l'histoire parlementaire ; neutralisation des pouvoirs locaux et des corps intermédiaires par le systématique assèchement financier ; etc.

« La davocratie a deux exigences absolues, sur lesquelles elle ne transigera pas et que reflètent incessamment ses médias et sa publicité : *la croissance démographique*, qui assure l'augmentation constante du nombre des consommateurs ; et *le métis-*

sage, la suppression des frontières, l'éradication des races, qui assurent l'homogénéisation de la matière humaine, la liquéfaction de l'espèce, son interchangeabilité générale. Ces deux exigences sont radicalement contraires à toute politique écologique et rendent vaines de naissance toutes les mesures de protection de l'environnement et de la biodiversité. »

    de (*de Montherlant*). La particule dite *nobiliaire* — qui n'implique en aucune façon la noblesse, mais là n'est pas la question pour le moment —, ne fait pas partie du nom, en français. On dit *Richelieu, La Fontaine, Musset, Montherlant*, et pas *de Richelieu* ou *de Montherlant*. On dit *les Noailles* ou *les Montesquiou*, et pas les *de Noailles* ou les *de Montesquiou*. Dans toute l'œuvre de Proust, cette question de la prononciation, ou pas, de la particule nobiliaire désigne une frontière sociale très marquée, constamment appelée à signifier. Mme Verdurin exprime sa vulgarité, ou du moins son total défaut d'intimité avec le monde aristocratique, malgré ses prétentions, en parlant en toute occasion des *de La Rochefoucauld* ou des *de Cambremer*. Bloch, de même, appelle Saint-Loup *de Saint-Loup-en-Bray*. Le paradoxe c'est qu'aujourd'hui de très officiels spécialistes de Proust et de son œuvre peuvent très bien entretenir leur public de *de Saint-Loup* ou de *de Charlus* — quand ce n'est pas *de Charlusss* —, comme si la critique proustienne était dans une large mesure tombée entre les mains des seuls descendants de Bloch, de Brichot ou des époux Verdurin ; et comme si ces prétendus spécialistes n'avaient pas lu l'auteur dont ils font pour nous l'exégèse.

    La prononciation ou non de cette particule dite "nobiliaire" quand elle ne joue aucun rôle de coordination marque une frontière de classe qui ne sépare pas, comme c'est le cas le plus fréquent, la petite bourgeoisie de la moyenne bourgeoisie, mais la moyenne bourgeoisie de la grande. Des familles bourgeoises appellent volontiers des familles de hobereaux de leur connaissance *les de la Tour-Fondue* ou *les du Plessis-Luppé*. L'usage de *ne pas* prononcer cette particule, bien qu'il soit approuvé et recommandé par tous les grammairiens, n'est guère répandu que dans l'aristocratie elle-même et dans la couche de la bourgeoisie qui est en rapport familier avec elle. Et curieusement, bien que tous les manuels le rappellent et le soutiennent, il ne s'apprend pas : un agrégé de l'université qui enfant aura entendu parler autour de lui des *de Monclar* ou des *de Frémonville* continuera jusqu'à la fin de ses jours, dans la plupart des cas, à dire les *de Guermantes* ou les *de Clermont-Tonnerre*.

« On oublie trop vite, écrit Albert Dauzat dans *Le Génie de la langue française*, que le *de* n'est qu'une ligature et ne doit pas s'employer isolément devant le nom ; on dira donc : le marquis de Montebello, monsieur de Montebello, mais Montebello et non de Montebello, qui socialement fait roturier, et grammaticalement incorrect. »

Un autre paradoxe c'est que les "noms à particule" du passé sont à peu près installés, par l'habitude, dans le respect de la règle, et qu'on entend rarement parler de *de Montaigne*, de *de Lamartine* ou de *de Gobineau*. Il en va autrement pour les modernes, et si *de Montherlant* n'est pas encore très fréquent, les hommes politiques Philippe de Villiers ou François de Rugy sont presque unanimement appelés *de Villiers* et *de Rugy* par la presse et par le public. Si l'on s'en tenait au seul usage, il en irait de la particule comme de *concerto**, dont le traitement varie selon l'époque : les *concerti* de Marcello mais les *concertos* de Bartok, *Vigny* ou *Montalembert* mais *de Certeau* ou *de La Genardière*.

Une petite complication du régime traditionnel de la particule dite "nobiliaire", c'est qu'il varie selon que le nom lui-même est polysyllabique ou monosyllabique (ce qui est tout de même assez rare), ou ne compte qu'une syllabe sonore (suivi d'une syllabe muette). Pour les avocats de Louis XVI, par exemple, on dit évidemment *Malesherbes* (et non pas *de Malesherbes*), mais *de Sèze*. L'auteur de *L'Histoire universelle*, c'est *de Thou*, de même que son fils, l'infortuné compagnon de Cinq-Mars (et non pas de *de Cinq-Mars*, encore moins de *de Cink-Marsss*). Tout le monde dit *de Gaulle*. Joseph Hanse, dans son *Dictionnaire des difficultés grammaticales et lexicologiques*, cite néanmoins le cas de Jean-Richard Bloch « qui, dans ses *Commentaires d'Europe* supprime couramment la particule : *le seul traité que Gaulle eût accepté de conclure* ». Et Hanse d'ajouter : « Tout le monde a raison contre Jean-Richard Bloch ». Dire *Gaulle* pour *de Gaulle* est d'autant plus déplacé qu'il ne s'agit pas d'une particule nobiliaire, en l'occurrence, mais de la simple traduction du *van* ou *Van* flamand (de sorte que la question se pose s'il ne faudrait pas écrire *De Gaulle* comme on écrit *De Valera* ou *De Pisis*).

Une curieuse exception à l'exception, c'est le cas du marquis de Sade et de sa famille : on dit *Sade* et *les Sade, chez les Sade,* alors qu'en bonne règle, ou en bonne exception, on devrait dire *de Sade* et les *de Sade*... C'est d'ailleurs ce que faisait Baudelaire, sans doute à juste titre — la majuscule à *De* est en revanche peu défendable :

« Il faut toujours en revenir à De Sade, c'est-à-dire à l'Homme Naturel, pour expliquer le mal » (*Œuvres complètes*, Bibliothèque de la Pléiade, Essais et nouvelles, titres et canevas [XVII], t. I, p. 595).

Mme Verdurin, une fois qu'elle est informée qu'il ne faut pas dire *les de La Rochefoucauld* mais *les La Rochefoucauld*, se voit emportée par son zèle néophyte et parle de *la duchesse La Rochefoucauld.*

En italien, contrairement à ce qui est le cas en français, *De,* qui d'ailleurs s'écrit avec une majuscule, est partie intégrante du nom et ne doit pas en être dissocié : *De Chirico, De Pisis, De Bosis, De Bono, De Cespedes, De Filippo,* etc. Le cas de De Chirico est un peu délicat, car le peintre est de longue date familier à la culture française et les amateurs de notre pays ont imposé dès les années vingt, en conformité avec l'usage français, l'habitude de dire *Chirico.* Cette habitude est incorrecte, mais il faut reconnaître qu'elle a acquis avec le temps une espèce de légitimité — de sorte que les personnes qui disent *De Chirico,* et qui ont raison, se font regarder de haut, à l'occasion, par celles qui disent *Chirico,* celles-ci pensant que celles-là, qui parlent en conformité avec la règle italienne, parlent dans l'ignorance de la règle française. De Chirico est à la lettre *d* dans tous les bons dictionnaires français.

Les mauvais dictionnaires, en revanche, nombre d'index et de répertoires, et les annuaires du téléphone, ont une politique extrêmement flottante à l'égard de la particule "nobiliaire". Dans la liste des pensionnaires de la villa Médicis, l'écrivain Philippe de La Génardière était rangé à *De* — il faut espérer que cette liste avait été composée par un Italien...

S'il n'est pas dans le bon usage, en français, de faire précéder un "nom à particule" de sa particule quand celle-ci ne joue pas un rôle de "ligature", comme disait Dauzat, il l'est encore moins, s'agissant d'un nom français, et Baudelaire ci-dessus nonobstant, d'écrire cette particule avec une capitale. On se demande quelles sont les relations avec la culture française de journalistes capables d'écrire que *Charles Pasqua n'a pas demandé à De Villiers de faire liste commune avec lui.* Quels romans ont-ils lus? Quelle histoire ont-ils fréquenté? Où ont-ils bien pu trouver qu'on ait jamais parlé en France de *De La Fontaine* ou de *De Sévigné*?

Alain de Frémont, quarante-neuf ans, agent immobilier à Neuilly-sur-Seine, a été arrêté pour avoir tenté de mettre le feu dans un petit bois de Zavia, près de Syvoton, un petit bourg balnéaire de la mer ionienne. (...) L'arrestation de De Frémont est intervenue après celle de deux jeunes toxicomanes, près d'Athènes etc. (*Le Monde*, 11 août 1998).

Certaines marques qui sans doute utilisent la particule pour donner au public une idée d'élégance et de raffinement l'utilisent si mal que l'effet produit, au moins sur la partie la plus éclairée du public, est exactement contraire à celui qui est recherché — ce qui ne l'empêche pas de dire, vraisemblablement, la *vérité* du message trompeur : *De Fursac, de Neufville*, etc. Mais *Givenchy*.

de (*partitif avant un adjectif*). *Demain il y aura des nouveaux besoins* (Martine Aubry, Antenne 2, 25 septembre 1999).

On voyait des grosses larmes couler sur son visage.

Il a des exceptionnelles qualités.

Devant les adjectifs, surtout les adjectifs au pluriel comme les noms qui les suivent, la bonne règle exige *de* et non pas *des* : *de grandes âmes, de hautes espérances, de vilains petits canards, d'illustres visiteurs, d'exceptionnelles qualités, de méchantes gens, de douloureuses concessions, de faibles arguments, de nouveaux besoins.* Si l'adjectif suit le nom, il n'y a pas élision de l'article, et donc on dit *des* (pour *de les*) : *des gens méchants, des visiteurs illustres,*

des concessions douloureuses, des besoins nouveaux, des arguments
irrecevables, des larmes grosses comme des billes.

Lorsque l'adjectif fait corps avec le nom et qu'ils forment
ensemble une sorte de syntagme figé, on traite le tout comme
un nom, et dans ce cas-là on peut mettre *des* : *des jeunes gens, des*
jeunes filles, des premières vendeuses, des bons mots. Molière écrit
cependant *de bons mots* (*et dans tous ses propos / On voit qu'il se*
travaille à dire de bons mots. Le Misanthrope). Même dans ce
cas-là, le *de* est toujours possible. Mais d'une part il relève d'un
niveau de langue assez recherché, d'autre part il introduit une
nuance de sens. Après *de*, l'adjectif est mieux reconnu dans sa
fonction propre, on insiste sur lui davantage. *Des jeunes hommes*
désigne un groupe d'adolescents et d'hommes jeunes, seulement pour parler d'eux, dire qu'ils sont là. *De jeunes hommes* insiste sur leur jeunesse, par exemple pour l'opposer à des hommes
moins jeunes.

Lorsque l'adjectif est lui-même précédé par un adverbe tel
que *très* ou *assez*, l'exigence d'écarter *des* au profit de *de* est absolue : *de très jeunes gens, de très jeunes hommes, d'assez bons résultats,*
de très bons mots.

Si l'adjectif et le nom qui le suit sont au singulier, la règle
classique exigeait *de* comme pour le pluriel. Mais elle est totalement tombée en désuétude. Personne ne dit plus *de bon vin, de*
bon pain, de bonne musique, de médiocre café. « *De bon pain*, sorti
de l'usage, est aujourd'hui archaïque et prétentieux ; au pluriel,
au contraire, *des grosses larmes* reste populaire ou très négligé. »
(Albert Dauzat, *Le Génie de la langue française*).

débuter. Le verbe *débuter* a toujours été au centre d'assez
vives polémiques entre grammairiens et entre stylistes. D'ori-

gine assez obscure, issu sans doute des jeux du mail, de la boule ou du billard, où il signifia d'abord *écarter du but* (*dé-buter* (une autre boule)), puis *tirer le premier coup*, il n'a pas la dignité de *commencer* et certains ont toujours critiqué jusqu'à son existence.

Par chance pour lui il figure dans Molière, ce que ses défenseurs ont toujours rappelé. « Nos contemporains qui le considèrent comme l'abomination de la désolation condamnent Molière entre autres, écrit Marcel Cohen dans *Nouveaux Regards sur la langue française*. Littré et plus près de nous Robert citent *Les Précieuses ridicules* : *La belle galanterie que la leur! Quoi, débuter par le mariage.* » Malheureusement Cohen, par pudeur sans doute, cite inexactement et Robert et Littré et Molière lui-même, qui a écrit : « Quoi? débuter d'abord par le mariage? » — encore la ponctuation varie-t-elle selon les éditions. Mais *débuter d'abord*, Molière ou pas, semble difficilement défendable. Il est vrai que ce sont là les propos d'un personnage de théâtre.

Débuter n'a toujours pas la meilleure des réputations, mais plus personne n'en veut à sa vie. On lui reproche son succès, sa popularité, son ubiquité, le tort qu'il fait au noble *commencer* : « Pour une raison assez obscure, on peut écouter les media français pendant une année entière sans entendre prononcer le verbe **commencer**, qu'il faudra bientôt rayer des dictionnaires! » dit Jacques Capelovici, non sans un peu d'exagération. « S'agit-il de **commencer** un match, une construction, une campagne d'information? Pas du tout : on les "débutera" ou on les "démarrera" bien que ces deux verbes ne soient pas transitifs... »

C'est en effet sur ce point précis que s'est déplacé le front des hostilités. Va pour le verbe *débuter*, semblent dire les grammairiens résignés, mais il est intransitif. Et sur ce point ils sont unis contre une pratique qui va se généralisant. Ils veulent bien consentir, du bout des lèvres, qu'un concert *débute* à vingt heures trente avec la première symphonie de Chostakovitch, mais ils refusent mordicus que Claudio Abbado *débute* son concert avec *Harold en Italie.*

Inutile d'écrire, je pense, que je suis de tout cœur avec eux. Hélas, ce sont là des combats d'arrière-garde, c'est à craindre, et sans doute perdus d'avance, comme tant d'autres. On tâchera de s'en consoler en songeant qu'au XVIIe siècle *débuter* était bien transitif. Et l'on pourra toujours, soi-même, s'interdire de donner tout complément d'objet direct à ce verbe, en accord avec le communiqué de l'Académie française du 5 novembre 1964, qui le proscrit absolument.

décade. Une *décade*, c'est une période de dix jours. Une période de dix ans, c'est une *décennie.*

Il convient toutefois de remarquer que le *de* final de *décade* ne vient nullement du latin *dies*, comme on pourrait le croire et comme on le croit souvent. *Decas, decadis*, en latin, désignait n'importe quel ensemble de dix unités, n'importe quelle *dizaine*. C'est pourquoi l'anglais dit *decade* pour un groupe de dix années. Dans notre propre langue, *décennie* est relativement récent (fin du XIXe siècle). La puriste condamnation à l'endroit de *décade* employé pour *décennie* est donc injustement sévère, et elle se trouve beaucoup moins bien fondée en étymologie qu'elle ne le prétend volontiers. Si *décade* est "fautif" au sens de *dix années*, c'est à titre d'anglicisme.

Il n'en reste pas moins que la distinction entre *décade* et *décennie*, telle que la pratique le bon usage actuel est tout à fait précieuse, sémantiquement. Elle devrait être conservée, diffusée et défendue.

décès, décéder. Pour évoquer le passage de vie à trépas, le français dispose de mots magnifiques, qui sont tous ceux de la famille de *mort. Décès* et *décédé* appartiennent à des langages spécialisés, ceux de l'état-civil, du droit, du notariat ou de la médecine légale, et devraient leur être laissés. Or ces contextes, on ne s'en servira qu'avec parcimonie, pour éviter une répétition, par exemple. (→ *disparaître.*)

De Chirico. (→ *de.*) Le nom du peintre Giorgio De Chirico présente le problème de la particule italienne, dont le régime n'est pas du tout celui de la particule française : il en est traité à l'article *de.* Se pose d'autre part la question du *ch.* Il est dur, à l'italienne : *De Kirico.* Durs également les deux *ch* du nom du peintre Jean-Paul Marcheschi, d'une famille corse d'origine italienne : *Markeski.* Marcheschi en a tellement assez d'être appelé *Mar-ché-chi* ou *Mar-chaise- ski* qu'il menace de se faire Polonais ou Caronien et de devenir *Markeski*, ou *Markeskÿ.*

Dans *Choderlos de Laclos*, en revanche, le *ch* initial se prononce comme dans *chaud* ou *chômage* (et les deux *s* finaux sont muets).

déclarer (une maladie). Déclarer est un bon exemple de ces mots et de ces verbes qui ont eu pendant des siècles une existence quasi-autonome dans deux ou plusieurs langues, en l'occurrence le français et l'anglais, et dont l'arc de signification est finalement écrasé par le triomphe d'une de ces langues sur l'autre, en l'occurrence de l'anglais sur le français. S'ajoutent à cela les effets de cette instabilité* syntaxique partout relevée dans ce livre, et, ici, l'écrasement de la forme pronominale sur la forme simple. Comme la plupart des locuteurs parlent anglais en français, désormais, et pensent en anglais, selon les structures et la syntaxe de la langue anglaise quand ils s'expriment dans notre langue (et alors même qu'ils ne maîtrisent pas l'anglais, bien souvent), ils utilisent le verbe *déclarer* comme ils feraient le verbe *to declare*, qui se construit très différemment. En français on déclare quelque chose à quelqu'un. C'est un acte tout à fait déterminé, qui ne peut être accompli que par un individu conscient, pas par un objet ou une maladie. En revanche une maladie *se déclare*, en ce sens qu'elle *se révèle*. Les journalistes amalgament ces deux acceptions et informent leurs auditeurs ou leurs lecteurs que dans telle ou telle EPHAD personne n'a déclaré la maladie : par quoi ils ne veulent pas dire que personne n'est venu informer les autorités que la maladie l'avait atteint mais que la maladie ne s'est déclarée chez personne — c'est de l'anglais.

Naturellement ces locuteurs mimétiques pourront toujours plaider l'ambiguïté, et tirer argument de l'amphibologie. Si par exemple ils annoncent que le Premier Ministre anglais *a déclaré la maladie*, et si on leur fait reproche de cette tournure peu française, ils pourront toujours dire que le Premier Ministre anglais a fait une déclaration publique selon laquelle il était touché par le coronavirus, et ce ne sera pas faux. Mais ce n'était pas du tout le sens originaire de leur propos.

Sur les quinze cents marins à bord, deux cents ont déjà déclaré le Covid 19.

Mais l'archiduchesse à son tour déclare la maladie (France Musique).

déclin, décliniste. C'est par un curieux tour de passe-passe que les écrivains, les philosophes, les intellectuels, les penseurs ou les journalistes qui croient observer le déclin d'une nation, d'une culture, d'une civilisation, d'une race ou d'un peuple, qui le déplorent et qui même, quelquefois, proposent des solutions pour y mettre un terme, sont appelés *déclinistes* par leurs adversaires, qui estiment pour leur part, suppose-t-on, qu'il n'y a aucun déclin ou que, s'il y en a un, il est tout à fait déplacé et surtout très suspect idéologiquement d'attirer l'attention sur lui. On jurerait que les déclinistes sont de grands spécialistes du déclin, de fins connaisseurs en décadence, d'ardents partisans du désastre. Dans l'immense majorité des cas, ceux que la bonne presse nomment de la sorte exposent le déclin qu'ils observent pour s'en affliger, et pour inviter à réagir contre lui : donc c'est *anti-déclinistes* qu'il faudrait dire. En attendant que soit opéré ce très nécessaire renversement, *décliniste* a sa place toute trouvée dans un répertoire du *faussel**, la langue du faux, le répertoire de la réalité inversée.

dédier, dédié, dédiée. *Dédier* est de ces nombreux verbes qui de transitifs qu'ils étaient sont devenus intransitifs dans les années récentes, par l'effet de l'ignorance qu'avaient de leur construction, mais aussi de leur sens, nécessairement, des milieux à la fois influents et peu cultivés, ou seulement peu instruits — lesquels ne manquent pas, comme on sait. Pour une fois les coupables sont connus. Il ne s'agit pas des professionnels de la publicité, comme c'est le cas le plus fréquent, mais de ceux de l'informatique. Aucun des grands dictionnaires ne relève encore l'acception contemporaine de *dédier*, mais dès son édition de 1983 le *Grand Larousse encyclopédique* consacrait, en fin d'entrée, un petit paragraphe à la forme passive, qui laisse bien entrevoir et l'origine de l'extension de sens, si l'on peut l'appeler de la sorte, et le tour qu'elle va prendre :

« Être dédié v. pass. Inform. En parlant d'un système informatique, être confiné dans un usage, à une tâche ou un ensemble de tâches fixé [*sic*] à l'avance. »

À partir de là le participe passé a conquis son autonomie et il est quasiment devenu, de nos jours, un adjectif.

Veillez à bien remplir la case dédiée.

Il faudrait davantage de sections dédiées.

Ils peuvent déposer leurs parrainages sur un site dédié (France 2, 9 novembre 2020, à propos d'une candidature présidentielle de M. Jean-Luc Mélenchon).

On pourrait évidemment considérer que les compléments indirects, les objets auxquels sont dédiées les choses ou les institutions dédiées, sont sous-entendus. Il reste qu'on se retrouve avec un verbe transitif détransitivé de fait, qui demeure en suspens sur le vide. Le sens s'en accommode à peu près, il a tendance à s'accommoder de tout, dans un premier temps, quitte à en souffrir bien vite. La syntaxe, *ou l'autre dans la langue,* le surmoi grammatical, font entendre leur plainte muette, à laquelle je donne ici voix. Rien n'est *dédié. Être dédié* ne veut rien dire. On est dédié à quelque chose ou à quelqu'un ou l'on n'est pas dédié du tout.

définitivement. *Ceci afin de démontrer que le taux du livret A est définitivement trop élevé.*

Définitivement veut dire en français *de façon définitive,* c'est-à-dire acquise à jamais, qui ne sera pas remise en cause.

« Les grandes espérances que représentaient Louis II furent définitivement écrasées à la bataille de Mohacs, où le roi de Hongrie perdit la vie, le 29 août 1526. » Par un anglicisme aussi déplacé qu'inéclairé, *définitivement* tend à prendre dans certaines bouches, et sous certaines plumes, le sens non pas de l'anglais *definitively*, qui est le même que le sien, mais du beaucoup plus courant *definitely*, qui, lui, signifie *clairement, sans conteste possible.*

Il lui est définitivement supérieur.

Dès vingt heures zéro deux, on pouvait dire que la gauche avait définitivement vaincu.

Vous écrivez : les aplats *de son visage, mais j'ai vérifié, le mot juste est définitivement* méplat.

Le procès de François Fillon, qui doit s'ouvrir définitivement aujourd'hui (France Culture, 2020).

Comme les significations de *définitivement* et de *definitively* d'une part, de *definitely* d'autre part, ne sont pas sans quelque similitude, l'abusif glissement de l'une à l'autre passe souvent inaperçu, et ceux qui le pratiquent et se le verraient reprocher pourraient facilement brouiller les pistes. Il reste que cette impropriété est un exemple parmi beaucoup d'autres, mais parmi les plus audibles, de cette façon si répandue de nos "élites*" — au bizarre sens contemporain du terme — de parler anglais* en français.

Un présentateur du journal du soir de France 2 a deux tics de langage si étroitement associés l'un à l'autre et à lui que je me demande s'il y a entre eux deux un lien structurel, dont j'avoue qu'il m'échapperait : d'une part il a l'habitude de faire précéder toute tournure ou appréciation qu'il juge un peu audacieuse de la curieuse incise *allez**, d'autre part il est un fervent adepte de *définitivement* mis en lieu et place d'*absolument, incontestablement, sans nul doute* :

> *L'entrevue a été définitivement un succès : est-ce qu'on peut dire qu'elle ouvre, allez, un espoir pour une solution négociée ?*

dégager. Les Printemps arabes de l'année 2011 ont inscrit à jamais dans l'histoire le peu aimable et assez menaçant impératif dégage, adressé d'abord, si je ne me trompe, au président et dictateur tunisien Ben Ali, qui, après quelque résistance, a dégagé en effet. L'injonction témoignait d'une familiarité presque inespérée avec le français populaire où cette acception qui, contrairement à l'usage, n'est ni transitive (dégager un blessé d'un amas de gravats) ni pronominale (il s'est dégagé tout seul) est relativement récente. On peut remarquer qu'elle est très conforme, parmi des centaines d'autres exemples possibles, à la confusion si caractéristique de l'actif et du passif et du passage de l'un à l'autre, suivant un modèle souvent emprunté à la langue anglaise. Ce qui était à dégager, ce qui devait être dégagé par l'intervention de tiers, à présent dégage, également par l'intervention de tiers, mais la langue ne croit plus devoir le marquer, ni même avoir recours à la forme pronominale.

#OccupantDégage.

On n'est pas d'accord sur comment dégager cette classe politique au pouvoir (invité de France Culture, à propos du Liban, 8 août 2020 : il ne s'agit évidemment pas de libérer la classe politique libanaise, de la dégager d'une gangue ou d'un amas quelconque, mais de la chasser, au contraire, de la contraindre au départ).

dégueulasse. *Dégueulasse* est un bon exemple de ce genre de mot qui est perçu comme à peu près neutre par une partie de la population (la plus jeune, surtout) et comme très fortement connoté (agressif, violent, très grossier) par une autre. Les différences dans la perception de ce terme (comme de *chiant,* par exemple) tiennent sans doute à la conscience que l'on garde, ou non, de son étymologie. L'effet qu'il produit n'est évidemment pas le même selon qu'on entend encore en lui *qui donne envie de dégueuler,* ou même *qui a l'air d'avoir été dégueulé, vomi,* ou qu'entre ses syllabes on ne perçoive rien de pareil. Mais plus profondément le fait qu'on s'en autorise l'emploi, ou qu'on se le refuse, indépendamment des circonstances, du contexte ou de la qualité de l'interlocuteur procède d'une conception générale du langage, perçu soit comme pure expression de soi-même (*je parle comme je suis, je suis moi-même, je m'exprime,* etc.), soit comme instrument le plus neutre possible d'un échange. Or cette dernière conception ne cesse de perdre du terrain au sein d'une idéologie du pseudo-*naturel,* dont la valeur suprême est l'*être soi-même,* le *soi-même* étant entendu comme donné d'emblée, toujours *déjà-là,* et non pas comme l'objet d'une édification perpétuelle. La question ici posée est celle-ci, tout à fait essentielle : quelle est l'aune du discours ? Qui ou quoi va décider de ce que sera son niveau ? Moi ? L'autre ? Ou bien quelque valeur tierce, intermédiaire, choisie précisément pour sa neutralité de convention, entre l'autre et moi ?

La petite-fille dit à sa grand-mère, qui l'interroge gentiment sur sa soirée de la veille : *On s'est royalement fait chier, et en plus la bouffe était dégueulasse.* L'adolescente, s'exprimant de la sorte, s'exprime avec *naturel,* ou ce qu'elle prend pour tel. Seulement il s'agit de son naturel à elle, qui n'est pas forcément celui de sa grand-mère. L'*être soi-même,* posé comme seule mesure des comportements et des mots, aboutit à un impérialisme du moi, qui est très précisément le contraire de la fonction traditionnelle et courtoise du langage, qui cherchait dans une convention de neutralité le lieu possible d'un échange véritable.

C'est dégueulasse, comme bouquin, dit l'élève à son "enseignant". Et l'"enseignant" reprend le mot, même s'il conteste l'idée. Jeunisme, laxisme, peur, désir d'être aimé ou seulement accepté, volonté d'appartenir, tous les éléments de ce qu'on a appelé ailleurs *l'idéologie du sympa* se combinent ici pour installer dans le général ce qui relève d'un langage particulier (*grossier*, en l'occurrence) et qui devrait y rester confiné.

déjà. Dans le jeu de chaises musicales auquel se livrent les adverbes et locutions adverbiales, *déjà* tend à revêtir le sens de *d'abord*, de *pour commencer* — auquel il n'a, naturellement, aucun titre :

Déjà tu baisses d'un ton, ensuite on pourra discuter.

Déjà c'est pas sûr qu'elle t'a trompé, deuxio moi j'dis c'est pas forcément la cata, j'suis désolé.

Déjà vous voyez ce qu'il en demande, question prix, derrière on pourra toujours négocier.

Déjà que est plus difficile à décortiquer, et son allure générale est tout à fait débraillée ; cela ne l'empêche pas, au contraire, de faire carrière, souvent sous le masque de l'ironie, ou celui de la demi-citation (*si j'étais quelqu'un qui dit* déjà que, *je dirais...*) — ce sont des masques qui ne tiennent pas longtemps :

Déjà qu'j'avais zéro envie d'y aller, alors faire deux cent bornes pour trouver personne, je t'dis pas...

Déjà que la France elle avait une dette abyssale avant la covid, alors maintenant…

délivrer (vs livrer). Lorsque quelqu'un dit *délivrer* pour *li-vrer* (*L'objectif c'est de délivrer dans les délais* [des paquebots de croisière]), on peut être à peu près sûr qu'il s'agit d'un angli-cisme, que cette personne parle anglais en français et pense au verbe *to deliver*, livrer. Cependant on ne peut trop rien dire car cette acception est attestée en français classique, même le vé-tilleux Vaugelas l'admet et en use (« Délivrer cinq cents talents pour les nécessités de la guerre », cit. par Littré) et elle se ren-contre dans le Code civil (« Le vendeur n'est pas tenu de délivrer la chose, si l'acheteur n'en paye pas le prix (…) », art. 1612). Notons d'ailleurs qu'elle s'est maintenue jusqu'à nos jours, mais en se spécialisant dans un sens administratif, bureaucratique : "délivrer un passeport, une attestation, un récépissé, un laisser-passer, une ordonnance". Comme il arrive assez souvent, ce qui facilite sa diffusion, l'anglicisation se présente comme un re-tour aux sources. Il reste que *délivrer des paquebots de croisière* [à leurs commanditaires] continue de suggérer une interven-tion du GIGN contre des preneurs d'otages, ou bien les longues études du locuteur dans les *business schools* d'outre-Atlantique. Il est très préférable de dire : *livrer.*

déménager, déménagement. Le sens de *déménager* n'est plus compris. Ce sens est pourtant clairement inscrit dans le mot lui-même — il ne devrait y avoir aucune ambiguïté. *Déménager* c'est quitter son ménage, partir d'un endroit où l'on habitait, éventuellement pour en rejoindre un autre, mais le verbe lui-même ne l'implique pas nécessairement :

« Et les Morand, que sont-ils devenus ?

— Je ne sais pas, ils ont déménagé, je ne les vois plus. »

Correctement employé le verbe est en général intransitif, mais il peut très bien aussi être transitif :

« En un quart d'heure, il avait déménagé toutes ses affaires ».

On peut déménager *de* (« Elle a déménagé d'un appartement devenu trop petit ») mais, sauf exceptions rarissimes et un peu forcées, on ne peut pas déménager *à* — il en va ici de déménager comme de partir, les deux verbes étant clairement liés à une idée de départ et pas du tout d'arrivée.

Il a déménagé à Vienne ne devrait absolument pas essayer de vouloir dire que le sujet de la phrase s'est installé à Vienne : ce serait un contresens total de la part de la personne qui s'exprime. Or ce contresens est très répandu :

Après sa rupture avec Léa, il ne supportait plus Toulouse, il a déménagé à Pau. Il faut dire ou écrire : il s'est installé à Pau, il est parti pour Pau.

Cependant, rien ne s'opposerait à ce que l'on précisât :

« À Vienne, j'ai déménagé dix fois ».

Ou même :

« J'ai déménagé dix fois à Vienne en cinq et pas une seule fois à Berlin en vingt ans ».

On pourrait aussi dire sans encourir le moindre reproche :

« J'ai déménagé à Vienne et j'ai déménagé à New York et je peux vous assurer que ce sont deux expériences très différentes ».

Vienne et New York constituent en pareil cas de simples précisions sur le lieu de l'action, il ne s'agit en aucune façon de

264

compléments pour le verbe. *Déménager à Vienne, déménager à Aix-en-Provence, déménager à Phénix*, ce devrait être changer de résidence à Vienne, à Phénix, à Aix-en-Provence, en aucun cas, venant d'ailleurs, aller s'établir dans ces villes. C'est pourtant bien, neuf fois sur dix, ce qui est maladroitement signifié.

dénoter, détonner, détoner. Il existe une confusion pratiquement permanente et sans exception entre les verbes *dénoter* et *détoner* :

Une musique qui a dû beaucoup dénoter à l'époque (France Musique — celle de Carl Philip Emmanuel Bach).

C'était un patron qui dénotait dans le contexte mondial (celui de Danone, écarté — France Culture, informations, 15 mars 2021)

Dénoter signifie *révéler discrètement, laisser paraître* : "L'habitude de parler exagérément de soi dénote une mauvaise éducation". C'est un verbe transitif, qui ne peut être employé sans complément. On dénote nécessairement quelque chose.

Détonner veut dire *être hors de ton, surprendre par une dissonance, s'inscrire mal dans un ensemble, ne pas lui appartenir* : "Son habitude de parler fort détonnait dans ce milieu feutré". Il s'agit d'un verbe intransitif qui néanmoins peut s'accommoder d'un complément indirect : "Sa peinture agressive et brutale, revêche, étrangère au désir de plaire, détonnait sur l'art aimable de ses contemporains".

À vrai dire il existe une autre confusion, mais celle-ci purement orthographique, entre *détonner, surprendre par son défaut d'inscription dans son environnement*, et *détoner, exploser, faire l'objet d'une détonation*. L'affaire se complique du fait de l'éventuelle proximité de signification des deux verbes : "La robe d'un rouge éclatant de cette mystérieuse inconnue détonnait si fort, dans cette soirée de sous-préfecture, que le bal tout entier détona quand le sous-préfet invita l'étrangère à danser".

départements (prépositions avant le nom des). Rien n'est étrange comme les lois mystérieuses qui président au choix de prépositions devant les noms de département. C'est à se demander s'il s'agit bien de lois, même si d'aucuns se sont efforcés a posteriori de les reconnaître et préciser : ceux-là ont abouti à un code si complexe, si plein d'exceptions et d'exceptions aux exceptions qu'on doute s'il a bien le moindre fondement logique et si là n'est pas l'occasion ou jamais d'évoquer un instinct de la langue et de s'en remettre à lui en désespoir de cause. En effet il ne viendrait à l'esprit de personne de dire *en Puy-de-Dôme*, par exemple. On pourrait expliquer qu'on ne dit pas *en Puy-de-Dôme* parce que le puy de Dôme est le nom d'une montagne, que demeure la trace et le souvenir de cette montagne dans le nom du département et que nul ne songerait à dire en Mont Blanc, en Cervin, en Gerbier de Jonc, en pic du Midi. Sans doute, mais on ne dit pas non plus *en Cantal*, et le Cantal n'est pas le nom d'une montagne. En revanche on dit *en Lozère*, et c'est bel et bien le nom d'une montagne, d'un mont, ou à tout le moins d'un massif (et l'on ne dirait pas en Lozère pour le désigner lui...).

On ne dit pas *en Allier*, ni *en Creuse*, ni *en Loire*, ni *en Gers*, ni *en Tarn*, ni *en Marne*, ni *en Orne*. Est-ce parce qu'il s'agit de noms de rivière ? Mais alors pourquoi dirait-on comme on le fait en Corrèze, en Isère, en Charente, en Ardèche, en Ariège ?

Sans doute eût-on pu poser qu'il est (presque) toujours loisible de dire et d'écrire *dans le...*, *dans la...*, *dans les...* : "dans le Puy-de-Dôme", "dans la Loire", "dans le Rhône", "dans les Landes". Exception : on ne dit pas *dans la Corse*, mais toujours *en Corse* — "il est allé en Corse", "il habite en Corse", "elle est née en Corse" (et jamais *dans la Corse*). Exception à l'exception : on pourrait dire "dans la Corse du XIXe siècle...", et l'on dit couramment "dans la Corse du Nord", "dans la Corse du Sud", "dans la Haute-Corse" (mais ce n'est pas un département). On dit *en Vendée*, peut-être parce que c'est aussi le nom d'une ancienne province, et qu'on peut toujours employer la proposition *en* pour les provinces ("en Auvergne", "en Bourgogne", "en Bretagne", "en Aunis", "en Languedoc", etc.). En revanche on ne peut pas toujours employer *dans* : "dans le Languedoc", certes, dans le Roussillon, dans le Gévaudan, mais on ne peut pas dire *dans l'Auvergne*, à moins de préciser le type d'Auvergne auquel on pense, soit dans le temps ("dans l'Auvergne des guerres de Religion"), soit dans l'espace ("dans l'Auvergne des hautes landes, Cézallier, Artense, Planèze...", "dans l'Auvergne profonde on trouve encore...").

Certains ont essayé de faire intervenir la longueur du nom, pour expliquer qu'on dise ou qu'on ne dise pas *en* devant les appellations de département : par une sorte de rééquilibrage musical il faudrait dire *dans le*, *dans la* ou *dans les* lorsque le nom est monosyllabique ou composé d'un monosyllabe et d'une désinence muette. Et en effet on ne dit pas *en Ain*, *en Gers*, *en Cher*, *en Aude*, *en Eure*, *en Nord*, alors qu'on dit très volontiers "en Eure-et-Loir" ou "en Ille-et-Vilaine". Cependant on ne dit pas *en Hérault*, ou en *Loiret*, malgré les deux syllabes bien marquées; et pas davantage *en Deux-Sèvres* ou *en Morbihan*. Mais lorsque le nom de département est composé de plusieurs mots joints par des traits d'union interviennent des règles très compliqués :

en est alors préféré à *dans*... sauf si ledit nom est pluriel, ou s'il est masculin et que son premier élément n'est pas lui-même un nom propre (de rivière, de montagne...) : dans les Bouches-du-Rhône, dans les Alpes-Maritimes, dans le Haut-Rhin, dans le Lot mais en Lot-et-Garonne, en Meurthe-et-Moselle.

Une autre donnée à prendre en compte est la position du locuteur, sa résidence, sa résidence habituelle. Kristopher Nyrop le signale déjà en 1927 : « Il semble que l'emploi de *en* se constate surtout chez les habitants du département et, d'une façon générale, chez les personnes qui font un usage fréquent de son nom ; ainsi, *en Gironde* est une expression courante dans la bouche d'un Bordelais, mais un Parisien dira *dans la Gironde*. »

départir (se). Il faudrait être Pascal pour traiter du verbe *se départir*, dont seule la bathmologie* peut rendre compte efficacement. *Le peuple* conjugue *se départir* comme *partir*, parce que ce lui semble une extension de ce verbe : "il ne se départ pas de son calme". *Les demi-habiles* s'appuient sur la grammaire de l'Académie française et sur des dizaines de hauts exemples littéraires pour estimer que ce verbe appartient au deuxième groupe et doit en conséquence se conjuguer comme *finir*, et non pas comme *partir*. *Ils ne se départissent pas de leur calme*. Les habiles, les dévots et les chrétiens parfaits reviennent à la conjugaison sur le mode de *partir* parce qu'elle est celle du français classique (*Ne vous départez point d'une si noble audace*, Corneille, Nicomède, acte I, scène III) et parce qu'elle a elle aussi l'aval de l'Académie, mais cette fois en son *Dictionnaire*.

L'inconvénient de cet état de choses est celui de toute bathmologie, qui est une école de saints et de martyrs. Lorsqu'à force de persévérance et de science vous êtes au troisième degré, la société des demi-habiles, qui en général est au deuxième, se persuade que vous êtes au premier, qui est exactement semblable au troisième. Il n'est pas exclu qu'elle vous méprise un peu, insensible qu'elle est à cette lumière supérieure qui dicte votre attitude. Mais bien entendu vous souffrez en silence et ne vous départez pas de votre haute sérénité, indifférent que vous êtes à être confondu par des gens qui disent *il ne se départit pas* avec les ignorants qui disent *il ne se départ pas* alors que vous dites au contraire *il ne se départ pas*, à l'instar des véritables savants.

déplacement. Dans le vocabulaire des sports d'équipe, un *déplacement* c'est le contraire d'une compétition chez soi. "L'équipe de Brive est en déplacement à Mazamet." Le mot a sauté des chroniques sportives aux chroniques politiques et aux informations en général, et maintenant tout voyage est un *déplacement.*

Pour son premier déplacement en région depuis la dissolution, Jacques Chirac...

Lionel Jospin, au cours de son récent déplacement au Canada...

En déplacement à Tunis, sa ville natale, Philippe Séguin a qualifié dimanche ce scrutin [la réélection du président Ben Ali avec plus de 99% des voix] de « nouvelle étape du processus démocratique que la Tunisie a choisi de conduire ».

En langue stricte, *un déplacement en province*, ce serait un voyage effectué d'un point à l'autre de la province — sans quoi c'est d'*un déplacement vers la province* qu'il faudrait parler. Quoi qu'il en soit, on ne voit pas ce que *déplacement*, un terme relativement lourd, long et peu gracieux, peut avoir de préférable à *voyage*, un des mots les plus harmonieux et les plus chargés de connotations moirées qui existent en français.

depuis. La plupart des grammairiens, et l'Académie française elle-même — non sans quelques hésitations et contradictions à travers le temps —, prohibent ou déconseillent l'usage de la préposition *depuis* en un sens spatial. *Depuis*, à les en croire, devrait être absolument réservé au temps. On peut dire et écrire : « Je ne l'ai pas vu depuis lundi dernier », mais il faut s'interdire : *Il m'a hélé au passage, depuis sa terrasse.*

Or cette prohibition, il faut bien le dire, est une des plus gênantes de la langue. On va nous répétant qu'à *depuis* doit absolument être préféré *de*, lorsque n'intervient pas de notion de temps. Cela est bel et bon, et ceux qui rappellent cette règle, comme l'Académie française en son communiqué du 20 mai 1965, ont pour eux le droit syntaxique, surtout lorsque ce sont eux qui ont la charge officielle de le proférer ; il n'en demeure pas moins que l'interdit qu'ils profèrent à juste titre met l'usager dans toute sorte de situations embarrassantes, et se trouve à l'origine de nombre d'ambiguïtés. *Quid* par exemple de "il m'a traité de fou de sa terrasse" ? Pour tourner la difficulté il faut changer l'ordre des mots : "De sa terrasse il m'a traité de fou". Mais nous avons affaire ici à un exemple simple. Dans les cas plus compliqués, le remède ne s'applique pas. L'extrême abondance en français de la préposition *de* multiplie les occurrences où remplacer *depuis*, comme il se doit, par un *de* supplémentaire, dans une phrase qui déjà en compte plusieurs d'affilée, parfois, est une opération extrêmement délicate. Il y a vraiment là un manque, dans le langage.

Certes on dispose d'*à partir de* : « Il m'a traité de fou à partir de sa terrasse ». Mais la légèreté n'y gagne rien. *Du haut de* peut se révéler utile.

Un tableau fameux de Kristen Købke se nomme en danois *Udsigt fra Dosseringen ved Sortedamssøen mod Nørrebro*. À l'exposition "L'Âge d'or de la peinture danoise", à Paris, au Petit Palais, à l'automne 2020, ce titre est traduit ainsi : *Vue du lac Sortedam depuis Dosseringen en regardant vers Nørrebro*. Et de fait on ne voit pas très bien comment on aurait pu faire autrement. *Vue du lac Sortedam de Dosseringen en regardant vers Nørrebro* n'aurait pas du tout fait l'affaire. Je propose : *Vue prise de Dosseringen sur le lac Sortedam en regardant vers Nørrebro*, mais c'est loin d'être pleinement satisfaisant. La vérité est qu'on se passe très mal en français d'un *depuis* spatial. Il faudrait inventer un mot ; ou bien se résigner à passer outre les interdits des grammairiens : ils ne sont guère en état de les faire observer, de toute façon, et la plupart de ceux qui survivent sont tout à fait hostiles à la notion d'interdit.

Notons toutefois que *depuis* peut parfaitement être suivi d'un nom de lieu, sans que nul n'y trouve à redire légitimement, lorsque ce nom de lieu désigne en fait une époque, un épisode, un moment, une date : "Depuis Rome, le droit n'a pas fait beaucoup de progrès sur ce point". "Nous ne nous étions pas revus depuis le Prytanée militaire." "On aurait pu penser que depuis Munich les démocraties auraient eu le temps d'apprendre la leçon — mais non."

Une autre exception à la prohibition, et dont les raisons sont moins évidentes, c'est le cas où *depuis* est couplé avec *jusque* : "Depuis Turin jusqu'à Palerme, toute l'Italie retentit de sa gloire". Cette formule, cependant, n'a pas de supériorité très manifeste — sinon celle de faire plus de bruit, et de mieux marquer les extrêmes, peut-être — sur le plus simple "de Turin à Palerme".

L'usage adverbial et absolu de *depuis* est largement accepté, mais ceux qui tiennent à un langage soigné et à un style soutenu préfèrent l'éviter, surtout en fin de phrase. Plutôt que *il ne m'a pas rappelé depuis* ils disent "il ne m'a pas rappelé depuis cette conversation", ou "depuis cet échange", ou tout simplement "depuis lors". *Depuis lors*, de façon générale, permet d'écarter de soi, si on le souhaite, le léger soupçon de rugosité, ou de rusticité, qui pèse sur l'emploi de *depuis* en tant qu'adverbe.

Loin de ces délicatesses, certains usages de *depuis* relèvent de la plus extrême grossièreté langagière et syntaxique, et de la plus criante vulgarité sociale (laquelle s'observe et s'entend désormais, il va sans dire, dans toutes les classes de la société) : ainsi les trop familiers *depuis tout gosse, depuis tout môme, depuis tout petit*, qui découragent l'analyse grammaticale et jusqu'à l'indignation douloureuse de l'exégète.

Depuis toute petite j'ai adoré me raconter des histoires.

Moi j'vois l'Himalaya, c'est un truc que j'en rêve depuis tout gosse.

Ça fait à la place de *il y a*, pour indiquer la durée (*Ça fait vingt ans que j'le répète*), manque résolument d'élégance. Mais pour atteindre tout à fait à l'horreur, il faut combiner la formule avec *depuis* :

Ça fait d'puis plusieurs années que j'voulais parler de l'alcoolisme. (Bouillon de Culture, France 2, 15 octobre 1999) (Peut-être aurait-il fallu attendre encore un peu...)

derechef. On rencontre assez rarement l'adverbe *derechef,* mais ceux qui se risquent à s'en servir le font souvent à mauvais escient — sans doute faute d'habitude, justement. *Derechef,* par exemple, ne signifie en aucune façon *immédiatement,* ou *de suite, incontinent. Derechef* est l'équivalent exact de l'italien *da capo,* qui paradoxalement nous est plus familier, au moins à ceux d'entre nous qui s'intéressent à la musique. Reprendre un morceau *da capo,* c'est le reprendre à son tout début, à son *chef,* à sa *tête,* à son *en-tête. Expliquer derechef quelque chose à quelqu'un,* c'est reprendre les explications à leur commencement. Plus encore que *de nouveau,* qui est son sens le plus habituel, *derechef* signifie *à nouveau*.*

Texte intéressant pour les personnes qui, comme moi, n'en peuvent plus d'entendre parler de "neutralité carbone", un terme tellement trompeur — volontairement — qu'il faut derechef cesser de l'utiliser. On pourrait certes imaginer, mais ce semble improbable, qu'on ait déjà cessé de l'utiliser puis qu'on ait recommencé à le faire et qu'on soit invité à cesser de nouveau...

dérober. Un demandeur d'asile en Allemagne tue une prostituée et la dérobe deux mois après qu'il aurait dû être expulsé par les autorités.

Bel exemple d'instabilité* syntaxique et de confusion entre le complément d'objet direct et le complément d'objet indirect (et sans doute entre la forme active et la forme passive). On ne dérobe pas quelqu'un, encore qu'on puisse dérober un corps, un cadavre (c'est ce que suggère la phrase ci-dessus), on dérobe quelque chose *à* quelqu'un : ce n'est pas la prostituée qui est dérobée, c'est son argent ou ses biens qui lui sont dérobés. La construction de ce verbe est l'inverse de celle de *spolier** : ce ne sont pas des biens qui sont spoliés *à* quelqu'un, c'est une personne ou une institution qui sont spoliés *de* leurs biens.

derrière. Derrière est une bizarrerie récente, au moins dans les emplois inattendus que le mot, surtout en tant qu'adverbe, s'est vu confier ces dernières années dans la langue populaire, autant dire dans la langue tout court, médiatique et universitaire. *Derrière* a revêtu une signification temporelle. À vrai dire le *Grand Larousse encyclopédique* de 1983 signalait bien quelque chose de cet ordre mais l'exemple qu'il donnait, d'ailleurs comme *familier*, était peu convaincant :

« 3. Fam. Après qqch dans le temps : *Un vin rouge derrière un vin blanc.* » On peut imaginer que la référence est spatiale autant que chronologique, ici, et que le vin rouge se présente *derrière* le vin blanc dans le gosier du buveur.

Depuis cette époque *derrière* a accompli de considérables progrès dans la faveur populaire et la mode, et tend de plus en plus à se substituer à *après* et à *ensuite* :

Tu remplaces la taxe d'habitation, d'accord, et puis t'as quoi qui se passe derrière ?

Divorcer moi je veux bien mais t'as pensé à tous les problèmes derrière, sur comment tu gères les gamins, l'appart, le chien, le fric, tout ça ?

Ah ça pour gueuler et pour la ramener il est bon, je dis pas, mais derrière quand il faut vraiment mouiller la chemise t'as plus personne.

Greta Thunberg a raison mais derrière il ne suffit pas de dire ça (Mme Prune Poirson, secrétaire d'État auprès du ministre de la Transition écologique et solidaire, France Culture, 21 janvier 2020).

J'aimerais bien mettre cinquante pour cent de truffes dans un produit mais je ne suis pas sûr d'avoir des clients derrière (France 2, industriel interrogé dans un reportage, 15 août 2020).

Laisser les restaurants ouverts sans la possibilité derrière d'aller dans les bars c'est tuer une industrie.

On m'a transmis quelque chose, il faut que j'en fasse quelque chose derrière de ça (France 2, 18 décembre 2020, journal de 20 heures, "sujet" sur l'horlogerie suisse et franc-comtoise, dynasties horlogères).

des fois, des fois que... Grammaticalement, il n'y a pas grand-chose à redire à *des fois*, sinon que le substantif *fois*, selon Littré, « ne peut jamais être employé avec l'article sans qu'il y ait un adjectif entre ces deux mots. L'adjectif *tout* est le seul qui ne se mette pas à cette place ; on le met devant l'article. » (*De nombreuses fois, toutes les fois*). Ce sont là des règles d'usage, non de grammaire. « La forme *des fois* passe pour incorrecte. Il n'y a rien à reprendre au respect de la grammaire. Mais l'usage, lui aussi, a force de loi : et il ne montre pas beaucoup de goût pour cette locution. »

C'est ce qu'écrivait d'Harvé en 1923 (*Parlons bien*). On ne pourrait plus dire cela aujourd'hui, car l'usage au contraire témoigne à l'égard de *des fois* une large faveur. Du coup on ne dispose pas de beaucoup d'arguments pour combattre cette tournure, même quand on la déteste : elle est presque innocente aux yeux de la grammaire, et dans l'usage elle n'est que trop présente. On ne peut s'armer contre elle qu'en faisant appel une fois de plus au concept de *bon usage*, cheval fourbu. *Des fois,* comme *plein de** à la place de *beaucoup*, appartient au langage des petits enfants, d'une part, et d'autre part au langage populaire. Dans les autres milieux, et quand on avait plus de huit ou neuf ans, on disait *quelquefois, parfois, certaines fois*. Reste à savoir si les enfants ou le peuple auraient moins de droit que d'autres à voir se généraliser leurs façons de parler. Il n'y paraît guère, à observer ce qui se passe. De toute façon, ce sont là des questions qui nous dépassent un peu.

Pi des fois t'avais plein de petites lumières qui s'allumaient dans la campagne.

R'marque y a des fois il est assez sympa. Mais alors sitôt qu'i r'part sur ses trucs de grammaire, d'accents, d'façons de parler ou ch'ai pas quoi...

Des fois elle est sublime et des fois, on sait pas pourquoi, elle est vraiment à chier.

Quant à *des fois que...*, au sens de *au cas où, si par hasard, si par malheur, s'il se trouvait que*, ses connotations sont si emphatiquement "populaires" qu'il a fait carrière dans le comique troupier : *des fois que l'adjudant rappliquerait* (Courteline, *Les Gaités de l'escadron*).

Oublie pas de brancher le répondeur, des fois qu'elle appellerait juste les cinq minutes qu'tu vas faire pisser l'chien.

Moi j'vois j'serais Jospin quand même j'me méfierais, des fois que l'autre il lui préparerait un de ses coups tordus.

On entend mieux encore : *si des fois que..., pour si des fois que...* Mais c'est dans le registre de la farce.

Laissez-moi quand même vot' numéro de téléphone, si des fois qu'on avait quelque chose on vous appellerait, on sait jamais...

Tu crois pas qu'faudrait mieux fermer à clef, pour si des fois qu'ton mari il aurait oublié quelque chose ?

désuet. Contrairement à ce qu'on pourrait penser sous l'influence de sa signification, *désuet* est un mot relativement récent, dans la langue. Il ne figure pas dans le *Littré* de Littré. Alain Rey le date de 1891 et le voit apparaître alors chez Huysmans, tandis qu'il fait remonter *désuétude* à 1597. La prononciation correcte est *déssuet*. « Dans ce mot comme dans *désuétude*, *s* se prononce dure » (Académie française). « La seconde syllabe de **désuet** est donc homophone de celle de **Bossuet** » (Capelovici).

de suite. Il en va de *de suite* comme de ces domaines de la réflexion morale, politique ou idéologique où l'on a vu si souvent fleurir des aberrations, voire des monstruosités, que les censeurs aiment mieux les interdire tout à fait, quitte à sacrifier un peu de justice, et l'éclosion possible de quelques vérités.

De suite a terriblement mauvaise presse. Les grammairiens, lassés d'expliquer en vain les cas où *de suite* est tout à fait indéfendable et ceux où *de suite* est d'un emploi très légitime, ont préféré, en désespoir de cause, convaincre le public, non sans succès, que mieux valait s'abstenir tout à fait.

De suite continue à prospérer, à bon droit, après un substantif lui-même accompagné d'un numéral : « Il en a bu dix de suite », « Elle a eu plusieurs crises de suite », « Il m'a répété dix fois de suite la même chose ». Ces emplois-là, incritiquables, aident à bien comprendre que *de suite* veut dire *l'un après l'autre, d'affilée, sans solution de continuité.* C'est en quoi il s'opposerait à *tout de suite*, qui lui signifie *immédiatement, sans délai, sur le champ*. Mais c'est précisément là que commencent les difficultés car il est absurde, en pure logique, d'opposer *de suite* à *tout de suite*, qui n'est jamais que son augmentatif.

L'exemple cité pour condamner *de suite* est toujours le même, c'est le fameux *la concierge revient de suite*, inscription griffonnée ou panneau que l'on voyait jadis sur la porte des loges. « En fait, dit Dupré, ce qui rend inacceptable l'emploi de *de suite* au sens d'"immédiatement", c'est qu'il ne s'agit pas du tout d'un trait de langage courant (qui ne dit que : "tout de suite"), mais d'une hypercorrection, d'une fausse élégance ridicule due à l'ignorance. La concierge dit : *je reviens tout de suite*, mais elle croit que "ça fait mieux" d'écrire qu'*elle revient de suite*. Avaliser cet emploi, ce serait avaliser la sottise prétentieuse. » Nul ne prétend avaliser *je reviens de suite* mais il est peu probable qu'il s'agisse dans l'esprit de la concierge d'une "hypercorrection". Si *de suite* n'est pas recevable, en cet emploi, c'est que reste en suspens la question *suite de quoi ?* Pour que *de suite* ait un sens, son sens, il faut au moins deux actions, deux verbes. *De suite* est presque généralement condamné, pourtant il serait loisible d'écrire : « Il est rentré de Madrid le 26 au matin et *de suite* il est parti pour Londres ». « Elle a remis son roman à son éditeur et de suite s'est mise à sa pièce de théâtre ». « Il a été condamné et exécuté de suite ». Mais on passerait à tort pour avoir tort.

On voit bien à ces exemples que le sens "légitime" de *de suite* (*aussitôt après*) et celui de *tout de suite* (*immédiatement*) sont souvent extrêmement proches, jusqu'à se confondre même. Et l'on s'en félicitera, car rien n'est plus artificiel que l'opposition entre ces deux locutions, que ne séparent structurellement qu'un degré d'intensité. Mais si *de suite* est en partie sauvé par les précisions qu'on vient de rappeler, et si *tout de suite* n'est qu'un *de suite* renforcé, c'est à *tout de suite* qu'on pourrait chercher noise, car souvent il se dispense de toute idée de suite. À *je reviens tout de suite* on pourrait faire les mêmes objections qu'à *je reviens de suite* : *de suite à quoi* ? *De suite* à quelque chose que la phrase ne dit pas, *de suite* à une abstraction syntaxique, *de suite* à un sous-entendu sémantique : *de suite* à mon absence, *de suite* à mon départ, *de suite* à mon action présente de vous parler, ou de vous écrire.

Il faut s'y résigner : en bonne logique, si l'on compromet *de suite*, on compromet aussi *tout de suite*. Et réciproquement. Et inversement. Mais il faut alors se résigner à bien pis : la langue, malgré tous les efforts des grammairiens, n'obéit pas à la bonne logique. Son existence est pleine d'aléas, de foucades, de malentendus, de détournements de sens, de luttes pour le pouvoir et pour la différence. On ne peut faire que des constatations, sans essayer d'expliquer : *tout de suite* est reçu partout, *de suite* est consigné « au rang du parler concierge » (Grevisse). C'est parfaitement injuste, pour *de suite* et pour les concierges. Mais il y a de moins en moins de concierges, et elles ne sont pas près de revenir.

De suite après est un pléonasme caractérisé. Cependant, si c'est le cas, *tout de suite après* devrait ne l'être pas moins. Or personne ne lui a jamais fait le moindre reproche...

Voilà un de ces endroits où le sens nous quitte, comme coule le sang du Roi-Pêcheur. Il coule de nous comme il coule de la langue, par la blessure irrefermable. Elle le porte, il n'existe que par elle, pourtant sans cesse il lui échappe, et il nous fuit. Tout est à recommencer. Et tout recommence, mais c'est une autre langue, un autre monde, un autre nous.

détermination. Même l'oreille exercée à l'écoute de la langue, on rencontre incessamment des bizarreries qui démontent l'esprit, au moins pour un moment. Ainsi, à propos d'une jeune musicienne, dont une journaliste vantait les mérites : *Dès ses débuts, elle se fait remarquer non seulement par son talent, mais par son application, sa volonté, et son déterminisme.* Bigre, se demande-t-on. En quoi le déterminisme est-il spécialement une qualité pour une jeune musicienne, et d'ailleurs, qu'est-ce que ce peut bien être en pareil cas ? Et puis on s'avise, d'après le contexte, que sans doute la journaliste a voulu dire détermination.

deuil. → *travail du.*

deuxième, second. On parle beaucoup d'une nuance de sens ou de condition de l'emploi entre *deuxième* et *second,* mais il faut bien reconnaître qu'elle n'est pas claire, et que si elle existe elle est assez récente. Littré la juge arbitraire. Hanse la récuse fermement : « Ne vous laissez pas impressionner par ceux qui prétendent qu'il faut dire *second* quand il est question de deux personnes et de deux objets et *deuxième* s'il y en a davantage. *Second* et *deuxième* se valent. » (*Dictionnaire des difficultés grammaticales et lexicologiques*).

Capelovici, au contraire, en est chaudement partisan : « **Second** est considéré comme le synonyme de **deuxième**. Mais il n'en est pas moins utile d'employer **second** quand l'énumération s'arrête à deux, et **deuxième** dans le cas contraire. De la sorte, en parlant du **second** étage d'une villa ou de la **seconde** épouse d'un homme, on indique clairement qu'il n'y a respectivement que **deux** étages et **deux** épouses... » En France, on parle de la Deuxième République parce qu'il y en a eu bien d'autres, et du Second Empire parce que la liste s'arrête là. Question : comment appelait-on la Deuxième République sous la Deuxième République et sous le Second Empire, quand rien n'assurait qu'il y aurait un jour une Troisième République ? Et dans l'hypothèse peu probable où il y aurait en France une restauration impériale, faudrait-il changer le nom du Second Empire ?

D'autre part, pourquoi parle-t-on de la classe de *seconde*, alors qu'il existe bel et bien une *troisième*, une *quatrième*, etc. ? Capelovici avance ici une explication qui semble assez spécieuse : « On parle de la classe de **seconde** d'un lycée parce que la **seconde**, la première et les classes terminales (baccalauréat) constituent un tout, qui est le **second** cycle de l'enseignement secondaire ».

La ligne de défense est assez faible, on le voit. La distinction d'usage entre *deuxième* et *second* est assez mal fondée en droit, et en histoire, et en raison. Peut-être mérite-t-elle d'être conservée, toutefois, en tant que convention pure, parce qu'elle est d'une certaine utilité. Et puis d'aucuns ont le goût de la contrainte — laquelle peut bien être aussi productive, sans doute, dans la langue qu'en littérature...

deuxième jeunesse. On *trouve* une deuxième jeunesse, on n'en *retrouve* pas. Ce qu'on *retrouve*, éventuellement, c'est une *première* jeunesse — la jeunesse en somme, la vraie.

Le Paris-Dakar veut retrouver une deuxième jeunesse (*Le Monde*, 1ᵉʳ janvier 1998).

deuxième personne (récit à la deuxième personne). → *tu,*
vous.

    développer. Quels facteurs expliquent que certaines personnes
développent une forme grave du Covid-19 quand d'autres ne
connaissent qu'une version asymptomatique de la maladie? (*Le*
Point, 25 septembre 2020).

Anglais pur, et confusion de l'actif et du passif : ce ne sont
pas les personnes qui développent une forme grave d'une maladie, elles s'en garderaient bien (à moins de vouloir absolument
mourir, ou se faire plaindre) ; c'est la forme grave, ou la maladie
elle-même, qui se développe en eux.

    direction. Comme une traînée de poudre s'est

répandue la mode de ne plus dire que *direction...*,
au lieu de *en direction de...* Ce raccourci paraît
venir du langage de la gendarmerie et des constats
d'accidents, à moins qu'il n'ait son origine dans
les annonces des chefs de gare (*direction Moissac,
Castelsarrasin, Valence-d'Agen, Agen...*) ou dans les
panneaux du métro parisien (*direction Gallieni,
direction Nation par Charles-de-Gaulle-Étoile*).

Je les ai plantés là direction mon lit.

On est partis dare-dare direction la mer.

J'ai relu ce que j'avais écrit, c'était nul : j'en ai fait des boulettes,
direction la corbeille à papier.

Le tour est très familier, mais sans doute pas beaucoup plus que *crainte de* à son apparition, il y a deux ou trois siècles. Il n'y a pas lieu de l'officialiser trop vite, et de croire prématurément qu'il appartient au langage *neutre*, comme font les jeunes gens qui manquent d'oreille pour les niveaux de langue (ou qui ignorent leur existence). Mais il n'est pas exclu qu'on lui trouve dans le futur une sorte d'élégance commode et cavalière.

discrimination. Tel, et celui-là ne manquerait pas d'arguments, qui voudrait établir que nous vivons dans un monde à l'envers, *upside down* (le faussel*?), pourrait s'appuyer sur le mot *discrimination*, qui lui fournirait l'exemple parfait d'un rigoureux retournement de sens. Le terme est relativement récent en français (1877, d'après Alain Rey) mais, tant sous sa forme latine (*discriminatio*) que sous sa forme anglaise (beaucoup plus anciennement active que la forme française, et qui d'ailleurs a joué un rôle capital dans le retournement), il a tenu une place essentielle dans la tradition philosophique et morale occidentale. La discrimination, l'art de distinguer, de séparer, de peser et de repeser le bien et le mal, c'est la vertu des vertus, aussi bien pour le cœur que pour l'intelligence, dont elle est le fondement s'il faut en croire Théodule Ribot, dans sa *Psychologie anglaise*.

« Ce changement d'état (par lequel la conscience passe d'une modification à une autre), c'est la discrimination, et c'est le fondement de notre intelligence. » (*Grand Robert*).

Or donc, cette plus haute des qualités de l'esprit et de l'âme, de la conscience en les deux sens du terme — clair sentiment de la présence au monde et jugement éthique —, voici que par un renversement complet elle devient le plus épouvantable des péchés idéologiques. Née du *discrimen* latin, la ligne ou le point de séparation, *ce qui sépare*, *ce qui écarte*, ce qui distingue, où il est évidemment tentant de lire ce qui éloigne, écarte ou dissuade *du crime*, la discrimination est devenue le crime des crimes, celui qui ne saurait être pardonné, celui dont dépendent et procèdent tous les autres. Et dans une perspective taylorienne et fordienne, qui désigne comme principe opératoire du monde contemporain, autant que le remplacement, l'écrasement, l'écrabouillement, la confusion, le mélange, l'abolition de toutes les distinctions et de la distinction elle-même, contraire par définition aux objectifs industriels de l'homme remplaçable et aux normes de production de la MHI*, on s'étonnera mal qu'il en aille ainsi. On ne s'en accommodera pas pour autant. Le crime c'est que la discrimination soit un crime, alors qu'elle est la sagesse même.

disparaître. S'adressant à des personnes qui viennent d'être frappées directement par le deuil, il n'est pas douteux qu'il faille prendre certaines précautions oratoires, et éviter les termes qui pourraient paraître trop brutaux.

Cette délicatesse, cependant, est poussée parmi nous jusqu'à un point absurde. *Mort*, ce mot magnifique, grandiose et simple, et qui paraît si noblement accordé à ce qu'il désigne, si consolant, même, par sa grandeur tragique et vibrante, est à peu près banni désormais, non seulement des conversations de circonstance, ce qui peut s'expliquer, mais même des commentaires publics.

On ne *meurt* plus, on *disparaît*. Les chroniques nécrologiques, dans les journaux, sont rangées sous la rubrique *disparition*. Ces euphémismes institués, outre la sévère perte en dignité qu'ils impliquent, pour le mort et la mort, sont d'autant plus mal venus que *disparaître* et *disparition* sont des mots parfaitement vivants dans leur sens original, et dont on aurait pu penser, donc, qu'ils n'étaient pas disponibles pour la signification nouvelle qu'on leur impose.

DISPARITION DE FRANÇOIS SIGNOL : le député de la troisième circonscription des Bouches-du-Rhône, qui venait d'être réélu... Bref, il est mort. Mais on est forcé de lire l'article lui-même pour s'assurer que c'est bien là ce qu'il faut comprendre. Car d'après le seul titre, une fois de plus, on pourrait penser aussi bien que ce malheureux a été enlevé, ou qu'il a décidé de tout quitter — sauf la vie, justement.

Ailleurs on apprend que Bonnard, en 1942, fut très affecté par la *disparition* de son épouse. Est-elle partie avec un autre homme ? En a-t-elle eu assez des baignoires ? Ce mot de *disparition*, fausse pudeur, est à l'origine de toute sorte d'ambiguïtés, qui n'ont aucune raison d'être. Il est excusable avec les veufs, encore une fois, les veuves, les amants, les enfants, les parents, les amis très proches. Mais hors de ce cénacle et des rites funèbres, rien ne peut l'autoriser à détrôner *mort*.

À sa décharge, cependant, pour ne pas se montrer trop sévère :

Morrer é so nao ser visto

(Pessoa : *Mourir est seulement n'être pas vu.* Mais à ce compte-là les morts sont nombreux parmi nous.)

distanciel. Le couple covidien distanciel / présentiel tend à prendre la relève du pénible en interne / à l'international, mais hélas ne le fait pas disparaître. Au contraire, il lui donne une nouvelle vie :

Le distanciel risque de devenir la règle à l'international mais en interne le présentiel résiste mieux que prévu.

Le distanciel avec les gens que tu bosses avec c'est du présentiel avec tes gamins en même temps ; c'est ça qu'est hyperimportant de bien voir aussi.

diversité. De même que la variété a remplacé la musique* et pris son nom, consacrant de manière éclatante, ce faisant, le Petit Remplacement, de même la diversité remplace le peuple indigène et prend son nom, accomplissant ce faisant le Grand Remplacement. Pendant ce temps *le divers décroît*, ainsi que l'observa fulguramment, en son époque, Segalen. Plus s'accroît au sein des nations la prétendue "diversité", plus se resserre sur le monde l'emprise diabolique du Même. Plus se répandent dans les société particulières les dits "issus de la diversité" (sic), plus se ferment toutes les issues vers un quelconque extérieur au bidonville* global, à la banlieue universelle, au Bidon-Monde.

À force de mentir et de jouer son rôle d'agent foudroyant du Même, à force de servir de couverture à la micro-diversité, la diversité de nation, tandis qu'elle vient définitivement à bout de la macro-diversité — la diversité du monde, le divers —, à force, le mot *diversité* est devenu un des syntagmes-clefs du faussel*, la langue et la réalité de rechange du négationnisme*-génocidaire davocratique*. À *jeune* pour dire *occupant*, à *quartiers populaires* pour dire *territoires occupés*, à *transferts sociaux* pour signifier *transferts raciaux* ou *tribut*, à *logement social* pour faire comprendre *logement racial, changement de peuple et de civilisation, nettoyage ethnique*, il ne faut pas oublier d'ajouter *diversité* pour dire *colonisation, Grand Remplacement*, *génocide* par substitution*. Chaque fois que le pouvoir davocratique* et le parti négationniste-génocidaire unifié appellent à plus de "diversité", ils n'expriment rien d'autre que leur impatience et celle de leurs commettants, leur désir ardent de voir s'accélérer encore le génocide par substitution. L'incessante incitation autoritaire et menaçante à la diversité ne fait que répéter, au peuple remplacé hébété, « meurs, disparais, comprends et admets que tu n'as plus de pays, que nous avons livré celui que tu avais à d'autres peuples plus conformes à nos vœux ».

docteur (**pour** *médecin).* Il se trouve que pour avoir la qualité professionnelle de *médecin*, il faut être *docteur en médecine.* Tous les *docteurs* ne sont pas *médecins* (il y a des docteurs en droit, des docteurs en philosophie, des docteurs en sciences sociales, etc.), mais tous les médecins sont *docteurs.* En revanche ils ne sont pas *des docteurs. Docteur,* c'est un titre, ce n'est pas un état, ce n'est pas le nom d'une profession. Bref les deux mots ne sont absolument pas synonymes, et donc ils ne sont pas interchangeables.

On ne va pas *chez le docteur,* on va *chez le médecin.* Il ne faut pas *appeler un docteur,* il faut *appeler un médecin.* Toutefois on appelle un médecin *docteur,* car on lui donne son titre en s'adressant à lui. On le nomme également *docteur,* avec l'article, quand on parle de lui en sa présence : « Ce que le docteur voudrait savoir, c'est depuis combien de temps tu ressens ces crampes au côté ? ». Quand on parle d'un médecin particulier, on le désigne par son titre et son nom : « Vous pourriez peut-être vous adresser au docteur Chapuis, il est très serviable et compétent ».

Si l'interlocuteur n'a aucun doute sur le médecin particulier dont on veut parler, on peut abréger et lui donner seulement son titre : « Le docteur vient d'appeler, il sera ici dans une vingtaine de minutes ». C'est d'ailleurs par cette tolérance que s'engouffre le malentendu, le plus souvent. Il reste qu'un médecin indéterminé ne saurait être *un* docteur. Si les douleurs persistent, il faudra absolument voir *un médecin,* pas *un docteur.*

domestique. Le substantif domestique est en train de sortir de l'usage, sauf pour des périodes historiques révolues. Aujourd'hui il n'y a plus guère de domestiques, mais plutôt des employés de maison ou des femmes de ménage, voire des auxiliaires de vie, qui expliqueront volontiers qu'ils ne sont pas des domestiques. L'adjectif, lui, ne se porte pas beaucoup mieux. Il vit, dans une certaine mesure il prospère, même, mais il est devenu anglais, ou anglo-saxon.

Nous avons eu l'occasion de le remarquer cent fois, les mêmes mots connaissent des évolutions très différentes dans des langues différentes. C'est notable entre le français et l'anglais. Il n'est que de songer à initier, à supporter, à définitivement*. On peut leur ajouter domestique. L'adjectif domestique signifie en français qui concerne la maison (et pas seulement l'éventuel personnel, les domestiques) : "J'ai été retardé par toute sorte de problèmes domestiques, l'évier bouché, la clef perdue, la moitié des ampoules à changer, etc." : ou bien : "Il faudrait essayer de faire quelques économies sur le plan domestique, les courses, le gaz, l'électricité...". En anglais, que ce soit d'Angleterre et des États-Unis, domestic signifie intérieur, notamment pour ce qui concerne l'État, la nation. Et comme la plupart des journalistes parlent et pensent anglais* en français, que leur anglais n'est jamais si bon, même, que lorsqu'ils parlent français, et qu'un nombre croissant de locuteurs indigènes, pardon domestiques, sont dans le même cas, le sens français s'efface doucement devant le sens anglais, et lentement il disparaît. C'est un des signes les plus parlants de la colonisation culturelle et langagière américaine, à laquelle les Français paraissent opposer peu de résistance. Ils parlent de *vols domestiques,* pour les vols intérieurs, et s'inquiètent des difficultés croissantes que rencontre le président Macron, tant sur la scène internationale que *sur le plan domestique* (dans la politique intérieure française).

dont. Il faut se souvenir que *dont* est une forme concentrée de *duquel, de laquelle, desquels, desquelles,* toutes formules relatives qui, plus ou moins clairement, mais sans aucun doute possible, s'ouvrent sur un *de.* Si donc la phrase vient de comporter un *de,* on peut se dire que la moitié du travail de *dont* est déjà accompli, et qu'il n'y a pas lieu de le répéter. C'est une des fautes les plus courantes du français contemporain. Ce qu'elle a d'amusant, c'est qu'elle ne procède nullement de la négligence, mais d'un scrupule, ou bien d'un excès de zèle. À la radio ou à la télévision on entend couramment : *C'est de l'Espagne* dont *nous allons vous parler maintenant. Que* serait bien suffisant, et même seul correct.

C'est de Mme d'Abrantès dont je parlais, dit Mme de Berny jalouse, dans le *Balzac* de TF1. Et un autre personnage, la mère, peut-être : *C'est de lui dont je suis venu te parler.* Et un autre encore (on sent que tous les dialogues ont été écrits par la même personne, qui commet indéfiniment les mêmes fautes) : *C'est de vous dont il parle, Balzac.* Il est vrai que le héros lui-même ne s'exprime pas beaucoup mieux. On se demande comment il est arrivé à écrire ses livres : *Ma santé va s'altérer jusqu'à craindre le pire,* dit-il — pauvre santé, elle doit être bien inquiète... (→ *construction*).

C'est pourtant de cette science divine dont l'homme a besoin pour vivre. (*Le Monde,* vendredi 18 juillet 1997). Les rapports entre *là* et *où* sont tout à fait du même ordre. "C'est là que vous devez vous rendre", non pas *c'est là où vous devez vous rendre.* (→ *c'est là que*).

De ce genre de faute par excès de zèle relève aussi le fameux titre de Françoise Hardy, *C'est à l'amour auquel je pense. Que,* là aussi, aurait amplement suffi. On pourrait toutefois imaginer des constructions un peu plus complexes qui parviendraient à sauver du désastre de pareilles phrases mal engagées : "C'est à l'amour auquel je pense que je dois tout mon bonheur", ou bien : "C'est de l'Espagne, dont nous allons vous parler maintenant, que nous arrive le professeur Salgado".

C'est de justice dont ont besoin ces pays (France Culture, 16 octobre 2020).

On doit à la vérité de reconnaître que cette construction qui nous semble fautive, et qui l'est (ici les précautions oratoires d'usage), était courante à l'âge classique. On la trouve à chaque scène chez Marivaux :

« C'est de cette paysanne dont il s'agit » (*La Surprise de l'amour*, acte II, scène I).

« … c'est de ces manières dont je te parle » (*La Double Inconstance*, acte I, scène III).

« Arlequin entre, la tête dans l'estomac, *ou de la façon niaise dont il voudra*, son maître à danser, la Fée, Trivelin » (*Arlequin poli par l'amour*, acte I, scène 2, didascalie).

« Damon ! mais ce n'est pas de lui dont je parle » (*La Joie imprévue*, Scène XXII).

Etc.

Regnard n'en agit pas autrement : « Ce n'est pas de vous dont je veux parler » (*Le Retour imprévu*, 12).

Littré cite un exemple emprunté à Molière, mais sa condamnation n'en est pas moins formelle pour ce qui est de son temps et du nôtre :

« C'est un pléonasme aujourd'hui condamné, que de dire : C'est de lui dont je tiens la nouvelle. Dans le XVIIe siècle ce pléonasme était toléré : Ce n'est pas de vous, madame, dont il est amoureux » (Molière, *Les Amants magnifiques*, II, 2).

Nous avons vu que la tolérance durait encore au XVIIIe siècle. Grevisse donne de ce tour des exemples littéraires plus récents encore, mais il y voit des archaïsmes.

« Dans l'usage moderne, cela est archaïque : *C'est DE M. de Féronce DONT je parle* (B. CONSTANT, *Journal intime*, p. 198). — *Car tu as sans doute deviné que c'est DE lui DONT il s'agit* (Th. GAUTIER, *Mlle de Maupin*, IV). — *Ce n'est pas d'épées dont ils ont besoin mais de foi* (Fr. MAURIAC, *Vie de Jésus*, p. 240) (*Le Bon Usage*, 1162, p. 590).

C'est naturellement Littré qui a raison : le pléonasme est évident, et même criant. Jacques Capalovici l'appelle une redondance :

« **DONT**. Ce pronom relatif a pour équivalents **de qui**, **de quoi, duquel**, etc. qui contiennent la préposition **de**, ce qui donne tort à tous ceux qui n'hésitent pas à dire, par exemple : "C'est **de** vous **dont** nous parlons" au lieu de : "C'est **de** vous **que** nous parlons" ou de : "C'est vous **dont** nous parlons". De la même façon la tournure fautive : "C'est **de** la Corse **dont** il est question" devra céder la place à : "C'est **de** la Corse **qu'**il est question", qui élimine la redondance ».

Mais comment une construction admise aux grands siècles de nos Lettres a-t-elle pu devenir, très légitimement, une faute à l'heure de leur décadence ? C'est que littérature et grammaire n'avancent pas au même rythme, ou bien, pour parler comme on parle, ne sont pas soumises à la même temporalité. Il est assez fréquent d'autre art qu'une décadence, ou même une menace sur la survie d'une institution quelconque, langue ou État, soient concomitantes avec une exaltation compensatoire de la logique ou de la pompe, en un mot de la *forme*, qui a le mérite de ne coûter rien. Ainsi le vieux royaume de Corée moribond ressent-il le besoin de devenir un empire, comme ses puissants voisins, Chine et Japon, au moment précis où le second, au moins, attente gravement à son indépendance et va bientôt y mettre un terme, dans les dernières années du XIXe siècle. Le français n'a sans doute jamais été plus logiquement ordonnancé qu'au milieu du XXe siècle, quand déjà la France et sa littérature donnaient de graves signes d'épuisement. Que d'autre part cette construction sévèrement pléonastique soit devenue une des fautes les plus largement répandues du parler et même de l'écrit contemporains, alors que les temps anciens n'y trouvaient rien à redire (pas un mot là-dessus dans Vaugelas, ni dans la *Grammaire de Port-Royal*), pourraient bien donner à penser que les "fautes", souvent, viennent des plus lointaines profondeurs de la langue, et quelles ont autant et plus à nous dire sur ces entrailles que les formules officiellement admises par l'effet d'une réflexion scientifique toute hermogénienne. Dans cette perspective — difficile à admettre par un cratylien passionné —, ce serait la faute qui serait cratyliennne, et la règle hermogénienne.

C'est aussi de cette dimension locale dont on se souvient dans le Loir-et-Cher (décembre 2020, à propos de la mort du président Giscard d'Estaing).

Non, non, vous avez bien lu, c'est bien de la 6G dont il est question.

d'où ? où ? (T'es d'où ?). La pratique des "moyens modernes de communication", comme on dit — le minitel, internet, etc. — vous met fréquemment en communication avec des personnes qui ne savent pas où vous êtes et qui gentiment s'en informent. Or il arrive de plus en plus fréquemment qu'elles vous demandent, pour ce faire, *vous êtes d'où ?, t'es d'où ?* Vous avez d'abord du mal à bien comprendre et vous êtes surpris qu'il soit si essentiel, si tôt dans les échanges, que soit précisée votre origine géographique, voire ethnique. Mais un peu d'expérience vous fait découvrir, assez rapidement, et non sans quelque étonnement, que *vous êtes d'où?* ou *t'es d'où?* veulent dire en fait, dans la plupart des cas, *vous êtes <u>où</u>?* ou *tu es <u>où</u>?*

Il semblerait que dans l'esprit de beaucoup de gens, de *jeunes* gens, en particulier, il n'y ait plus de différence entre *où?* et *d'où?* Vous avez du mal à vous en convaincre, tant la différence, à vous, paraît énorme. Mais les faits sont là : *t'es d'où* signifie maintenant, le plus souvent, *t'es où? où es-tu?*

Peut-être les correspondants invisibles croient-ils dire, ou vouloir dire, *d'où appelles-tu?* Mais ce n'est pas ce qu'ils disent, ni ce qu'ils écrivent. Et ils ont tout à fait tort.

Il est vrai que les questions d'origine, dans la société française du tournant du millénaire, sont par excellence un domaine d'échange délicat, un terrain miné. Peut-être cette société, "inconsciemment", a-t-elle pris le parti de priver de leur sens, discrètement, les instruments qui servaient à l'exploration de ce champ périlleux. Il y a aussi que le pauvre *d'*, une lettre entée d'une apostrophe, peu de chose, presque rien, était bien étroit d'épaules pour soutenir à lui tout seul le poids de toutes ces significations immenses, fondamentales, essentielles, *où êtes-vous né?*, *d'où venez-vous?*, *quelle est votre origine?* Il a fléchi sous elle, il les a laissé tomber. Il est toujours là, mais il ne veut plus rien dire. Un peu d'être et de sens ne saurait lui être rendu qu'au prix d'un maniement précautionneux, qui se rappelle ce qu'il est, d'où il vient, et tout ce qu'on lui doit.

drastique. Drastique est un mot à la mode depuis plusieurs lustres. Sa faveur est incontestablement un anglicisme, mais il n'en est pas un lui-même. Dans le sens aujourd'hui le plus usuel de *draconien, très énergique*, sa première attestation française est considérée comme un germanisme (Alain Rey). Littré donne en effet une citation du germaniste Ange-Henri Blaze de Buzy, traducteur de Goethe, auteur de *Écrivains et Poètes de l'Allemagne*, qui exprimait dans la *Revue des Deux-Mondes* du 15 octobre 1875 cette opinion qui n'a guère vieilli : « Ce qu'il y a de pire dans le *Faust* de M. Gounod, c'est de se substituer dans la mémoire du public au *Faust* de Goethe, et de vulgariser des notions fausses sur les personnages et sur quelques scènes drastiques de la tragédie ». Commentaire du lexicographe : « Cet emploi de *drastikos*, emprunté aux Allemands, n'est pas à imiter ».

L'origine grecque est évidente, encore que *actif, énergique*, en grec classique, se soit plutôt dit *drastirios* que *drasticos*. L'air et le feu sont des éléments *drastiques.* Chez les Stoïciens *drastique* s'oppose à *pathétique.*

L'acclimatation française remonte au XVIIIe siècle. Mais le mot est alors très spécialisé dans un sens médical, et plus précisément purgatif. On appelle alors *drastiques* (substantif) les purgatifs les plus violents : la coloquinte, le jalap, la colchique, l'aloès, la bryone, le nerprun, la scammonée, etc. C'est peut-être à cause de cette spécialisation, encore opérante au XXe siècle, et de ses connotations éventuellement désagréables, que Littré désapprouvait l'élargissement de sens de l'adjectif et son emploi "germanisant". Mais cet élargissement n'était qu'un retour aux sources étymologiques et savantes.

Drastique peut agacer un peu, sans doute, par son caractère d'enfant chéri des médias. Cependant on ne peut rien contre lui, car ses papiers sont parfaitement en règle.

« La prise de contrôle de Nissan par Renault s'accompagne de mesures drastiques qui laissent les Japonais sous le choc. » (France 2, 18 octobre 1999).

E

échanger. *Échanger* fait partie de ces verbes, assez nombreux, qui, comme *aimer, adorer, manger, enseigner, communiquer,* de transitifs qu'ils étaient, sont devenus intransitifs, comme des individus changent de sexe, ou, à défaut, de sexualité. On échangeait des nouvelles ou des informations, on s'est mis à *échanger* tout court, par simple élimination des compléments, jugés sans doute inutiles :

Lui qui prenait le temps d'échanger longuement avec l'ouvrier d'usine et le paysan (Emmanuel Macron à propos de Jacques Chirac au moment de sa mort, 28 septembre 2019).

Il doit échanger avec cinq cents Français.

Après avoir échangé avec François Bayrou, je me rendrai à Pau en fin d'après-midi pour rencontrer les personnels de l'association ainsi que les élus à la suite de la dramatique agression de ce matin (ministre de l'Intérieur, tweet, 19 février 2021).

échouer. Conformément à un mouvement général maintes fois relevé entre ces pages, ne serait-ce qu'à l'entrée précédente, les verbes transitifs tendent à devenir intransitifs (*J'adooooore...*), tandis que les verbes intransitifs deviennent transitifs — ainsi d'*échouer*, semblerait-il, bien que je n'aie relevé qu'une occurrence, mais très belle :

> *On aura quand même tout échoué, dans cette affaire* (France Culture, avocate de détenus djihadistes en Syrie).

éclater. *Éclater* connaît un destin assez semblable à celui d'*exploser**. Dans la langue familière la forme pronominale *s'éclater* en est venue à signifier "bien s'amuser", "prendre beaucoup de plaisir" : *On s'est vraiment éclatés*. Par contagion, cette forme pronominale familière a déteint sur la forme traditionnelle, avec des effets assez cocasses :

> *La notion de sacralité s'est éclatée* (France Culture, 9 juin 2015). Elle ne s'est pas amusée comme une folle, elle s'est divisée en plusieurs morceaux : elle *a* éclaté.

écoper. *Écoper* signifie vider (en général un bateau) avec une écope, une pelle creuse spécialisée dans cette fonction. Dans le registre familier, ce verbe, transitif indirect dans cette acception là (écoper de), veut dire recevoir (quelque chose de mauvais), se voir infliger (des coups, une bonne raclée, une engueulade de première, six mois de prison...). Le problème est que beaucoup de personnes, notamment parmi les journalistes, qui sont les plus audibles, ne sont plus sensibles aux registres de langue et ne se rendent pas compte qu'*écoper*, dans ce deuxième sens, le plus fréquent, est du quasi-argot et n'a strictement rien à faire dans un mode de l'échange ou de la communication qui ne serait pas tout à fait intime et familier ; *a fortiori* lorsque l'information prodiguée est par elle-même tout à fait grave, voire tragique. Or beaucoup de chroniqueurs se sont persuadés qu'on ne pouvait plus qu'*écoper* d'une condamnation judiciaire, fût-elle la plus lourde. Ils confèrent involontairement, ce faisant, à la nouvelle qu'ils apportent, une touche badine et guillerette la plupart du temps tout à fait déplacée

L'ex-président égyptien Mohammed Morsi a écopé de la peine de mort.

écurie (sentir l'). Les expressions idiomatiques, on a souvent l'occasion de le relever ici, sont un des domaines où la méconnaissance du français s'est le plus gravement élargie. Elles ne disent pas exactement ce qu'elles disent. Mais si par malheur elles ont un sens littéral, autre que leur sens idiomatique, ce sens littéral toujours présent, et qui peut être compris sans qu'il soit besoin de faire appel à des connaissances extérieures à lui, tend à l'emporter sur l'autre, et même à le remplacer tout à fait. Ainsi *sentir l'écurie*, ou plus exactement *ça sent l'écurie*, expression empruntée au monde du cheval et qui fait allusion à ce moment où l'animal, sentant qu'on n'est plus loin de son lieu de repos et sustentation familier, hâte le pas ou la course, pour être plus vite au logis. *Ça sent l'écurie* signifie donc deux choses, ensemble ou séparément : que l'objectif n'est plus très éloigné, qu'*on y est presque*, et que l'effort pour l'atteindre va être grandement facilité par la conviction de sa proximité. Hélas il est probable qu'une majorité de Français, pour ne rien dire des étrangers, ne comprennent plus du tout *ça sent l'écurie*, et, doublement hélas, comprennent tout à fait autre chose, quand ils entendent ou lisent ces mos-là.

J'ai le souvenir affreux d'avoir dit jovialement *ça sent l'écurie* dans une voiture confinée où se pressaient plusieurs passagers, à l'issue d'un long voyage éprouvant. J'ai bien vu à leur tête, et à leurs regards et discrets reniflements soupçonneux, y compris sur eux-mêmes, que mon choix de mots n'avait pas été heureux.

efficient. *. . . dans le but de rendre plus efficientes* [sic] *ces services.* (France Culture, 12 janvier 2015).

Évidemment les personnes qui disent *efficient* pour *efficace* pourront toujours répondre, si on leur reproche un anglicisme, et si elles ont eu le temps de préparer leur dossier, qu'*efficient* existe parfaitement en français, et même depuis 1290. Il s'agit d'un de ces usages coupables qui exaspèrent d'autant plus les juges que la preuve du délit est impossible à apporter. On peut être certain que dans quatre-vingt-dix-neuf pour cent des cas qui dit *efficient* pour efficace parle anglais en français, cela depuis le milieu du XXe siècle à peu près. Mais les poursuites sont impossibles, à cause de la présence pluriséculaire de l'adjectif *efficient* au sein de notre langue, dans le vocabulaire scolastique d'abord, théologique et philosophique plus tard. Il n'en reste pas moins que le recours à ce terme étranger et prétentieux est bien exaspérant, d'autant qu'il n'a pas l'excuse d'un manque dans notre idiome national.

effondrement syntaxique.

C'est un poète qui a arrêté d'en faire.

. . . un réalisateur qui a été refusé de visa pour Cannes... (France Culture, "Répliques", 19 mai 2018).

Est-ce qu'un maire qui entretient le flou sur son appartenance il fait pencher la balance de quel côté selon vous ? (France Culture).

Mais elle elle est déjà dans le on me regarde donc j'existe (France Culture, à propos d'Anaïs Nin, 24 août 2020).

On n'a même pas une idée de quand on va pouvoir remettre la machine en fonctionnement.

Est-ce qu'on a une idée de quand on pourrait franchir ce stade ? (France Culture, "informations").

On peut parler de comment enseigner les valeurs de la République (M. Vincent Peillon, ancien ministre de l'Éducation nationale).

Nous avons des pédagogies* avec* Mme Schnapper sur comment* enseigner les valeurs de la République (id. — là on pénètre dans l'inintelligibilité pure et simple, il me semble).

Il y a un débat qu'on a à l'intérieur du monde éducatif sur quelle est la meilleure manière d'enseigner les valeurs de la République (id.).

Il nous met au cœur de pourquoi les gens n'ont pas parlé (France Culture, "Le Cours de l'histoire", vendredi 11 décembre 2020).

L'idée c'est de toucher un secteur qu'on n'y est pas (invité de France 2, restaurateur se lançant dans la cuisine à livrer à domicile, journal du soir, 8 janvier 2021).

Les collègues de l'enseignant, qui souhaite se reconvertir, se sont mis en grève le lundi 4 janvier et dénoncent être lâchés par leur hiérarchie (*Valeurs actuelles*, 9 janvier 2021).

Le reconnaissance de l'État d'Israël par les Émirats Arabes Unis a évidemment été accueillie bien différemment par les États arabes en fonction de là où il se trouvent.

La loi SRU elle est efficace par rapport à si y avait pas eu la lui SRU (France Culture, expert invité, 2 février 2021) ?

300

J'appelle "effondrement syntaxique" une rupture du pacte grammatical, une façon de parler, ou d'écrire, qui ne fait plus référence à des règles extérieures à elle-même, extérieures à l'usage de son environnement culturel, social ou familial, extérieures à ce sens qu'il s'agit pour le locuteur ou l'auteur de charrier, avec plus ou moins de succès. Regrettable, certes, cet effondrement n'est pas forcément incompatible avec une certaine poésie — poésie des ruines il va sans dire, et qui peut être tragique. Ainsi, à propos des massacres et mutilations de chevaux dont l'atrocité sanguinaire horrifie le pays, environ l'année 2020 :

> *Sur les 500 chevaux mutilés, seulement 16 % sont d'origine humaine* (*24 heures*, 9 décembre 2020).

eh bien. Il serait intéressant de savoir quelle est la proportion de Français qui savent encore écrire *eh bien*… On ne lit plus guère qu'*et bien*. *Et bien* est souvent tout à fait légitime, certes : "Et bien qu'il n'ait rien demandé, il a tout reçu"; "j'étais tout à fait rassuré, et bien content"; mais ne saurait remplacer *eh bien*, locution interjective qui n'a que très peu à voir avec lui et sert à attirer l'attention sur ce qui va suivre, spécialement au regard de ce qui précède.

"Eh bien, qu'en dites-vous ?"

"Eh bien il n'en est absolument pas question."

Mais on lit :

Et bien, et bien, calmez-vous !

Je dois à la vérité de reconnaître que d'après Dupré « Au XVIIe siècle on écrivait souvent : *et bien* ». À moins d'antiglottophobie caractérisée de celui qui en juge, et qui dès lors refuserait d'en juger, et de convenir qu'il y a lieu à jugement, ou même à opinion, ce n'en est pas moins une faute aujourd'hui, et depuis longtemps.

élites. Le terme *élites*, presque toujours employé au pluriel désormais, et dans un sens le plus souvent péjoratif, s'est mis à recouvrir en France, environ le tournant du millénaire, les réalités à première vue les plus inattendues, et les plus éloignées de ce qu'il avait pu désigner dans le passé (alors qu'on ne s'en servait guère qu'au singulier, il est vrai).

C'est un pont-aux-ânes de la pensée socio-journalistique en place que de déplorer la coupure croissante, d'après elle, qui séparerait la masse et les élites. Or on pourrait procéder avec tout autant de pertinence, et peut-être davantage, semblerait-il, à l'analyse exactement contraire, dont il ressortirait qu'en le domaine culturel, à tout le moins (or il était par excellence le terrain d'élection de l'élite), une grande unification est en voie d'achèvement, dans la société française, avec pour résultat qu'il n'y a plus d'élite, ni même d'élites.

Les droits de succession et l'impôt sur le revenu — desquels n'ont su s'accommoder, en les tournant, que les milieux d'affaires —, avaient assuré de longue date les conditions de cette révolution tranquille, invisible, plus efficace cependant, plus profonde et plus durable que la révolution bolchévique en Russie ou que toutes les révolutions sociales patentées. À la classe traditionnellement cultivée ils avaient enlevé, pour peu qu'elle ne fût pas affairiste, les moyens de l'aisance minimale pour persévérer dans l'être et s'assurer l'indispensable loisir intellectuel.

La télévision, longtemps la même pour tous — assez longtemps en tout cas pour que le mouvement fût devenu irréversible — a été l'un des instruments majeurs de ce grand processus d'unification culturelle d'où devaient sortir laminées les élites au sens ancien du terme.

L'autre rôle majeur dans cette évolution fut tenu par le regroupement en un seul, voulu par la Ve République dès les deux septennats gaulliens, des divers systèmes d'éducation qui dans le passé coexistaient sans se mélanger ni même se toucher, "libre" et étatique, confessionnel et laïque, général et professionnel ou technique.

On ne peut tout à fait s'extraire de l'esprit l'idée qu'il y eut chez le général de Gaulle un geste de vindicte à l'égard des classes dirigeantes traditionnelles, dont il n'avait pas pardonné l'attitude majoritaire pendant la guerre, dans la décision qu'il prit, sous son second mandat, d'ouvrir toutes grandes les portes du lycée aux enfants de toute origine sociale. Les portes de l'université le seraient bientôt après. Sans doute les unes ni les autres, officiellement, n'étaient-elles closes à personne auparavant. Mais il fallait pour les franchir des mérites exceptionnels quand on n'appartenait pas de naissance aux milieux culturellement prédestinés à un enseignement de la meilleure qualité. Et certes les objectifs de la réforme Fouché de 1967 traduisaient-ils un désir légitime d'assurer un renouvellement fondamental et démocratique du recrutement des élites. Si fondamental fut ce renouvellement en effet que l'un de ses résultats essentiels, c'est qu'il n'y aurait plus d'élites. Tout le monde serait élevé à la même école par les mêmes "enseignants", ou peu s'en faut ; tout le monde regarderait à la télévision les mêmes idioties ; et la fille du général maurrassien pourrait dire à table, sans étonner le sénateur ni la femme de l'académicien : « Elle est chiante, la prof d'histoire-géo, c'est pas croyable ! » (→ **chiant, chier**).

En échange le fils de l'immigré italien pourrait découvrir Marivaux, ou Gramsci. Et sans doute il y aurait des individus très instruits. Mais très instruits dans tel ou tel domaine particulier — très instruits mais pas éduqués; et bien élevés encore moins.

Le système ne produit plus, au mieux, que des spécialistes et des experts, c'est-à-dire des techniciens, toujours, au champ de compétence sans cesse plus étroit. Sa grande victime est la culture* générale. Elle est d'ailleurs presque ouvertement pourchassée par l'idéologie vertueuse, au moyen d'une assimilation rituelle à la culture bourgeoise. Les dernières tentatives d'évaluation dont elle peut faire l'objet — les grands oraux de l'E.N.A., par exemple — sont régulièrement dénoncées comme futiles, mondaines, et comme des instruments de la ségrégation de classe, parce qu'elles n'ont rien à voir avec le "programme".

Or le "programme" est sacro-saint. Non seulement ce qui n'est pas dans le "programme" n'a pas à être su, mais il est même inadmissible, et très suspect idéologiquement, d'y faire lointainement allusion.

Moyennant quoi des agrégés de Lettres modernes ou de philosophie peuvent très bien n'avoir jamais entendu prononcer les noms de Webern, de Stravinsky, d'Edvard Munch ou de Calderon. Des agrégés de physique prennent Clemenceau pour un amiral, quand ce n'est pas pour un poisson. Des agrégés de mathématiques paraissent surpris d'apprendre qu'il y eut des siècles, et des styles. Mieux encore, des agrégés d'histoire, devant un tableau avec des personnages en costume d'époque, hésitent à décider s'il figure la cour des Valois, ou bien un salon bourgeois sous le Second Empire.

On a pas fait histoire du costume.

D'ailleurs ils ne savent pas qui est Ninon de Lenclos, ni Giordano Bruno, ni le maréchal Lannes. Ils n'en ont jamais entendu parler. Et si l'on ne peut dissimuler un peu de surprise, tout de même, c'est tout juste s'ils ne vous méprisent pas un peu, sur les bords, d'avoir de l'histoire une idée superficielle à ce point, et le cerveau encombré de ces détails de magazines pour grand public, les personnages.

Ils ne savent pas reconnaître un bâtiment du XVIIIe siècle d'un bâtiment de la Renaissance, mais ils sont incollables sur le cours des grains en Limousin pendant les treize années de l'intendance Turgot — pas dans le Limousin tout entier, bien sûr, mais dans les onze paroisses sur lesquelles ils ont travaillé.

De toute façon, les élites, au sens de la fameuse coupure entre la masse des citoyens et les élites, ce ne sont pas au premier chef les agrégés, et moins encore le corps enseignant dans son ensemble ; mais plutôt les élus, les grands commis de l'État, les technocrates, les grands patrons de l'industrie et de la finance. Or aucune de ces catégories sociales ne semble coïncider avec l'image et les définitions anciennes d'une élite.

Aux élus il faut reconnaître, toutefois, un sérieux avantage étymologique. Élites et élus sont cousins, étroitement apparentés par *élire*. Les élus feraient donc les plus "naturelles" des élites, et sans doute les plus démocratiques. Mais dans les faits cette assimilation n'est guère convaincante.

Aux journalistes, et particulièrement à ceux de la télévision, par définition les plus visibles, il est périodiquement reproché leur caractère censément élitaire, voire élitiste. Non seulement ils feraient partie des élites, mais ils y appartiendraient de naissance, pour la plupart, car ils seraient recrutés presque exclusivement parmi les couches culturellement favorisées de la population, ou dans la classe bourgeoise, selon les terminologies en cours.

Le moins qu'on puisse dire est qu'il n'y paraît guère, en général. Mais les "classes culturellement favorisées", de nos jours, ce sont celles qui habitent des maisons modernes et raisonnablement confortables aux cloisons de siporex, dans des faubourgs sans haine raciale et sans autres violences que les petits rackets coutumiers du lycée — l'équivalent sociologique, en somme, un demi-siècle plus tard, des hôtes des pavillons de banlieue. C'est là beaucoup de monde pour faire une élite, et même plusieurs.

Mais il est tant question de la *fracture sociale*, bien plus encore que du gouffre qui sépare les élites de la masse, que ces deux solutions de continuité, dans le non moins fameux *tissu social*, finissent par se recouvrir et se confondre presque, au sein de l'inévitable *France à deux vitesses*; de sorte que c'est tout juste si ne se trouvent pas constituées en *élites*, à leur corps défendant, et par défaut, par grand défaut, les quelques millions de Français qui se trouvent simplement n'être pas au chômage, n'être pas à la rue, n'être pas immigrés clandestins ni n'avoir maille à partir avec la justice — à moins que ce ne soit sous l'inculpation de *recel** *d'abus de biens sociaux*, ce qui est éminemment compatible, au contraire, avec l'appartenance aux élites nouvelle manière, et même en figure la quintessence.

*

Élite connaît le sort commun des termes collectifs dont l'archétype est le mot de *personnel*. Ils commencent par devenir pluriels, ce qui n'était pas de leur essence (*les élites au XIXe siècle, les personnels de santé*), puis ils finissent par désigner des individus :

Le mois dernier on a eu trois personnels tués par des mines.

C'est une pensée qui est maintenant partagée par de nombreuses élites américaines.

La même mésaventure embarrassante arrive au mot *peuple*, mais dans sa forme américaine, *people* :

Avant le confinement on était une boîte super-lancée, on avait plein de peoples, t'aurais vu, les élites elles adoraient se montrer là, les personnels ils adoraient bosser pour nous, ils se faisaient un blé pas possible en pourboires.

elle (→ il). Mais ici c'est le renvoi lui-même qui *pose problème**, comme mieux vaudrait ne pas trop dire. Pourquoi une entrée concernant la troisième personne du pronom personnel devrait-elle avoir pour titre *il* plutôt que *elle* ? Eh bien, parce que le masculin, grammaticalement, en français, *comprend* le féminin ; parce que c'est le genre de référence ; ou bien, pour tourner les choses autrement, parce que la forme masculine des pronoms, mais aussi des noms et des adjectifs, joue également, si besoin est, le rôle de forme neutre, ni masculine ni féminine, ou plutôt masculine et féminine en même temps — c'est pourquoi le mot *neutre* n'est pas approprié : il s'agit d'une forme bisexuée, qui réunit les deux genres.

Quoi qu'il en soit, et quelque nom qu'on lui donne, cette forme coïncide exactement avec la forme masculine. Elle *est* la forme masculine. Le masculin, en français, a le privilège exorbitant d'être à la fois le masculin et le *masculin-féminin*. Un *voyageur* et une *voyageuse* font ensemble *des voyageurs*. Des *électeurs* et des *électrices* sont ensemble des *électeurs*. Des *Portugais* et des *Portugaises*, réunis, ne font jamais que des *Portugais*, comme si le féminin n'ajoutait rien au masculin, grammaticalement.

Cette situation est profondément injuste, bien entendu. D'autre part elle reflète un état de la société qui n'est plus le nôtre. Mais c'est le propre de la langue, justement, de témoigner d'une phase antérieure, ou même *très* antérieure, du rapport des forces au sein d'une civilisation, d'un amont de l'éternel conflit des classes et des sexes, d'un moment qu'on voudrait croire *adamique* (mais pourquoi ne dit-on pas *évien*?) de la parole, plus près de sa "source chantante", à la fois, et cependant plus coupable. Le paradoxe est que cette même langue "naturellement" archaïque et conservatrice, réactionnaire, voire « fasciste », à en croire Barthes [1], est le seul instrument dont dispose le futur, non seulement pour s'exprimer, mais simplement pour s'inventer.

Patriarcal, curieusement, n'est pas tout à fait le masculin de *matriarcal*. Le sens n'est pas exactement semblable, même *mutatis mutandis*. Les deux significations ne sont pas tout à fait symétriques. La société française n'était peut-être pas exactement *patriarcale*, mais en tout cas elle n'était pas *matriarcale*. *Patrilinéaire* serait peut-être un mot plus juste; ou bien *de droit salique*, bien que le droit salique, ou *salien*, soit largement mythique. Ce qui est certain, c'est que le masculin a toujours été *éponyme** : c'est lui qui donne le mot, le nom et bien entendu le genre, à tout ensemble où il est partie.

Une femme qui se mariait prenait non seulement le nom de son mari, ce qui est encore le cas le plus fréquent parmi nous, mais aussi son prénom. Qu'on se souvienne de la *tante Léonie* de Proust : hors le cercle de famille, elle est appelée *Madame Octave*. Aujourd'hui encore, le "bon usage" — usage *bourgeois*, sans doute, et *archaïque*, certainement; désuet, en tout cas — veut

---

1. *Leçon inaugurale de la chaire de sémiologie littéraire du collège de France*, prononcée le 7 janvier 1977. Éditions du Seuil, 1978.

que, écrivant à une femme mariée, ou à une veuve, on ne lui donne pas son prénom, mais celui de son mari : *Madame Jean Dousset, Madame Pierre de Loysel, Madame André Dastugue*.

Les faire-part de mariage ou de décès sont pleins d'exemples de ce genre. Cependant ils datent sérieusement. Une femme qui a sa propre situation ne s'accommode pas toujours du patronyme de son époux ; elle s'affublera encore moins volontiers de son prénom.

Sur les cartes de visite ou ce qui en tient lieu, sur les boîtes aux lettres, sur les portes d'appartement, *M. et Mme Jacques Masseran*, longtemps la seule formule bourgeoisement admissible, cède tous les jours un peu plus de terrain à *Jacques et Éliane Masseran*, voire à *Éliane et Jacques Masseran*, ou bien à *Éliane et Jacques Masseran-Garcia*, si ce n'est à *Éliane Garcia et Jacques Masseran*.

Cependant, entre ces différentes possibilités, il y a d'importantes nuances sociales et culturelles, comme toujours. Il est sans exemple que la nouveauté n'ait pas paru *vulgaire* aux tenants de l'ordre ancien. Les implications idéologiques sont patentes, et d'ailleurs les incohérences ne manquent pas.

Si l'on choisit de mettre les deux prénoms, par exemple — ce qui témoigne un beau souci d'adaptation à l'égalité censément conquise des sexes —, et si l'on place alors en première position le prénom de la femme, ce qui est de plus en plus fréquent, n'est-ce pas de la *galanterie*, c'est-à-dire un hommage aux valeurs les plus archaïques, dont il est à craindre qu'elles soient peu compatibles, structurellement, avec l'égalité ?

Ou bien il ne faut voir là que *fair-play* : chacun son tour.

Il peut s'agir de décisions militantes, prises de parti délibéré, ou bien de simples étapes de l'enregistrement, par la langue elle-même, en somme, des nouvelles situations sociales et des nouveaux équilibres. Volontarisme ici, ignorance là. Le "bon usage", il faut bien le reconnaître, n'aime ni ceci ni cela. Il souffre. Mais souffrant il ne fait que se condamner lui-même, probablement.

Le général de Gaulle est le premier homme politique, si tant est qu'on puisse l'appeler tel, qui se soit adressé expressément aux *Français et aux Françaises*. C'est lui qui avait donné le droit de vote aux femmes, il est vrai. Il attendait beaucoup d'elles. Mais il a ouvert une boîte de Pandore — grammaticalement, veut-on dire. Car après lui il n'a plus été possible de parler seulement aux *Français* sans réclamer l'attention des *Françaises*, aux *électeurs* sans en appeler aux *électrices*, aux *Parisiens* sans convoquer à leurs côtés les *Parisiennes*. Les communistes de toute obédience, pour ne pas être en reste, ont voulu qu'aux *travailleurs* se joignissent audiblement les *travailleuses*. Un maire ne peut plus faire appel à ses concitoyens autrement que sous la double espèce, ni un prêtre à ses ouailles : *Castelroussins, Castelroussines, mes bien chers frères, mes bien chères sœurs*.

Si cette tendance se généralise, si le masculin n'est plus considéré comme englobant le féminin, le français va s'alourdir gravement. Faudra-t-il dire qu'une ville compte cent cinquante-trois mille habitants *et habitantes*? Qu'une exposition a reçu trois millions de visiteurs *et de visiteuses*? Qu'un livre a trouvé vingt-cinq mille lecteurs *et lectrices*? Qu'une dame a trente-quatre petits-enfants et *petites-enfants*?

Il semblerait que ce soit beaucoup demander. D'un autre côté, le défaut d'équité du statu-quo ancien ne peut être sérieusement contesté par personne. Que faire?

Comme d'habitude il y a deux partis : le parti volontariste (*Alyette et Jérôme Habibi*), le parti temporisateur (*M. et Mme Jé-*

rôme Habibi). On peut rêver d'un troisième genre, comme il en existait en latin, ou comme le grec a trois *nombres*. Les Américains ont pris des mesures draconiennes : face au *chairman* ils ont inventé la *chairwoman*, et *the chairperson* pour les cas où l'on ne veut pas se prononcer. Dans les articles de presse ils parlent des femmes en les désignant par leur seul patronyme, alors que nous leur laissons leur prénom, sauf si elles sont tout à fait illustres (*Sand, Duras, Sarraute*. Mais on dit assez rarement *Beauvoir*, ou *Jolas*, ou *Richier*).

Anne McDonald lives in an airy Federal-style home in one of Melbourne's many suburban neighborhoods. (...) Rosemary Crossley found McDonald in 1974, locked away in St. Nicholas, where she had been since she was three. Crossley runs the Deal Communication Center, etc. (*The New Yorker,* 6 septembre 1999).

Serait-ce un progrès si nos journaux se mettaient à parler d'*Aubry*, de *Guigou*, de *Voynet*, de *Sallenave*? On s'habitue mal à ces nouveautés édictées. Les Français qui lisent la *New York Review of Books* ou *Time* s'habituent mal, vingt-cinq après, à ce qu'une femme économiste ou meurtrière, actrice ou historienne d'art, soit appellée *Schweitzer* ou *Crossley*, dès sa seconde apparition dans la colonne. Nombre d'Américains ne s'y habituent pas non plus, qui pourtant ne sont pas plus hostiles que d'autres à l'émancipation féminine. Beaucoup d'entre eux sont des Américaines, d'ailleurs.

La langue n'en fait qu'à sa tête. Il est vain de vouloir la brusquer. Un jour les deux genres seront à égalité auprès d'elle, et personne ne saura comment c'est arrivé.

émigrer. *Ces cerveaux européens qui émigrent en France.* Il s'agit d'un titre du journal *Le Monde*, à propos des intellectuels

et savants européens qui choisissent de s'installer en France. *En**
désigne l'endroit, la région, le pays, où quelque chose se passe.
Émigrer c'est quitter un pays. Les cerveaux européens qui s'établissent en France n'émigrent pas en France, ils émigrent dans
leur propre pays ou de leur propre pays vers la France, en direction de la France. En France, à la rigueur, ils *immigrent*.

Le problème qui se pose ici, et qui relève de la plus simple
logique, se pose pareillement à propos de *se déplacer** ou, notoi-
rement de *partir**. Dans les trois cas, et dans quelques autres,
la question est de savoir où se déroule vraiment l'action. Un
homme qui de Paris se rend à Londres ne part pas *à Londres*, il
part à Paris, pour Londres.

émotionner, émouvoir. *Émotionner* est à *émouvoir* ce que *so-
lutionner* est à *résoudre* — dans les deux cas : l'abomination de
la désolation.

*Il ne faut surtout pas manquer le très beau film d'Elisabeth
Kapnist, qui émotionne* (*TéléObs*, nº 219, semaine du samedi 8
au vendredi 14 novembre 1997).

*Qu'est-ce que vous voulez, je sais bien que c'est pas une sainte,
loin de là, mais quand elle m'a raconté toute son histoire, quand
même, ça m'a émotionnée.*

Pour monter ça va, mais c'est la descente, qu'est émotionnante.

*On n'allait quand même pas se laisser émotionner par ces
blancs-becs.* (Mais évidemment, *émotionner* étant tellement repéré comme barbarisme, il peut très bien s'agir d'une plaisanterie, d'une sorte de citation).

Naturellement, et comme pour toutes les fautes de langue,
on peut rencontrer émotionner chez les meilleurs auteurs. Ce

n'est pas nécessairement une "faute" chez eux, d'ailleurs, non plus que ça ne l'est toujours chez les locuteurs ordinaires. Il peut s'agir de semi-plaisanteries, de citations implicites, de guillemets virtuels, de style indirect libre, de méchanceté :

« Quand je vois le genre d'intérêt, d'impression presque nerveuse que cause sur les femmes la lecture du livre de Lamartine, je me demande si c'est là l'effet que doit produire l'histoire. Je ne dirai pas que ce livre émeut, mais il émotionne » Sainte-Beuve, *Mes poisons*, posthume, 1926, Plon-Nourrit, p. 81.

« La Faloise n'eut pas un regard pour la jeune fille. La vue de Gaga l'émotionnait, ses yeux ne la quittaient plus ; il la trouvait encore très bien, mais il n'osa pas le dire » (Émile Zola, *Nana*, 1880, Bibliothèque de la Pléiade, *Les Rougon-Macquart*, t. II, p. 1103).

Proust parle de « la perspective émotionnante de déjeuner chez Mme Swann » (*À l'ombre des jeunes filles en fleurs, I*, Pléiade I, p. 517).

Georgin n'en est pas moins formel : « Émotionner pour émouvoir est un véritable barbarisme » (*Les Secrets du style*, 1961, Éditions sociales françaises, p. 29). Littré était moins sévère, qui se contentait de ranger émotionner dans le style familier. Le dictionnaire de l'Académie ignore ce verbe. Plusieurs auteurs, dont Henri Frei, Marcel Cohen, Dupré, expliquent assez comiquement son succès par la difficulté qu'il y a à conjuguer *émouvoir*.

En. *En*, de même que *sur**, est une préposition qui a joui en France d'une formidable popularité dans les dernières années du deuxième millénaire. Les raisons de son succès sont assez mystérieuses. On l'a vue et entendue remplacer *à* et *dans* dans nombre de leurs emplois. Cette substitution systématique est une des marques principales de l'usage contemporain du français.

Le vendredi en général on sort en boîte avec les copains.

À présent on habite en pavillon sur Garges, c'est pas non plus l'paradis, faut pas croire.

Le "pacs" ne devrait pas être signé en mairie mais en préfecture.

J'vois j'ai mon frère il vit en campagne, théoriquement, mais il est tout l'temps fourré au village.

Ce produit pouvait s'acheter exclusivement en pharmacie, jusqu'à présent, mais maintenant on le trouve couramment en grandes surfaces.

Alors on fait comme ça : je vous appelle en soirée, et vous me dites si vous êtes toujours d'accord.

*

Depuis le *Répertoire des délicatesses*, il y a vingt ans, le succès de *en* n'a fait que se confirmer et s'accroître, jusqu'à prendre des proportions stupéfiantes. Il n'y a guère que *chez* qui ait connu une telle extension de faveur, mais l'échelle n'est pas la même. *En* est vraiment, je ne sais pourquoi, la préposition reine de l'époque, qui tend à remplacer partout *à, dans, à la, dans la, dans le, au*. *En début de soirée, en fin de mois, en bibliothèque, en pavillon, en centre-ville, en greffe, en cabinet, en collège, en lycée, en grandes surfaces, en boutique, en boucherie, en stage, en séminaire, en terrasse*, etc. *En terrasse*, qui vient du langage de la limonade, est particulièrement absurde car *en* suggère toujours une idée d'enveloppement, précisément le contraire de ce qu'offre une terrasse, en général.

J'vois j'ai le fils à ma fille il est déjà en collège, j'arrive pas à y croire, comment ça passe vite.

Demain on se fait un plan bronzette en terrasse, le midi ?

Vous êtes invité à venir retirer le document en greffe sous quin-zaine.

Passez me voir en boutique, j'ai peut-être ce qu'il vous faut.

Depuis l'âge de dix ans je suis en hexagone (Antillais, France Culture, 24 août 2020, à propos de la suppression de France O).

La crèche de Béziers est ouverte au public en mairie.

*

Rappelons que *en* a toujours été très mal vu des grammairiens quand il s'agit des moyens de locomotion qui n'englobent pas la personne qui les utilise : on voyage *en* train ou *en* voiture, mais *à* cheval, *à* bicyclette ou *à* moto.

Curieusement, personne n'a jamais parlé d'un parcours effectué *en cheval*. *En cheval* ne serait pourtant pas plus absurde qu'*en bicyclette*. Mais évidemment pas moins.

*

En, pronom adverbial, remplace très souvent *de cette chose, de cet endroit, de ce pays,* voire *de cette personne* (ce qui est condamné par les puristes). Puisqu'il contient implicitement un *de*, il faut éviter qu'il fasse suite à un premier *de*, en situation de préposition, déjà, par rapport à la chose, l'endroit, le pays qu'il remplace. Ce serait un grave pléonasme.

De l'Espagne, nous en avons parlé à l'instant avec Jean-Michel Duriflard.

Il faut choisir. Soit "L'Espagne, nous en avons parlé à l'instant avec Duriflard", soit "De l'Espagne nous avons parlé à l'instant *etc.*" — mais pas les deux.

Ben de Biarritz il en revient, justement.

Ça, de papillons, ça en manque pas par ici.

De la violence, il en a beaucoup été question au cours de ces trois jours de visite [de Kofi Annan au Kossovo] (France Culture, 15 octobre 1999).

De ce sens, il faut en faire quelque chose.

Le genre de problèmes que pose *en* dans ce type d'occurrences est très voisin de ceux que l'on rencontre autour de *dont*. *Dont* et *en* ont tous les deux une sorte de *de* incorporé, si l'on peut ainsi s'exprimer. Ils signifient *de cela*. Si ce *de* qu'ils contiennent invisiblement mais très nettement les a précédés, le travail est déjà fait et il serait tout à fait pléonastique de le réaccomplir.

De ce sens, dont il faut faire quelque chose... Non : "ce sens, dont il faut faire quelque chose", ou "de ce sens, il faut faire quelque chose". "Ce sens, il faut en faire quelque chose" ou "De ce sens, il faut faire quelque chose" — pas les deux.

En peut se présenter en premier. Il ne peut être suivi du *de* ou du *d'* qui est en lui :

En voici l'une d'entre elles (les Polonaises de Paderewski) — France Musique, 5 novembre 2020.

De même il exclut l'adjectif possessif, puisqu'il a déjà pris en charge l'indication de la possession :

Il en est son plus grand fan ("il en est *le* plus grand fan" ou "il est *son* plus grand fan", mais, encore une fois, pas les deux).

Elle en est à la fois* son principal atout et en même temps sa principale faiblesse (id.).

en arrière. Avec l'usure de la langue, et celle, non moins marquée, de ses usagers, qui souvent paraissent avoir autant de difficulté à se comprendre entre eux qu'à s'exprimer chacun, les formes d'insistance prospèrent, comme des traits de crayon gras sous un message qu'on veut faire passer à tout prix. Ni le vieil *il y a* ni son pénible vainqueur, *ça fait*, ne sont tout à fait parvenus à signifier tout à fait la durée écoulée, le temps passé, puisqu'il a fallu leur adjoindre le très curieux *en arrière*, qui après eux fait pourtant figure de parfait pléonasme, puisque le travail est déjà fait quand il arrive.

Il y a quelques années en arrière... (France Culture, président du Centre National du Livre, 10 août 2002).

Ça fait vingt ans en arrière, t'avais pas ça, pas à ce point.

Deux heures en arrière, vous m'écoutiez, on n'en serait pas là.

On remarquera qu'*en arrière* peut très bien se passer d'*il y a* et de *ça fait*, sans pour autant s'attirer de très grandes sympathies.

en région. *C'est surtout en région(s?) que se déploie l'activité musicale de ce week-end.*

Les provinces, en France, n'ont plus guère qu'une importance historique, culturelle, folklorique et sentimentale. De nos jours, elles ne remplissent aucune fonction administrative. En cet emploi elles ont été remplacées par les *régions*, dans l'acception moderne et bien précise, électorale et officielle, de ce terme.

Grande était donc la tentation d'adapter la vieille expression *en province*, demeurée très usuelle, et de lui donner une forme contemporaine, *en région*. La remarquable montée en popularité de la préposition *en** rendait cette tentation irrésistible. Aussi y est-il cédé très fréquemment.

Mais le mot *province* avait deux sens bien distincts, qui d'ailleurs sont restés bien vivants l'un et l'autre : il y avait d'une part les différentes *provinces* du pays — l'Auvergne, la Bretagne, la Bourgogne, le Berry, la Gascogne, etc. ; et d'autre part *la province*, c'est-à-dire tout ce qui n'était pas la capitale. On habitait Paris ou la province. La province était considérée comme le terreau le plus fertile d'un certain genre de roman. Etc. C'est à ce sens-là, et à lui seul, que faisait référence l'expression *en province*.

Or le mot *région* n'a absolument pas et n'a jamais eu cette signification globale, en quelque sorte collective. Personne n'a jamais opposé Paris et *la région* (sinon la région parisienne, peut-être). *En région* n'a donc aucun sens. Aussi est-ce plutôt *en régions* qu'on dit et qu'on écrit. Mais alors il n'y plus aucune légitimité à se calquer sur le modèle *en province*. Et ce n'est pas *en régions* qu'il faut dire, mais *dans les régions*.

énerver, énervant, énervé. Voici un combat perdu d'avance. Peut-être est-il d'autant plus honorable de le mener. *Énervé* signifie trop manifestement, dans son apparence et dans sa structure, *à qui l'on a enlevé les nerfs, qui n'a plus de nerf, plus d'énergie*, qu'on s'accommode mal de le voir exprimer de nos jours presque exactement le contraire, *qui n'est plus que nerfs, dont les nerfs sont exaspérés*.

Il faut se souvenir ici d'un tableau jadis fameux, et qui pourrait le redevenir, *Les Énervés de Jumièges*, d'Évariste-Vital Luminais. On y voit, voguant sinistrement au fil de la Seine, sur un radeau, les deux fils de Clovis II, auxquels leur père a fait couper les nerfs, pour qu'ils ne puissent jamais lui succéder.

« Énerver son style par l'abus des ornements » (*Larousse du XXe siècle*).

« Qu'on sache bien que le jour où le pesant matérialisme de la royauté a fortifié Paris, il l'a énervé » (Michelet, *Histoire de la Révolution française*, tome quatrième, VII, VIII, "Bibliothèque de la Pléiade", vol. I, p. 1103-1104).

« Qu'était devenu l'élan du départ de 92 ? Était-ce le même Paris ? Et y avait-il un Paris ? Tout l'hiver, l'absence absolue de commerce et de travail, le froid, la faim, toutes les misères avaient miné, énervé cette population infortunée » (Michelet, *Histoire de la Révolution française*, tome cinquième, X, IV, "Bibliothèque de la Pléiade", vol. II, p. 378).

« Il lui arrivait souvent [*au gouvernement d'Ancien régime*] de voir ainsi ses volontés les plus absolues s'énerver dans l'exécution » (Tocqueville, *L'Ancien Régime et la Révolution*, II, XI, Gallimard, "Bibliothèque de la Pléiade", Œuvres, III, p. 144).

Un climat énervant, c'est un climat qui enlève toute ardeur, tout enthousiasme, qui rend paresseux et mou, qui fatigue — on dit aujourd'hui, mais sans rien y gagner, *un climat débilitant. Un chanteur énervant*, ce devrait être un chanteur qui endort, ou bien qui démobilise, qui ôte toute envie de se battre ou de revendiquer. Dans son acception la plus courante de nos jours, *énervant* pourrait être très avantageusement remplacé par *agaçant, irritant, exaspérant, qui tape sur les nerfs.*

Il en va d'*énervant* ou d'*énervé* comme de *formidable**, par exemple, ou de *scabreux**. Leur sens étymologique est agonisant, mais il n'est pas tout à fait mort. Il est tentant d'essayer de lui redonner vie. Quiconque, cependant, se barricaderait dans un langage artificiellement maintenu dans le rapport le plus étroit possible avec l'étymologie s'exposerait à le parler seul, et à n'être plus entendu de personne.

Poulain de La Barre est étudié chez les Anglo-Saxons et ça c'est très énervant* (France Culture, "Les chemins de la philosophie", vendredi 11 décembre 2020).

ennuyant, ennuyeux. Entre *ennuyant* et *ennuyeux*, il existe une nuance qu'il serait dommage de laisser perdre.

Est *ennuyant* ce qui cause *un* ennui, une difficulté, un problème, une contrariété. Est *ennuyeux* ce qui suscite *l'*ennui, le sommeil, l'impatience, le défaut d'intérêt.

Il semblerait qu'un individu ne puisse pas être *ennuyant*, tandis qu'une personne peut très bien être *ennuyeuse*. Cependant ce n'est pas l'avis de Littré, qui se réfère à une distinction encore plus subtile : « L'homme *ennuyant* est celui qui ennuie par occasion ; cela est accidentel ; l'homme ennuyeux est celui qui ennuie toujours ; cela est inhérent ».

"Philippe n'est pas venu. C'est ennuyant."

"Philippe est venu. Il est vraiment très ennuyeux, ce pauvre garçon."

Mais si l'on suit Littré :

"Philippe est venu, il m'a parlé de toute sorte de problèmes, il s'est montré très ennuyant, lui qui d'habitude est si drôle".

en revanche. *En revanche* tire un profit inépuisable de la grave défaveur qui affecte *par contre** auprès des spécialistes. Les

campagnes menées ont porté leurs fruits, dans une certaine mesure, et c'est *en revanche* qui les a ramassés. Son mérite ni sa
propre vertu, pourtant, ne sont pas au-dessus de tout soupçon.

André Gide défendait *par contre*, dont il disait ne pouvoir
se passer. « *En revanche* ni *en compensation*, formules de remplacement que Littré propose, écrivait-il, ne me paraissent pas toujours convenables. Trouveriez-vous décent qu'une femme vous
dise : "Oui, mon frère et mon mari sont revenus saufs de la
guerre ; *en revanche* j'y ai perdu mes deux fils", ou "La moisson
n'a pas été mauvaise, mais *en compensation* toutes les pommes de
terre ont pourri" ? *Par contre* m'est nécessaire et, me pardonne
Littré, je m'y tiens. »

En compensation n'a pas fait grande carrière, sinon dans le
sens étroit qui lui revient de droit. *En revanche*, en revanche,
n'a pas du tout été embarrassé dans son essor par les critiques
gidiennes, pourtant très pertinentes. Il n'est pas douteux que ce
qui est gênant, dans *en revanche*, c'est l'idée de *revanche*, dont la
plupart du temps on n'a que faire. Trop chargée par sa composante principale d'un sens parasite, cette locution adverbiale en
affecte nécessairement un peu les phrases où elle paraît, et qui
n'en demanderaient pas tant. Mais le moyen de se passer d'elle,
si l'on ne veut pas de *par contre* ?

enseignant. Pour marquer emblématiquement la déroute
de l'éducation nationale, et plus précisément de sa fonction
d'*enseignement*, deux mots rivalisent d'efficacité, celui de *prof**
et celui d'*enseignant*.

Mais à la vérité, même s'ils sont des emblèmes parfaits, ils
sont aussi bien davantage, car ils ont joué un rôle actif, dans le
désastre qui les voit prospérer.

La plupart des membres de l'enseignement les assument assez volontiers, en effet. On pourrait même dire qu'ils s'en parent. Et dès lors que les professeurs, les maîtres, les instituteurs, acceptaient de se nommer eux-mêmes des *profs* ou des *enseignants*, il n'était pas difficile de voir que tout était perdu ou presque.

Avec le mot d'*enseignant*, et son succès parmi les professeurs eux-mêmes, c'était la littérature qui faisait ses adieux. Or elle avait été la grande institutrice.

Un professeur, un maître, qui accepte de se parer de ce nom affreux d'*enseignant*, ou bien il ne s'aime pas lui-même, ou bien il n'aime pas la langue française. Et de toute façon il n'aime pas la littérature. Car la littérature ne peut pas s'accommoder d'*enseignant*. C'est elle ou lui.

Pour désigner cette plus noble entre les fonctions humaines, apprendre, instruire, enseigner (on n'ose même plus dire *élever*), le français disposait de trop de vocables augustes, amoureusement polis par les siècles, pour qu'il soit excusable d'être allé chercher ce nom-là, ce moins que nom, qui n'est même pas un substantif et que jamais le style n'avait daigné saisir entre ses griffes, ni la poésie toucher de son aile, faut-il l'écrire ?

On nous explique que le mot a son origine dans le besoin d'un terme générique qui désignât sans distinction de niveau toutes les catégories de personnes chargées de la mission d'enseigner. Il s'agissait aussi, au sein du ministère de l'Éducation nationale, de distinguer ces personnes-là des *administrateurs*. Mais alors on en arrive à se demander si *enseigneurs* n'aurait pas été préférable. Certes on aurait introduit quelque amphibologie étymologique, au demeurant très honorable et savoureuse. Mais on aurait eu un mot qui ressemblât à un mot, à un vrai nom, à

un titre en accord avec un véritable état, avec un statut, une vocation ; tandis qu'avec un simple participe présent substantivé à
la va-vite, on ne fait référence qu'à des instruments considérés
dans la seule mesure et dans le seul temps où il instrumentent
en effet, « comme s'il s'agissait des rouages d'un ensemble de
machines comme celles qui dispensent l'enseignement audiovisuel» (Dupré).

Il n'est que justice de reconnaître, cependant, qu'il est tout
de même des professeurs, des instituteurs et des maîtres qui
voient bien quelle atteinte est portée à leur dignité et au sens
même de leur mission par cette laide invention d'incultes rond-
de-cuir. On pourrait avancer des dizaines d'exemples, publics
et privés. Contentons-nous de citer un remarquable article de
M. Robert Redeker, professeur de lycée dans la banlieue tou-
lousaine, agrégé de philosophie et membre du comité de rédaction des *Temps modernes*. Cet article, intitulé *Adieu, professeur*,
est paru dans *Libération* du 4 mars 1999.

Il part de l'exclamation répétée du ministre Claude Allègre,
Enseignants, je suis des vôtres ! « Cette dernière formule, que Lacan eût aimée pour ce qu'elle trahit, qui vaut bien le magnifique
"à l'insu de mon plein gré" de Richard Virenque, a l'avantage de
désigner sans le nommer l'ennemi, enfin terrassé grâce à l'aide
involontaire des adolescents : les professeurs. »

Et Robert Redeker de préciser sa pensée, c'est-à-dire son
vocabulaire : « L'école républicaine a permis l'épanouissement
de deux types anthropologiques : le professeur et l'enseignant.
Le professeur : celui dont la pensée fait enseignement (La-
gneau, Alain). L'enseignant : celui qui, ne pensant pas par lui-
même, met l'élève sur le chemin des productions de l'esprit. Ces
deux figures ont pu coexister harmonieusement pendant plusieurs décennies. L'équipe Allègre-Meirieu, en transformant le

lycée en patronage, menace la survie de l'identification entre le professeur et l'intellectuel. La multiplication des activités parascolaires sous la surveillance larbinisée de celui qu'on ose encore appeler improprement professeur, la bureaucratisation des tâches enseignantes, leur clonage à partir du paradigme de l'animateur socioculturel de MJC vont assécher le loisir, cette *skholê* qui permettait d'être un professeur.

« Les professeurs, ou comment s'en débarrasser ? Les récents propos rassurants d'Allègre répondent à la question : comment s'identifier avec les enseignants afin de mieux se désidentifier d'avec les professeurs ? Le projet Meirieu et les proclamations d'Allègre portent en eux la promesse d'une prochaine mise à mort, à laquelle la doxa massifiée applaudira : celle du professeur de haute culture remplacé par l'enseignant polyvalent, l'employé multitâche. Cet enseignant du futur ne sera plus un intellectuel, il sera un travailleur social. Déjà, on entend enfler la rumeur grisée qui monte depuis l'opinion publique, depuis les cours de récréation et les conseils de la vie lycéenne, depuis les conseils de classe, depuis les bureaux des conseillers d'éducation : le professeur est mort, vive l'enseignant ! »

enveloppes. L'enveloppe, en général, révèle plus de la moitié de ce qu'il y a à savoir de la lettre. Mauriac dit méchamment de l'un de ses personnages que même le format de ses enveloppes était bête. L'écriture, même quand on ne la soumet à aucun examen graphologique à proprement parler, est d'une éloquence implacable sur le niveau culturel et social du correspondant, sur les égards qu'il est disposé ou pas à vous témoigner, et souvent sur son âge, sur son sexe et sur son état de santé.

La question des *égards* a beaucoup évolué, évidemment, puisque le *paraître* — ce livre a trop souvent l'occasion de le rappeler — est passé tout entier du domaine de la courtoisie et du souci de l'autre, des *égards*, justement, à celui de l'ostentation et de la vanité. Le choix d'une enveloppe de plus ou moins belle qualité ne s'opère plus en fonction de la personne à laquelle on écrit, et de la politesse qu'on entend lui montrer, mais en fonction de ce que l'on est soi-même, du temps dont on dispose, des efforts qu'on est disposé à fournir ou pas, de son état de fortune et de sa personnalité psychologique, sociale ou culturelle. En vertu du tout puissant *être soi-même*, une fois de plus, l'aune de l'attitude n'est plus en l'autre et dans la nature de la relation souhaitée, mais en le moi.

Ce qui vaut pour la qualité de l'enveloppe vaut *a fortiori* pour les formules dont on la revêt, et pour les différentes façons de désigner le destinataire, par exemple. Nous aurons l'occasion de le voir ailleurs, un monde de civilisation, d'usage social et de degré de courtoisie sépare *Monsieur** *Charles Courtivault* de *M. Charles Courtivault*, de *Mr. Charles Courtivault*, de *Charles Courtivault* ou de *Courtivault Charles*. Et il faudrait faire une place à part à *M. Charles COURTIVAULT*, qui s'est beaucoup répandu ces dernières années et qui n'est certes pas conforme au bon usage traditionnel.

Est-ce une tare? Pas nécessairement, bien sûr. Il s'agit seulement d'être bien conscient, avant de décider en faveur de l'une ou de l'autre de ces formules, des fortes connotations sociales ou culturelles de chacune — sauf peut-être de *Monsieur Charles Courtivault* qui, étant seule "correcte", au sens ancien, échappe peut-être à la connotation...

Il n'était pas considéré comme "distingué", jadis (on marche vraiment sur des œufs) d'indiquer son nom et son adresse au dos de l'enveloppe. Sans doute estimait-on que le destinataire ne tenait pas forcément à ce qu'on sache, autour de lui, qui lui écrivait. Mais la détérioration des services postaux a rendu cette précaution très excusable, dans la plupart des cas, et très souvent indispensable, même.

La disposition des nom et adresse de l'expéditeur, au verso de l'enveloppe, obéit aux mêmes règles que la disposition des nom et adresse du destinataire au recto, à ceci près qu'elle doit être beaucoup plus serrée, évidemment. D'autre part le destinataire ne doit pas se désigner lui-même comme *Monsieur Ceci* ou *Cela*, ni comme *M.* Une femme, elle, peut mettre *Mme* ou *Mlle* avant son propre nom, mais c'est un geste un peu désuet.

COURTIVAULT Charles est très inélégant au recto de l'enveloppe, mais *M. Dutilleul Bernard* au verso est tout à fait ridicule, car l'inversion du nom et du prénom continue d'avoir en France des connotations très prolétaires tandis que s'appeler soi-même *M.* ou *Monsieur* est tout à fait prétentieux. Un homme indique son prénom et son nom, ou bien son nom seul, sans fioritures.

époux, épouse. Lettre de lecteur :

« Monsieur,

« Peut-être certains articles possibles brillent-ils par leur absence.

« Je lis : "Il y avait là, à nos côtés, trois couples : nos hôtes ; les Toulousains ou Balmanais chez qui nous les avions rencontrés au début de l'année ; et des Montalbanais, un professeur d'histoire à l'université et son épouse qui m'entreprit gentiment sur Twombly." (*Journal*, 1ᵉʳ juillet 2020 ; même emploi *passim* des mots "époux" et "épouse").

« Je suis étonné de vous voir employer sans répugnance, dans le langage ordinaire, les mots "époux" et "épouse", plutôt que "mari" et "femme". Hors du mysticisme chrétien, de la tragédie classique ou du vocabulaire administratif, cet usage est (ou plutôt était) réputé "du dernier bourgeois", voire prudhommesque. Dans ma famille, on était peu exigeant en matière de langue ; pourtant je me rappelle qu'adolescent je fus, pour ce fait, l'objet d'un commentaire ironique.

« Prosper Guerrier de Dumast, dans son *Redresseur ou Rectification raisonnée des principales fautes de français, locutions vicieuses ou impropres, etc., qu'on est encore exposé à entendre même en bon lieu, ou à lire dans les écrits d'hommes qui pourtant ont fait leurs classes* — ce titre ! — (Auguste Durand éd., Paris, 1866), après avoir censuré comme il doit ceux qui disent "votre dame" et "votre demoiselle" pour "votre femme" et "votre fille", passe à "époux" et "épouse" pour "mari" et "femme", et fait observer qu'"une telle locution appartient à la même sorte de mauvais langage et n'est mise en usage que par les mêmes gens" (p. 101 — N.B. : "Locution" est ici au sens général de Littré, s.v., 1°, § 1). Et ce même auteur d'ajouter, page suivante : "En France, les rois, les ducs et les gentilshommes, ont toujours dit "ma femme". Ainsi parle encore l'Empereur ; ainsi continuent à parler tous les habitués des salons et des académies. Il est vrai que l'on peut citer une autorité contraire, à savoir, celles des savetiers. Les savetiers de Paris ne manquent jamais de dire "mon épouse."

Recevez, Monsieur, l'expression de ma considération. »

Voilà qui a l'avantage de me remettre à ma place, d'autant qu'un autre lecteur — cet ouvrage, tant qu'il n'est pas imprimé, menace de devenir tout à fait interactif... —, voyant cette lettre ajoutée à la version en ligne, témoigne son enthousiasme d'un « ah, enfin! » longtemps contenu, comme si sujet si grave n'avait que trop tardé à se voir traiter. Voici sérieusement exposé, je le crains, mon "d'où ça parle", comme on disait presque sans rire il y a un demi-siècle : j'ai bel et bien écrit un professeur et son épouse, dans le volume 2020 de mon journal (*Âme qui vive*). Je ne sais plus si on parlait d'époux et d'épouse dans ma famille mais je me souviens que mon père, de miens voisins se nommant M. et Mme de Lambertye (mettons), et moi les appelant les Lambertye, s'était écrié tardivement : « Ah mais ils s'appellent de Lambertye, en fait! », comme si je lui avais caché quelque chose — ce qui doit bien offrir quelque lumière sur mon *Ur-suppe* langagière (et sociale, donc). L'épisode a du moins le mérite de confirmer ce qui doit être une des thèses centrales de ce gros ouvrage, que la langue est sociale de part en part, ce qui n'est pas précisément une découverte, et que l'origine et l'opportunité sociales tiennent au moins autant de place que la syntaxe, dans la détermination de ce qui serait une bonne langue : étant bien entendu de toute façon que le concept de bonne langue est lui-même hautement politique (et social), et fortement contesté en des cercles croissants de spécialistes et militants, qui souvent se confondent.

Sur *époux*, *épouse*, les bons auteurs sont unanimes à confirmer avant la lettre la lettre ci-dessus. Selon Littré, « C'est une faute contre le bon usage que de dire, dans le langage familier, *époux* pour *mari* et *épouse* pour *femme*. Dites : ma femme est malade, et non mon épouse est malade. Cette nuance est signalée dans Molière quand don Juan dit à M. Dimanche : Comment se porte Mme Dimanche, votre épouse?... c'est une brave femme (*Festin*, IV, 3) ». Pour le Robert, « Époux, épouse appartiennent plutôt au style noble ou au style juridique : leur emploi dans le langage courant est populaire (*le bonjour à votre épouse*) ou ironique (*ton auguste époux*). Plus on remonte dans le temps plus la condamnation est vive, et moins elle s'embarrasse de précautions. Victor Hugo, citant un mot de Royer-Collard, écrit dans *Pierres* : « Il a dit "enveloppe" au lieu de "redingote" comme un portier appelle sa femme "mon épouse" ». Pour François de Caillières en 1692, ce sont les *honnêtes gens* qui disent *mari* et *femme*, et non plus *époux* et *épouse*. Beaucoup plus près de nous Gisèle d'Assailly et Paul Baudry, dans leur *Savoir-vivre de tous les jours* (on sent bien qu'on est là sur l'exacte frontière entre étude de la langue et considération sur la politesse, ou sur la hiérarchie sociale, jugent que « "mon épouse" fait un peu épicier de vaudeville » (cité par Dupré et Grevisse). Même le grave Grevisse est formel : « Dans l'usage ordinaire, on dit : *mari, femme...* — Ne dites pas : J'ai rencontré un tel avec son *épouse*, avec sa *dame*, avec sa *demoiselle* ; dites... avec sa *femme*, avec sa *fille...* — en parlant à Monsieur Durand, ne dites pas : Comment va *votre dame* ? ni : comment va *madame* ? Dites, selon le degré d'intimité : comment va *votre femme* ? Comment va *Madame Durand* ? » (*Le Bon Usage*, 406, note, p. 231).

Votre dame et *votre épouse* ne me semblent pas appartenir au même niveau de langue. *Votre dame* serait populaire et *votre épouse*, bien que considéré au XVIIᵉ siècle comme du dernier bourgeois, serait aujourd'hui petit bourgeois. C'est donc un petit bourgeois qui parle et il dit... Un autre message m'arrive :

« Je vois que, d'un rectificatif que je vous avais envoyé au sujet de l'article "Torino", vous avez fait une note de bas de page. En suivant ce principe, vous allez créer des notes exposant que les contenus des articles correspondants sont peu ou prou inexacts. Jugez de l'effet ! »

En effet… Mais c'est peut-être un concept intéressant, la grammaire autodestructrice, le dictionnaire explosif, et qui aurait beaucoup à dire sur la vérité du langage. On me signale par exemple, avalanche d'exemples à l'appui (mais il n'est faute de français si incontestable qu'on ne puisse l'appuyer de l'exemple de cent auteurs illustres), qu'il n'y a pas de supériorité intrinsèque de *chaque fois* sur *à chaque fois* :

« "Cette faute si répandue", observez-vous, "doit être relativement récente car on ne la voit signalée nulle part". Et pour cause…! À mon avis, vous donnez là dans la faute imaginaire ».

érotisme. *Érotisme* était un mot parfaitement bienvenu et on ne peut plus utile pour désigner ce qui concerne l'amour et spécialement l'amour physique, l'activité sexuelle, le plaisir, le désir, le sexe.

Il lui est arrivé le grand malheur, hélas, d'être enlevé et détourné par une camarilla d'anciens séminaristes torturés, qui l'ont chargé et surchargé de sens superfétatoires, lesquels ne reflètent que leurs angoisses personnelles, leurs troubles religieux, leurs vices éventuellement ou leurs difficultés à parvenir à la jouissance.

Il n'est en aucune façon dans la nature étymologique d'*érotisme* d'avoir partie liée à la "transgression", au sacrilège, à tout un bric-à-brac conceptuel et quincailler de chaînes, de jeux de pouvoir, de talons aiguilles, d'épreuves, de martinets et autres éléments de *matos* qui n'avaient aucune espèce de droit à encombrer tout son espace et tout son rayonnement.

Et comme si n'était pas suffisant ce parasitage en règle, *érotisme* a dû subir, sur un autre front, mais de la part des mêmes envahisseurs, souvent, d'autres assauts de sens, qui l'ont paré des plus fausses élégances. *L'érotisme* n'était plus seulement ce qui concernait le plaisir amoureux et la volupté, il était, par opposition à la pornographie, ce qui en traitait avec art, avec dignité, raffinement et goût. Le goût était plutôt grossier, en général, et l'art le plus souvent en dessous du médiocre. Quant à la dignité, le désir et le plaisir en avaient bien suffisamment par eux-mêmes, et de liens immédiats avec la poésie la plus haute, pour qu'ils aient besoin de suspectes garanties de respectabilité, délivrées par des marchands d'art et des femmes du monde.

La tentation est grande d'abandonner le pauvre *érotisme* à son malheureux destin, tant l'ont gravement compromis les fréquentations frelatées où il s'est vu contraint. Mais d'une part c'est très injuste à son égard, et d'autre part c'est nous punir nous-mêmes, car nous avons de lui grand besoin, pour lui faire dire ce qu'il veut dire, et rien de plus.

errements. Il me souvient que Jean d'Ormesson m'avait écrit une lettre très aimable, au moment de la publication du *Répertoire des délicatesses du français contemporain*, le lointain ancêtre de ce *Dictionnaire*; mais qu'il m'y reprochait toutefois mon usage d'*errements*. Sans doute faisait-il référence à une phrase à propos d'autre chose, dans le *Répertoire*, car il ne s'y trouvait pas d'entrée *errements*. Il aurait dû y en avoir une, et c'est un manque que nous comblons ici, car *errements* prête à confusion, c'est vrai. Le mot n'est pas apparenté à *erreur* et à *erroné*, mais à *errer* et à *errances*. Il désigne les lieux ou les chemins d'errance habituelle d'un être ou d'un organisme quelconque et il n'y entre pas, officiellement, de nuance péjorative. On parle volontiers des *anciens errements*, c'est-à-dire des façons de faire traditionnelles d'un homme ou d'une administration, de leurs procédés coutumiers, de leurs antiques modes d'action, bons ou mauvais. Cependant il faut bien reconnaître que la proximité d'*errements* avec *erreur*, et la confusion entre les deux verbes *errer*, marcher au hasard, sans but, et se tromper, ont à travers les siècles apporté une nuance de méprise, de fourvoiement, au vieil *errements* (toujours pluriel) ; et cela d'autant plus facilement qu'*errer* et *errance* ont eux-mêmes des connotations d'incertitude, de désarroi. Il reste que les *errements* ne sont pas des erreurs mais des façons d'aller en tâtonnant vers la vérité — ce qui, après tout, n'est pas incompatible.

espace. *Espace*, substantif masculin, en général, est toutefois féminin dans le vocabulaire de l'imprimerie (ou de la préparation de copie) : "il faut *une* espace avant le point-virgule".

La question des espaces est d'ailleurs extrêmement délicate, et la règle typographique, sur ce point comme sur beaucoup d'autres, est loin d'être unifiée. On ne peut donner ici qu'une idée grossière des principes généraux. Ils sont soumis à de très nombreuses exceptions.

En règle générale, très générale, tous les signes de ponctuation doivent être *suivis* d'une espace. Toutefois ce n'est pas le cas de la parenthèse "ouvrante", ni du crochet "ouvrant". S'agissant des guillemets* l'usage varie grandement. Les guillemets "français" "ouvrants" («) sont généralement suivis d'une espace, mais beaucoup d'imprimeurs et d'éditeurs font appel dans ce cas-là à une espace d'un type particulier, une espace de largeur réduite, *l'espace fine.* "Ouvrants", les guillemets anglais (") ne doivent pas être suivis d'une espace. Crochets, parenthèses, guillemets français et guillemets anglais sont suivis d'une espace lorsqu'ils sont "fermants", sauf lorsque le signe typographique ou le caractère qui les suit est une virgule, un point.

À propos de l'espace *avant* les signes de ponctuation, une règle souvent citée voudrait que les signes *simples* (ceux qui, tels la virgule ou le point, sont composés d'un seul élément) n'en fussent pas précédés, tandis que les signes *doubles*, tels le point-virgule, le deux-points, le point d'interrogation ou le point d'exclamation, en exigent absolument. Cette règle, par sa simplicité, est souvent utile pour la mémoire, mais elle souffre trop d'exceptions pour être vraiment opératoire. La parenthèse ouvrante, le crochet ouvrant et le tiret sont des signes simples, ils doivent bel et bien être annoncés par une espace. Le point d'exclamation est un signe double, mais souvent les imprimeurs refusent qu'il soit précédé d'une espace dans *ah!* et dans *oh!* (il est vrai que dans *ah!* et dans *oh!* le point d'exclamation est à peine un signe de ponctuation, tant il est partie intégrante du mot (dans les dictionnaires *ah!* et *oh!* ne figurent qu'avec leur point d'exclamation (quelquefois précédé d'une espace, le plus souvent une "espace fine" ; et parfois non))).

La généralisation du travail sur ordinateur menace beaucoup tous ces principes, qui déjà n'étaient pas très assurés. S'il respecte la loi des espaces, en effet, l'usager peu aguerri, qui ne maîtrise pas la technique de l'ensemble insécable, se retrouve souvent avec des points d'interrogation, des points d'exclamation, des points-virgules ou des deux points en tête de ligne. Entre deux maux choisissant le moindre il est souvent tenté, alors, de sacrifier l'espace pourtant prescrite.

Sur Internet, d'autre part, l'auteur ou l'éditeur des textes ne peuvent jamais savoir quelle sera la mise en page choisie par le consultant, ou celle que lui imposera son appareil. Supprimer des espaces qui risquent de donner lieu à des coupures malencontreuses, telle la séparation d'un point d'interrogation d'avec sa question, leur paraît souvent une sage précaution.

Les machines à écrire et les ordinateurs, enfin, ne permettent pas de faire la distinction entre l'espace véritable et "l'espace fine".

*

Notons accessoirement que le mot *espace* a connu à la fin du XXe siècle un curieux destin dans le langage des agents immobiliers, d'une part, des marchands d'art et des artistes, d'autre part. Un *espace* désigne en l'occurrence ce qui peut s'appeler d'autre part, suivant les contextes, un *lieu**, une *galerie*, un *atelier*, un *loft*, un *volume*, une *superficie*, etc.

Il a ouvert un grand espace près de la Bastille, sur deux niveaux.

J'ai plusieurs beaux espaces à vous proposer.

L'immeuble est à chier mais pour cinq mille balles par mois t'as un espace pas possible.

espèce (*un espèce de vieux donjon*). Il ne faut pas oublier, quand on parle, et *a fortiori* quand on écrit — mais la tentation est alors moins grande, ou bien cette distraction est moins probable —, il ne faut pas oublier que le mot *espèce*, dans l'expression approximative *une espèce de*, conserve quoi qu'il arrive son genre féminin. Il est essentiel de ne pas le laisser contaminer, comme on risque d'en être tenté plus ou moins consciemment, par le genre du substantif qu'il introduit. Il ne faut pas dire *un espèce de grand escogriffe*, mais "*une* espèce de grand escogriffe", "*une* espèce de vieux château", "*une* espèce de vague soldat".

Une difficulté dans la difficulté survient lorsque cette expression se trouve sujet d'un verbe, et qu'elle est dotée d'un adjectif attribut. Philippe Martinon (*Comment on parle en fran-*

çais, Larousse, 1927) avance cet exemple retors : *cette espèce de parc était assez grand*. Il y voit « quelque chose de choquant ». Et comme *grande*, dans ce cas, serait manifestement un contre-sens, il conclut drôlement que « mieux vaut s'abstenir ».

On peut toutefois remarquer que l'accord selon le sens, ici (*cette espèce de parc était assez grand*), n'est pas beaucoup plus choquant que dans cet autre exemple : *la majorité des voyageurs avaient négligé de composter leur billet* — où il est couramment admis. *La majorité des voyageurs avait négligé de composter son billet* serait une absurdité, et *la majorité des voyageurs avait négligé de composter leur billet* relèverait de l'acrobatie. Est-ce encore une de ces situations grammaticales où par prudence « mieux vaut s'abstenir » ?

état de droit, État de droit. La question s'est émue récemment de savoir si l'on devait écrire *État de droit* ou bien *état de droit* — autant dire à quel "état" faisait référence cette expression de plus en plus répandue, l'État comme dans *chef de* l'État, *agent de l'État, propriété de l'État*, etc., ou bien l'état comme dans *état de guerre, état d'opulence, état de liberté, état de délabrement avancé*.

L'histoire du concept ne laisse aucune espèce de doute quant à la bonne réponse. *État de droit* est la traduction littérale de l'allemand *Rechtsstaat*, « une construction interne à la science juridique allemande, opposant l'État de droit à l'État de police » (*Dictionnaire constitutionnel* de Meny et Duhamel). C'est en Prusse dans la deuxième moitié du XIXe siècle que s'est élaboré ce thème. Depuis il s'est répandu dans le monde entier. Un article du professeur Jean Rivero précisément intitulé "État de Droit, état de Droit" (in *Mélanges en l'honneur de Guy Bré-*

bant, Dalloz) ôte les derniers doutes qu'on pourrait avoir. On y lit par exemple cette phrase : « L'État de Droit dépend donc dans une large mesure, pour répondre à sa fin, de l'état du droit en vigueur ».

être dans (→ être sur).

être sur. *On est sur un volume de territoires qui ne sont* [sic] *pas très importants* (spécialiste de l'Ukraine, France Culture).

On est déjà sur un manque de matières premières sur les docks et dans les entrepôts.

Il est écrit décidément que la proposition* *sur** sera au centre de toutes les secousses syntaxiques et langagières qui secouent la langue française depuis le début du XXIᵉ siècle (cf. *sur* comment*). On la retrouve en effet à une place éminente en l'une des tournures les plus bizarres et les plus répandues du parler et — dans une moindre mesure, tout de même — de l'*écrit* contemporains : j'ai nommé l'inexplicable *être sûr*, dont on ne comprend pas ce qui a pu le recommander avec pareil succès à nos compatriotes et colocuteurs. Il est à croire que c'est son *sur* plus que son *être*, car ce *sur* est arrivé là entouré du prestige de sa victoire à plates coutures sur *dans*.

On est sur quand même un temps très long (historien à France Culture, à propos du Moyen-Âge, 16 septembre 2019 — l'exemple est intéressant également quant à la question de la place des adverbes* et locutions adverbiales entre les prépositions* et leur objet).

Là on est sur du matériel qui peut rapporter des centaines de milliers d'euros.

On est probablement sur des chiffres beaucoup plus supérieurs [sic] *à ce qui est annoncé* (France Culture, "Les Matins de France Culture", invité).

On est sur un grand classicisme en termes de cinématographie (France Culture, "La Grande Table", 5 août 2020).

On va être uniquement sur de l'achat de dernière minute.

On est quand même sur de l'arme automatique, là. On est sur un règlement de compte entre bandes rivales.

On est sur un bon 4/5% de la consommation des ménages, pas plus. On est sur quelque chose de petit.

On est sur un mode de production complètement atypique, on n'est pas sur un film classique.

Nous sommes sur de la toute petite anecdote, là (France Culture, "Le cours de l'histoire", 19 janvier 2020).

Aujourd'hui, on est plus sur qu'est-ce qui va se passer (France Culture, "La Grande Table", invitée, 10 février 2021)

Être sûr fait une carrière particulièrement brillante dans la langue de la boutique et du commerce en général :

Là on est sur un joli produit d'entrée de gamme — c'est ce que vous aviez en tête ?

Être dans semble à première vue moins étrange qu'*être sûr*, et peut être, *est* souvent, tout à fait irréprochable ("nous sommes dans une situation difficile"), comme c'est d'ailleurs le cas, mais plus rarement, d'*être sur* ("nous sommes sur la terrasse"). Cependant on rencontre des *être dans* qui n'ont rien à envier en bizarrerie et en incorrection aux *être sur* qu'on vient d'évoquer :

Nous sommes dans des gens qui se contrefichent de la loi.

Il n'est pas improbable d'ailleurs que ce curieux usage d'*être dans* ait précédé celui, non moins curieux d'*être sur* et, qui sait, lui ait donné carrière.

On est sur un objet qui se transmet à travers les générations (France 2, 18 décembre 2020, journal de 20 heures, "sujet" sur l'horlogerie suisse et franc-comtoise — il s'agit des horloges).

excessivement. De même que *risque* s'entend beaucoup trop clairement, dans *risquer**, pour que ce verbe puisse se permettre, décemment, de s'affranchir de ce nom, *excès* fait encore trop de bruit, dans *excessivement,* pour que cet adverbe puisse prétendre ne pas le connaître, alors qu'il lui doit tout.

Excessivement c'est toujours *à l'excès* — de sorte que c'est toujours *trop,* et que ce n'est pas seulement *très.* S'il fait *excessivement chaud,* c'est que la chaleur est pénible. On ne voit pas qu'il puisse faire *excessivement beau* — sauf s'il dépendait du mauvais temps qu'un agréable projet puisse être mené à bien.

Un causeur ne saurait être *excessivement brillant* — sauf si dans ce brillant entre une nuance péjorative, au dépend de la profondeur, par exemple, ou du sérieux du propos.

Une fille n'est pas *excessivement jolie* — sauf pour la tranquillité d'esprit de celui qui l'admire, peut-être, ou bien, si cet homme a une épouse, éventuellement, pour le bonheur conjugal de cette dame.

Pour d'autres raisons, qui ne relèvent pas de l'oxymore, mais du pléonasme, un garçon n'est pas non plus *excessivement bête* — sauf si l'on considère qu'une certaine dose de bêtise est parfaitement admissible, voire souhaitable ; et que lui, tout de même, il la dépasse. Sans quoi c'est bien assez de dire qu'il est *très* bête.

L'essentiel est qu'*excessivement* garde toujours un sens péjoratif; exprime une doléance, ou un regret; et ne soit pas employé pour signifier seulement l'ampleur ou la quantité, lorsque celles-ci n'ont aucun caractère fâcheux.

Gershwin, c'était quelqu'un d'une excessive fécondité (France Musique).

exiger. *Exiger* est un verbe extrêmement fort, qui suppose la possession du pouvoir, chez ceux qui en sont le sujet. Il y a quelque chose d'antirépublicain, ou d'inconstitutionnel, pourrait-on estimer, dans toute *exigence* présentée au gouvernement — sauf de la part du président de la République dans l'exercice de ses droits constitutionnels, sans doute.

Il est de bonne guerre, de la part de manifestants, de gonfler l'apparence de leur force, et d'exagérer la fermeté de leur résolution. Ainsi peut seulement s'expliquer qu'ils *exigent* telle ou telle mesure de leur ministre de tutelle ou du Premier ministre. Dans un strict État de droit, et dans un strict état de langue, ils ne pourraient faire que la *réclamer.*

Celui qui *exige* se pose emphatiquement comme occupant une situation de supériorité. D'un invité, il est parfaitement déplacé d'*exiger* quoi que ce soit. C'est pourquoi témoignent un assez piètre état de civilisation, ou de réflexion sur la courtoisie, ces cartons d'invitation qui portent la mention *Cette invitation sera exigée à l'entrée.*

Certes elle est destinée, dans une certaine mesure, à protéger l'invité lui-même, à assurer que personne n'usurpera son identité, que d'éventuels indélicats seront refoulés. Il n'empêche, c'est bel et bien l'invité qui est menacé d'une exigence quelconque. Et cela n'est conforme ni au bon usage langagier, ni au bon usage social.

exploser. Voilà un verbe qui depuis le début du XXIe siècle a totalement changé de statut grammatical, et donc de sens. On pourrait résumer ses aventures récentes en disant que, d'intransitif qu'il était (la poudrière a explosé), il est devenu transitif (*il l'a explosé en plein vol*), ou, plus rudement, *si tu continues je vais t'exploser la gueule*). Du coup, en langue du jour, il n'est plus nécessaire de s'encombrer de *faire*, avec exploser :

Dès qu'il est arrivé dans la boîte, il a littéralement explosé le chiffre d'affaires.

Accessoirement, le verbe, qui était chargé de connotations militaires ou accidentelles assez menaçantes, que d'ailleurs il a gardées, a pris aussi, comme on le voit dans l'exemple ci-dessus, un sens tout à fait positif, embaumant le succès et la consécration :

Il a un peu galéré au départ, mais dès son troisième opus, sa carrière a explosé.

Ce film comme c'est parti pourrait bien exploser le précédent record de nombre d'entrées.

La nation explose au moment de la Révolution, dit à la radio l'historien Marc Ferro. Or, le contexte et la plus élémentaire connaissance de l'histoire l'établissent clairement, la tournure ne signifie pas du tout que la nation française est victime à la Révolution d'une brusque détonation* qui la mettent en mille morceaux — c'est ce qu'il aurait fallu comprendre il y a vingt ou trente ans, et qui n'aurait pu être dit alors car ç'eût été absurdement faux. Ce que veut dire Marc Ferro c'est que *le concept de nation* se trouve soudainement, à la Révolution, dans tous les esprits, dans toutes les bouches et sous toutes les plumes — bref, il prend tout son sens et toute sa portée et connaît un succès fou...

Exploser, pour un artiste, une personnalité politique, un dirigeant d'entreprise, c'est rencontrer la consécration suprême, voir ses talents et ses mérites reconnus de toute part, fasciner le public en général ou le public particulier qui s'intéresse à ce que l'on fait :

Ses trois premiers opus ont reçu un accueil correct mais avec le quatrième il explose littéralement.

Les ventes, évidemment, sont sujettes par excellence à l'explosion :

Après son passage au vingt heures, ses ventes ont explosé du jour au lendemain.

Avec son physique, forcément, dès qu'elle a été un peu exposée, elle a explosé.

Les connotations ne sont pas forcément positives toutefois. *Exploser* peut tout simplement signifier que quelque chose, dont il n'importe pas que ce soit un phénomène favorable ou défavorable, augmente en des proportions considérables :

Ce type de blessures explose avec le mouvement des Gilets jaunes.

Les vols de vélo ont explosé à Paris depuis le début de l'année.

Il arrive à *exploser* la même chose qui avait affecté *tomber*, ou plutôt il arrive à *faire exploser* la même chose qu'à *faire tomber* :

Le gamin a tombé son hochet.

C'est un produit qui va exploser les marchés.

On ne dira plus que les propos contestables de la chanteuse Camélia Jordana ont fait exploser de rire le judoka Patrice Quarteron, mais on signalera en titre un *Philippe Quarteron explosé par les conneries de Camélia Jordana.*

extorquer. *Prostituées extorquées à Metz : neuf jeunes, dont six mineurs, incarcérés* (titre du *Figaro*, vendredi 18 décembre 2020. L'article ne dit pas à qui ces dames ont été extorquées...).

L'évolution d'*extorquer*, si du moins cet exemple est significatif, est exactement contraire à celui de spolier*. C'étaient des personnes qui étaient spoliées (dépouillées) de certains biens, des tableaux, un héritage, un domaine ; et maintenant ce sont ces biens mêmes qui sont spoliés. Certains biens, une somme d'argent, des bijoux, un château, un secret, étaient extorqués à certaines personnes, par ruse ou par violence ; à présent, ce sont ces personnes elles-mêmes qui sont extorquées : confusion, comme si souvent désormais, de l'actif et du passif, du possédant et du possédé, du volé et de l'objet volé.

F

faire. Quiconque souhaitera donner ou conserver à son langage et à son style une élégance classique et une dignité de bon aloi (mais bien entendu ce n'est pas un vœu généralement partagé, et sans doute n'est-il pas souhaitable qu'il le soit), quiconque etc., évitera d'employer le verbe *faire* pour indiquer des dimensions, des mensurations ou un poids.

Si l'idéal recherché est celui du beau langage, on se gardera de dire ou d'écrire qu'une pièce *fait* sept mètres de long, qu'un homme *fait* un mètre quatre-vingt-deux, qu'une femme *fait* quatre-vingt-quinze centimètres de tour de poitrine, qu'une cloche *fait* trente tonnes.

Selon l'esthétique classique (et le code de correction bourgeoise), *faire* en cet emploi est tout à fait vulgaire. Les verbes adéquats sont *mesurer, compter* éventuellement, *peser, remporter* ou tout simplement *avoir*. Un homme *mesure* un mètre soixante-quinze, ce chien *pèse* quarante kilos, cette chambre *a*

ou *mesure* quatre mètres de largeur, ce candidat *a remporté* 29 %
des voix.

La tragédie de Racine fait seize cent cinquante vers (France
Culture, 4 janvier 1999).

Il fait douze millions de voix de plus qu'en 2016.

*Un Premier ministre à accent moi je trouve que c'est bien. Il
faudrait aussi un Premier ministre qui parle arabe, parce qu'ils font
presque dix pour cent de la population* ("représentent", "constituent" — d'autre part, d'un point de vue strictement syntaxique,
qui est parfois un aveuglement volontaire, on ne sait pas qui
sont *ils*).

On évitera rigoureusement, de même — toujours si l'on
aspire à un discours conforme aux règles traditionnelles de la
syntaxe et du goût — d'employer *faire* pour indiquer la durée.
On utilisera *il y a*. On ne dira pas *et ça fait cinquante ans que
ça dure* mais "et en plus il y a cinquante ans que ça dure"; non
pas *ça fait dix minutes que je t'appelle* mais "il y a dix minutes"
ou "je t'appelle depuis dix minutes". A fortiori, on se gardera
d'aggraver *ça fait* par *depuis**, car ce serait passer de l'inélégance
au patagon : *Ça fait depuis des années que j'voulais parler de l'alcoolisme...*

En revanche il existe un vieil emploi de faire qui possède
un beau charme désuet*, un peu précieux et pourtant assez ca-
valier : c'est celui qui consiste à utiliser ce verbe en lieu et place
d'un autre, dont on souhaite éviter la répétition :

> *Il aimait mieux Clytie inexorable*
> *Qu'il n'aurait fait Hélène favorable.*

(La Fontaine, "Le Faucon").

Je t'aimais inconstant, qu'eussé-je fait fidèle ?

(Racine, *Andromaque*, acte IV, scène 5).

Faire revêt alors la signification du verbe qu'il remplace, et pousse la complaisance ou la ductilité jusqu'à se construire comme lui : "Elle se moquait de lui comme elle eût fait d'un enfant". Enthousiaste, Abel Hermant trouvait qu'« il n'est pas de tournure plus vive ni plus française ». Il citait un bel exemple emprunté au *Charles XII* de Voltaire : « Charles voulait braver les saisons comme il faisait ses ennemis. »

De même qu'une pièce ne *fait* pas douze mètres de longueur, et qu'un livre ne *fait* pas trois cent cinquante pages, un homme ne *fait* pas une crise cardiaque ou un AVC, ni une femme un cancer du sein : ils les *subissent*, ils *en souffrent*, ils *en sont victimes*.

Même pour les jeunes, il y a un risque de faire des formes graves.

Des vidéos qu'elle avait lancées il y a quatre ans quand elle faisait des insomnies.

Quant à *faire* au sens de *gagner*, non seulement c'est du pur anglais en français (*to make money*, *to make a million buck*s), mais il est particulièrement inélégant et mal choisi :

Les gens les plus riches ont fait des dizaines de millions de dollars pendant la pandémie ("Les Matins de France Culture, invité, 24 février 2021).

Cette façon de dire est si manifestement vulgaire qu'il se peut très bien qu'elle soit employée, bien sûr, par plaisanterie, comme une immédiate citation :

J'me suis fait trois mille balles en trois clicks.

faire (absence du verbe faire quand il le faudrait). On donnait jadis comme exemple rituel de français populaire, enfantin ou fautif l'absence du verbe *faire* devant le verbe *tomber*, comme si *tomber* était transitif, *ainsi que* l'est seulement *faire tomber : J'ai tombé le vase. Il a été tellement surpris, il en a tombé sa fourchette. Attention que le chien il tombe pas son pansement. Hésitez pas à tomber la veste, si vous vous sentirez mieux* — le cas de *tomber la veste* est un peu particulier, d'une part parce que la tournure, certes familière, est si bien repérée comme telle qu'elle est souvent utilisée en guise de semi-plaisanterie, ou de semi-citation, un peu comme des bourgeois distingués parlent d'*apéro*, pour faire peuple ; d'autre part parce que le sens de *tomber*, en l'occurrence, n'est pas tant celui de *faire tomber* que celui d'*enlever*, de *retirer*. Toujours est-il qu'on ne *tombe* pas quelque chose, on *fait tomber* un objet, un ministère ou une personne. Mais la fameuse instabilité* syntaxique, dont cet ouvrage a beaucoup l'occasion de parler, l'instabilité croissante du sujet parlant, la confusion du sujet et de l'objet, de l'objet agissant et de l'objet agi, de l'actif et du passif (tous facteurs essentiels de l'hébétude ambiante), entraînent un élargissement de cette faute, la disparition de l'"auxiliaire" *faire* quand il serait indispensable :

Pour comprendre, il nous emmène à la rencontre d'un groupe de retraités qui... — France 2, journal de 20 heures, 12 décembre 2019. *Il* est le maire de Foix, qui reçoit une équipe de télévision. S'il l'emmène à la rencontre d'un groupe de retraités, ce n'est pas du tout pour comprendre, lui, quelque chose, mais "au contraire" pour expliquer, pour faire comprendre. Il aurait fallu absolument : « Pour nous faire comprendre, il nous emmène... » (ou pour nous montrer, pour nous expliquer, etc.).

faire long feu, ne pas faire long feu. L'expression *faire long feu*, assez courante, présente la particularité curieuse de vouloir dire une chose et son contraire, apparemment. Ou pour être plus exact : elle semble avoir le même sens en sa forme positive et en sa forme négative — elle et son contraire veulent dire la même chose. *Faire long feu* et *ne pas faire long feu*, extraordinairement, n'aurait qu'une seule signification à eux deux. Et cette signification serait *ne pas durer*.

Cela dans la langue courante, évidemment, qui marque d'ailleurs, à tort, une nette préférence pour *ne pas faire long feu* :

j'vais aller lui parler, moi, et crois moi qu'ça va pas faire long feu, ses p'tites histoires.

On va les détruire, leurs paillotes, ça va pas faire long feu.

Qui dit *ça va pas faire long feu* exprime en général une grande confiance en ses propres pouvoirs, ou bien en un pouvoir quelconque, pour mettre un terme rapide à quelque chose, souvent une anomalie, un désordre, un trouble à l'ordre public et privé. Il est fréquent que cette tournure relève de la rodomontade.

La seule expression traditionnellement admise, en fait, serait *faire long feu*. *Ne pas faire long feu* procéderait d'un malentendu. Ce malentendu était difficilement évitable, à la vérité, dans la mesure où l'adjectif central de ce groupe de mots est *long*, alors qu'il s'agit de charrier une idée de brièveté, ou plus exactement d'incapacité à durer (et donc d'échec).

Un fusil qui *faisait long feu* était un fusil dont le coup ne partait pas, ou partait mal, ou tardait à partir (et donc n'atteignait pas son effet). Un plan qui *fait long feu* est un plan qui n'aboutit pas : "Le projet d'alliance entre les partis de l'opposition a fait long feu". "Cette amourette a fait long feu" (elle n'était qu'un feu de paille). "J'avais caressé le projet d'aller à Prague pour la Toussaint, mais quand j'ai vu l'état de mon compte en banque l'idée a fait long feu."

Cependant si l'on examine de près l'expression littérale et fondatrice, *faire long feu*, dans son sens originel et pyrotechnique, en quelque sorte, on s'aperçoit que l'idée d'échec, qui dans la métaphore s'est imposée la première, en la langue classique, est en fait seconde, et même secondaire, tandis que celle de longueur est bien présente dès le départ, le faux-départ. Si un fusil à pierre *fait long feu*, c'est que son amorce est trop longue à prendre, et que le coup tarde à partir (de sorte que le possesseur du fusil va échouer dans son entreprise de blesser son ennemi, par exemple).

De l'image première peuvent très bien avoir procédé deux branches de postérité sémantique, parfaitement contradictoires et pourtant tout à fait légitimes l'une et l'autre. Lorsque le vantard, à propos d'une entreprise qui lui déplaît, dit "ça va pas faire long feu", il ne parle pas d'elle (qui va faire long feu au contraire, dans son esprit) ; mais du coup qu'il s'apprête à lui porter, et qui ne tardera pas à partir, à bien partir, et à s'abattre sur elle.

En fait la contradiction (ou plutôt l'absence de contradiction des contraires) vient du fait que la métaphore, dans sa forme positive et sa forme négative, ne renvoie pas au même moment de l'action qui lui sert de référence.

Quand nous disons, très correctement, "l'alliance des partis d'opposition a fait long feu", nous faisons allusion à la situation dans laquelle se trouve le malheureux soldat dont le fusil n'est pas parti à temps, et qui donc s'est trouvé désarmé de fait, incapable d'agir.

Si nous disons "leur initiative m'exaspère, je vais m'en occuper, ça ne va pas faire long feu", tout dépend du sens de ça, selon que ce pronom démonstratif renvoie aux actions que je vais entreprendre, ou bien à l'attitude qui me déplaît ; à moi, ou bien à mes adversaires.

Si c'est ma façon de m'en occuper qui ne va pas faire long feu, la phrase est parfaitement correcte. Elle signifie que mon action ne va pas tarder, que mon fusil partira bien, que j'atteindrai sans coup férir — ou plutôt *en coup férant* — mon objectif, qui est de mettre fin à l'initiative qui me déplaît.

Si c'est l'initiative de la partie adverse qui ne va pas faire long feu, alors la phrase n'a aucun sens — à moins, peut-être, d'être prononcée sur un tout autre ton : car elle signifierait que l'initiative de mes ennemis ne rencontrera aucun problème d'allumage, que donc elle va réussir, et que mon action pour la contrer est vouée à l'échec (ce n'est probablement pas ce que je voulais dire).

Le sens légitime et cohérent de *faire long feu* est *avoir un fusil qui fonctionne mal, tirer un coup qui ne part pas, mal commencer, commencer quelque chose qui n'aboutit pas, échouer*.

Le sens légitime de ne pas faire long feu est avoir une arme efficace, tirer un coup qui part sans délai, agir vite, bien commencer, réussir d'emblée. Grammaticalement, on peut très bien dire que « l'alliance des partis d'opposition n'a pas fait long feu ». Mais il faut être bien conscient que ce que l'on signifie par là, signifie vraiment, c'est que l'alliance des partis d'opposition a pris un excellent départ, qu'elle n'a rencontré aucun obstacle liminaire, que sa réussite fut immédiate. Donc il y a bel et bien contradiction — heureusement pour le repos de l'esprit — entre faire long feu (échouer, finir vite) et ne pas faire long feu (bien commencer, réussir d'emblée). Il y a seulement que ne pas faire long feu est la plupart du temps employé à tort, à la place de faire long feu. Cependant l'usage qu'on aurait pu croire le moins précautionneux, celui de l'irrité qui s'écrie sur un ton colère « ça ne va pas faire long feu » est absolument incritiquable si l'intéressé veut dire qu'il va agir vite et bien.

faussel, ou fauxel. Il s'agit d'un néologisme que je me suis permis de proposer pour désigner l'inverse du réel, le faux réel, le réel faux, l'univers du mensonge et du faux, et spécialement, bien sûr, en conformité avec d'autres aspects de ma réflexion, le faux réel imposé par le remplacisme global, le réel de substitution, le réel du négationnisme ou néo-négationnisme, celui où le Grand Remplacement ne survient pas, ce qui force, par contagion, tous les mots à être menteurs et à signifier autre chose que ce qu'ils paraissent vouloir dire (jeune*, cité*, quartier*, français*, culture*, musique*, etc.). Le faussel est à la fois une langue, la langue du mensonge, et le réel dont cette langue est la langue, le réel faux, le réel à l'envers, le monde du faux, du toc, du simili, de la copie, de l'imitation, de la contrefaçon : la langue et la réalité du remplacisme global.

J'avais d'abord pensé à fauxel et l'avais "promu", d'autant que le mot ainsi fabriqué avait l'avantage de mieux souligner et de rendre plus visible le rapport avec faux, avec le faux (et peut-être avec la faux, car le fauxel est évidemment un univers de la destruction et de la mort). Mais je me suis avisé que les mots dérivés de faux étaient construits, conformément à la règle, à partir de son féminin (fausse, fausseté) ou de son étymologie (falsus, d'où falsification). J'en suis donc venu à préférer faussel, et pour l'anglais falseal plutôt que fakeal, trop familier et malsonnant, ou fakreal, voire fakereal, trop explicites. Cependant la référence au réel reste précieuse, et même indispensable. Elle amène à envisager fausséel, ou fauxéel. Ce sont là autant de possibilités pertinentes pour un "réel" par définition approximatif, flou, mouvant, protéiforme (et, naturellement, menteur).

faute de. ... *les Berbères muselés faute de n'avoir pu les exterminer* (France Culture, 21 octobre 1999).

C'est un peu facile de dire que maintenant on va le poursuivre, faute de ne l'avoir pas surveillé (France Inter, 21 octobre 1999).

Faute de signifie à défaut de, par manque de, puisque... ne pas... C'est une locution négative, qui ne peut préluder à une négation, laquelle ferait gravement double emploi. René Georgin cite un exemple embarrassant emprunté à François Mauriac : « Faute de n'avoir su ni l'enrayer, ni sortir à temps des rouages... » (*Thérèse Desqueyroux*). Il aurait fallu bien sûr : "faute d'avoir su l'enrayer, et sortir à temps des rouages..." Mais la distraction de Mauriac ne doit servir d'excuse à personne.

La phrase à propos des Berbères accumule les barbarismes, elle. Car même si faute de était employé correctement (les Berbères muselés faute d'avoir pu les exterminer), la construction resterait indéfendable pour la simple raison qu'entre muselés et avoir pu le sujet a changé (→ infinitif, instabilité syntaxique). On aurait pu dire : "les Berbères muselés faute d'avoir été exterminés", ou bien "museler les Berbères faute d'avoir pu les exterminer"...

Ses plantations sont mortes faute de n'avoir pas été suffisamment arrosées. Il faudrait : "faute d'avoir été"...

Faute de n'avoir rien tué, on s'est offert du gibier au restaurant. Il faudrait : "faute d'avoir tué quoi que ce soit, ou quelque chose".

Le nutriscore n'est toujours pas obligatoire, faute d'absence de consensus au niveau européen (France Culture, "Les Matins de France Culture", mercredi 16 décembre 2020).

Rappelons ici que les grammairiens unanimes (ou presque) recommandent c'est la faute de contre c'est de la faute de... André Thérive (*Querelles de langage, troisième série*, 1940) estimait toutefois que le de avait une valeur causale, et qu'« il serait plutôt plus correct que son absence ». Dupré lui donne raison mais commente : « Il reste que l'expression c'est ma faute appartient à l'usage littéraire et surveillé, alors que c'est de ma faute appartient à l'usage quotidien ».

faveur (en faveur / à la faveur) ... *soulèvement à Lhassa en faveur de la nuit* (France Culture, c. 1999).

... *un déficit commercial à la faveur de la Chine* (France Culture, nouvelles, 14 août 2017).

En faveur de et *à la faveur de* ont des sens à peu près contraires. Agir *en faveur de* quelque chose ou quelqu'un c'est agir pour eux, à leur bénéfice, à leur avantage, à leur profit. Agir *à la faveur de* quelque chose (on ne peut pas agir *à la faveur de* quelqu'un), c'est agir en profitant de cette chose, en en tirant profit, avantage, bénéfice. Or ces deux expressions voisines sont souvent confondues, échangées, avec des résultats cocasses qui peuvent n'être pas dépourvus de poésie, à l'occasion. Je garde pour ma part un souvenir ému du *soulèvement à Lhassa en faveur de la nuit*, ces pauvres Tibétains, aurait-on pensé, ayant d'autres chats à fouetter que de se soulever pour défendre les droits de la nuit : une cause éminemment à soutenir, au demeurant, tant les droits de la Nuit sont partout bafoués, à force de lampadaires, d'artificialisation et de croissance démographique.

finaliser. Nous avons été pris de court, mais nous sommes en train de finaliser un document d'une cinquantaine de pages qui sera remis aux destinataires le 6 avril avec la liste définitive des signataires et qui recensera l'ensemble des erreurs contenues dans L'Imposture climatique, Nouveau voyage au centre de la Terre, *ainsi que dans les conférences de M. Courtillot, abondamment diffusées sur Internet, explique l'un des auteurs du texte* (Le Monde, *déclaration de climatologues, 2 avril 2010).*

Finaliser, comme *initier**, est un exemple parmi des centaines de ces mots dont le sens anglais (*to finalize*) l'a emporté en France et en français sur le sens français. Ce sens français, il est vrai, était faible et très spécialisé (contrairement à celui d'*initier*), et le verbe lui-même est d'apparition tardive. Il ne figure dans aucun des dictionnaires classiques. Le *Grand Larousse encyclopédique*, à la fin du XXe siècle, lui donne le sens de *donner un but, un objectif précis* (à une recherche, à une action). Il s'agit d'un terme didactique, en usage en philosophie et en théologie. L'Académie française offre un exemple emprunté à Jacques Maritain :

« Le bien politique est un bien digne en soi de finaliser l'action humaine ».

Le sens anglais, qui n'a eu aucun mal à faire oublier ce sens trop intellectuel d'un terme sans ancienneté, sans noblesse et sans prestige, est rangé aimablement par le Robert dans le registre du *jargon d'entreprise*. Il y appartient certes, mais il en est sorti depuis longtemps pour sévir dans le vocabulaire politique et plus encore diplomatique (autant dire journalistique, médiatique). On *finalise* un projet, et plus que tout un *accord* : c'est lui mettre la dernière main, en retirer les derniers points incertains ou litigieux, le polir, y apporter la touche finale — toutes façons de dire autrement mieux inscrites dans notre langue.

Il semble bien que, finalement, *finaliser* ne soit plus guère qu'une façon pompeuse, et que certains croient plus valorisante, de dire *finir*, comme *problématique* de dire *problème* ou *théorétique théorique* :

Ce serait comme mettre une bande-son sur un film qui n'est pas tout à fait finalisé.

flic. Flic est un mot d'argot, qui ne respecte pas la souhaitable neutralité du langage poli, laquelle ne connaît que les agents, les agents de police, les policiers ou les gardiens de la paix. D'autre part c'est un terme nettement péjoratif.

Certes on ne peut pas ne pas constater qu'une partie non négligeable des membres de la police ont une attitude très répréhensible, et très éloignée des idéaux que cette corporation est supposée défendre. Mais de deux choses l'une. Ou bien l'on en tire la conclusion que la police et les policiers sont intrinsèquement mauvais, que ce sont des ennemis de la société, ou seulement des ennemis personnels, pour celui qui parle : et alors il est légitime de désigner les représentants de l'ordre par un terme péjoratif. Ou bien l'on estime que la police est nécessaire, dans un État de droit, qu'elle remplit une fonction indispensable dans la société, qu'elle est l'instrument de la loi, qu'on ne saurait s'en passer, et que l'indubitable présence de brebis galeuses, en son sein, n'attente pas à la dignité de sa mission. Bien sûr la police doit être infiniment améliorée, juge-t-on dans le second cas, mais cette amélioration, comme son nom l'indique, ne tendra qu'à une police meilleure, pas à son utopique disparition.

Les tenants du second point de vue, qui sont infiniment plus nombreux que les partisans du premier, ne devraient pas accepter de désigner les représentants de l'ordre, de manière systématique et générale, au moyen d'un mot péjoratif. Il y a là une contradiction.

On objectera que flic n'a plus grand caractère péjoratif, et que la plupart des membres de la police se parent eux-mêmes très volontiers de cette appellation. En effet il n'est pas un commissaire un peu médiatique ou inspecteur un peu casse-cou qui n'ait donné à l'édition avide ses *Mémoires d'un flic*, sa *Parole de flic* ou sa *Flic's Story*. Mais cet exemple, tout répandu qu'il est, n'est pas à imiter, et on ne saurait l'applaudir. Car il en est de flic au sein de la police comme de prof dans l'enseignement. De même que l'éducation est un apprentissage de la forme, une propédeutique du contrat, un exercice de la médiateté contre la violence, les pulsions et les illusions de la pure expression, de même la démocratie, l'ordre et l'harmonie sociale sont toujours des formalismes. Une bonne police est formaliste : elle n'imite pas ordinairement l'apparence des voyous, elle ne tutoie ni les prévenus ni les suspects ni les condamnés ni personne, elle n'a pas d'opinions politiques ou les garde pour elle et surtout elle respecte la lettre de la loi.

Or l'argot peut bien être d'origine très savante et complexe, il n'en est pas moins, sauf entreprise délibérée, du côté de la pulsion, de l'immédiateté, du pseudo-naturel, de la forme reniée. Si nous voulons une police qui se plie à la volonté du législateur, aux détours de la procédure et aux dispositions qui régissent officiellement son fonctionnement, elle ne peut pas être composée de flics.

flux. *Flux* est un des très nombreux mots français qui s'achèvent sur une consonne que le bon usage dissuade absolument de faire entendre. L'*x* de *flux* ne doit pas plus se prononcer que celui de *Bordeaux*, de *Morlaix*, de *faux*, de *portefaix* ou de *reflux*.

foire d'empoigne. Comme le mot *empoigne* n'est guère employé, et presque exclusivement dans l'expression une foire d'empoigne (un grand désordre, le théâtre de violentes rivalités, un champ clos où chacun tâche par tous les moyens de l'emporter sur l'autre), il a conservé sa prononciation ancienne : em-pogne. L'*i* ne se fait pas entendre. (→ *champaigne*).

forces de l'ordre. Les *forces de l'ordre* sont un de ces termes collectifs, comme personnels, dont la langue actuelle paraît ne plus comprendre le caractère... collectif, justement. Il peut y avoir plusieurs forces de l'ordre, ne serait-ce que la police et la gendarmerie ; mais il ne saurait y en avoir huit mille, ni même deux cents, ni même cent. Les forces de l'ordre, non plus que les personnels, ne sont pas des individus :

> *Un renfort d'une centaine de forces de l'ordre a été dépêché à Dijon, selon la préfecture, après des violences "inédites" survenues au cours du week-end lors de trois expéditions punitives menées par des dizaines de Tchétchènes, selon la police* (Agence France Presse, 15 juin 2020).

formidable. Il est certainement trop tard pour cantonner de nouveau *formidable* dans son seul sens étymologique d'effrayant, qui inspire de la peur (en particulier par sa taille, sa profondeur, sa majesté) : une route de montagne affronte des escarpements formidables ; le général de Gaulle faisait un administré formidable, pour le maire de Colombey ; la sonate de Liszt présente un aspect formidable, pour un pianiste débutant (et même pour un pianiste confirmé).

Formidable, à force d'extension de sens et de faveur exagérée auprès du public, a définitivement revêtu la signification parasite de remarquable, exceptionnel, incomparable, excellent (*Jeanne et le garçon formidable*, joli titre de film). Quiconque prétendrait parler "au plus près de la source chantante", cependant, c'est-à-dire ne pas aggraver la distance qui sépare les mots de leur étymologie, mettrait un point d'honneur à maintenir en formidable une obstinée nuance d'effroi, voire de terreur. Un paysage formidable, dans la bouche de pareille personne, ne serait pas un paysage délicieux, mais un paysage grandiose, magnifique éventuellement, mais d'une abrupte et inquiétante austérité.

frais (en être / en avoir pour ses frais). À la télévision, le porte-parole de l'UMP, M. Sébastien Huyghe, dit de façon irréprochable, au moins quant à la langue :

« Tous ceux qui ont voulu mettre des bâtons dans les roues de Nicolas Sarkozy en ont été pour leurs frais ».

Hélas il semblerait que cette tournure tout à fait classique, cet idiotisme, même, ne soit plus connu des journalistes de BFM TV, ou du moins du responsable de la bande passante, en bas de l'écran. Sans doute cette personne estime-t-elle que M. Huyghe a commis une erreur, qu'il lui appartient, à elle, de corriger ; ou bien, ne connaissant pas l'expression qu'elle doit transcrire, elle l'a sincèrement entendue telle qu'elle soit pour elle intelligible, comme la Françoise de la *Recherche* qui est persuadée que sa maîtresse lui a demandé d'acheter du jambon de New York, parce que New York lui dit quelque chose et York seul rien. Aussi incruste-t-elle deux fois, en bas de l'image :

> *Tous ceux qui ont voulu mettre des bâtons dans les roues de Nicolas Sarkozy en ont eu pour leurs frais.*

En avoir pour ses frais n'existe pas. Il est probable qu'ont été écrasées ici deux tournures qui n'appartiennent pas au même niveau de langue, en être pour ses frais, en avoir pour son argent. Leur sens est à peu près contraire : en être pour ses frais c'est avoir agi pour rien, n'obtenir aucun résultat de ses initiatives, perdre son investissement en temps ou en argent ; en avoir pour son argent, ou, donc, pour ses frais (mais encore une fois l'expression n'existe pas), c'est être largement récompensé de ce qu'on a dépensé, obtenir de ses efforts ou de son argent tout ce qu'on en avait espéré, voire davantage.

français, Français. L'adjectif et le substantif *français, Français*, qui, ainsi qu'on le constate encore ici, ne s'écrivent pas de la même façon, sont certainement le mot où la différence entre le sens cratylien et le sens hermogénien est la plus forte et la plus facile à expliquer, relativement à lui-même et à n'importe quel autre mot qui se prête à la même distinction.

Un *Français* au sens cratylien du terme est un individu généralement d'ascendance française, on eût dit naguère de *race** *française*, de *culture française*, de *civilisation française*, et, de préférence, de *sentiments français* : l'amour de la France n'est pas indispensable au concept mais il peut compenser le défaut d'ascendance — on peut être français par amour. Un *Français* au sens hermogénien du terme, beaucoup plus facile à définir, est un individu de nationalité française, déclaré ou reconnu comme tel par les autorités officielles de la France : on dit aussi un *Fran-çais de papier*, ou *de tampon*. Les deux acceptions peuvent parfaitement coïncider en la même personne, c'est même encore aujourd'hui le cas plus répandu ; mais il est de plus en plus fréquent, avec l'immigration de masse et le changement de peuple, qu'elles ne coïncident pas du tout, ou même soient en conflit ouvert. La littérature et la loi, le bon sens et le droit, l'histoire et la politique, la rue et les tribunaux, la parole et les documents administratifs, risquent fort d'avoir peu ou prou maille à partir, en pareil cas.

L'adjectif français s'écrit toujours sans majuscule : "la langue française", "une ville française", "l'art français", "l'Académie française", "la République française", etc. Le substantif Français s'écrit avec une majuscule quand il désigne une personne de nationalité ou d'ascendance française ("un Français du Midi", "un Français d'origine arménienne", "le maître de ballet de l'empereur était un Français depuis longtemps naturalisé russe mais qui parlait très mal sa langue d'adoption"), sans majuscule quand il s'agit de la langue française ("Un Français qui a fait des études doit pouvoir enseigner le français, non ?"). Cette règle très simple se complique seulement un peu quand le mot est en position d'attribut. Quand on dit d'un homme "il est français", le dit-on comme on dit "il est médecin, il est soldat, il est plombier-zingueur", et alors il faut une majuscule, car *Français* est un substantif ; ou bien le dit-on comme on dit "il est blond, il est boiteux, il est supérieurement intelligent", et alors il n'en faut pas car nous avons affaire à un adjectif ? C'est en général impossible à démêler : de sorte que la majuscule et la minuscule sont l'une et l'autre possibles, admises. Mais en dehors de ce cas douteux la règle est stricte, et surtout elle est essentielle. Il en est peu qui soient à la fois si aisées à appréhender, si faciles à suivre et d'aussi grande portée : les différences de significations sont énormes. Or il en est peu, hélas, qui soient si mal respectées, ce que l'on pourra trouver, selon les tempéraments, exaspérant ou désolant. Même des personnes raisonnablement cultivées, et qui font peu de fautes d'orthographe, écrivent *les français ne se rendent pas compte de ce qui leur arrive*, ou et *en Français qu'est-ce que ça donne?* Elles ont toujours l'air de considérer que ce point capital, faut-il une majuscule ou bien n'en faut-il pas?, ne relève pas de l'orthographe, et moins encore de la culture. Or il y tient une part essentielle, comme la question des espaces, pareillement négligée bien à tort.

Dans l'établissement de cette situation très regrettable, il est probable que l'anglais a joué un rôle majeur, comme trop souvent. De même que le régime des espaces, justement (pas d'espace avant le point-virgule ; pas d'espace avant le point d'interrogation, etc.), le système relatif aux majuscules est très différent outre-Manche et outre-Atlantique de ce qu'il est chez nous ; et, dans l'ensemble, il en prodigue beaucoup plus que nous ne faisons — il en donne aux langues, par exemple ; ce que le français et les Français ne font pas, ou plutôt ne devraient pas faire : "do you speak English? My French is a disaster". Mais l'imitation de l'anglais n'est sans doute pas la seule raison du désordre qui règne en français sur ce point, malgré la clarté et la simplicité de la règle. Ce désordre est d'autant plus à déplorer qu'il ne porte pas seulement sur *français, française* et *Français, Françaises*, mais sur *tous* les adjectifs et substantifs de nationalité ou seulement liés à des termes géographiques répertoriés : "rencontrer un Allemand", "épouser une Suissesse", "parler l'espagnol", "parler portugais", "aimer la littérature japonaise", "se passionner pour l'histoire chilienne", "vivre parmi les Dogons", "collectionner les masques bambara" ; et non pas *apprendre l'Anglais, se perfectionner en Italien, avoir un faible pour les Tchèques, avoir un guide Colombien, ne rien comprendre aux américains*, etc.

frère (mon petit frère). Un frère *cadet* est *un frère cadet*, ou *un jeune frère*, ou un plus jeune frère, ou un frère plus jeune que moi (« J'avais un frère plus jeune que moi qui... »). Un *petit frère*, *sa petite sœur*, appartiennent comme *sa maman* ou *son papa* au langage des bébés, celui qu'ils parlent et celui qu'on leur parle, et devraient absolument lui être laissé. (→ *bise, bisou, maman*, etc.)

Il se révèle avec les années que *frère, grand frère, petit frère*, qui tiennent une place croissante dans la parlure du temps, ne doivent ni leur origine ni leur succès, et certainement pas l'origine de leur succès, au seul langage des bébés, ou à celui dont on se sert, par mimétisme propitiatoire, quand on s'adresse à des bébés, ou à de jeunes enfants. La situation de cet ensemble sémantique, auquel on peut naturellement ajouter *petite sœur* et *grande sœur*, est indubitablement influencé par des facteurs sociaux, comme d'habitude, mais aussi et peut-être surtout par des facteurs ethniques, je préférerais dire *raciaux*, qui impliqueraient plus facilement de capitales composantes culturelles, et langagières. *Grand frère, petit frère, petite sœur* relèvent de toute évidence, comme *le papa et la maman*, de la langue petite-bourgeoise, c'est-à-dire de la langue qui a vocation, comme la classe dont elle est l'expression, à s'imposer à toutes les autres et à se substituer à elle. Mais elle voit cette tâche très largement facilitée, dans le cas particulier, par l'appartenance de ses tournures, et tout spécialement de *grand frère*, à la langue et à la culture arabes, et à la civilisation musulmane, voire africaine — pour ce qui est de la langue, je n'en jurerais pas, n'étant certes pas spécialiste ; et quant à la culture arabo-musulmane ou des diverses civilisations africaines je ne sais si ma remarque est pertinente en général, dans leur aire de floraison traditionnelle, ou seulement en France, où le concept de *grand frère* est d'un usage très répandu. Sa signification est bien loin d'être uniquement familiale. Le *grand frère* est le protecteur, l'initiateur, le parrain, le responsable d'immeuble, de quartier, de cité, le médiateur culturel et policier, l'interface, le délégué des différents pouvoirs en des lieux ou en des milieux auxquels ils n'ont plus accès.

frileux, frilosité. Une personne *frileuse* est exagérément sensible au froid. Ce trait d'une personnalité se nomme la *frilosité.* C'est là un substantif que Littré recommandait de rajeunir.

Le lexicographe a été entendu au-delà de ses espérances, car il n'est plus question parmi nous que de la *frilosité* de tel ou tel, d'une institution, d'un syndicat, d'une corporation, d'une classe d'âge ou d'une classe sociale. Cependant il ne s'agit plus de leur crainte du froid, mais de leur crainte de tout le reste, du changement, de la nouveauté, de l'adaptation nécessaire aux nouvelles conditions de l'existence.

Il y avait là, à l'origine, une métaphore parfaitement admissible. Elle a malheureusement connu un succès tel qu'elle n'est plus perçue comme métaphore, apparemment, et que nombre de locuteurs semblent croire que frileux veut dire inaventureux, renfermé sur ses convictions, prudent à l'excès ; et que la *frilosité* c'est le refus de l'innovation. Or le moins qu'on puisse dire est que tel n'est pas le cas. Il y aurait tout intérêt à laisser *frileux* et *frilosité* tranquilles, et à leur laisser accomplir le seul travail que l'étymologie leur affecte, celui de nous parler du froid, et des désagréments qu'il suscite.

fuck, fucking. → *chiant, chier.*

futur. Le futur commence à faire partie de ces temps, comme le passé simple ou l'imparfait du subjonctif, qui sont progressivement tombés en désuétude, réduisant toujours par leur quasi-disparition l'ampleur et la richesse du clavier de la langue. Cette réduction est d'autant plus grave qu'elle affecte aussi des modes, comme l'impératif, qui lui aussi a dû évacuer la plupart de ses positions traditionnelles. Cependant l'effacement du futur serait d'autant plus affligeant qu'il marque à lui tout seul un mode de la présence, si l'on ose dire.

Bientôt, notre accueil téléphonique évolue pour être plus rapide et plus efficace, avec un assistant vocal à votre service (information publicitaire de la BNP, octobre 2020).

G

gageure (*gajure*). *Gageure* se prononce *gajure*, et non pas *gage-eure*. Le *e* n'a d'autre rôle au milieu de ce mot que d'adoucir le *g*.

Gageure est l'un des termes les plus menacés par une éventuelle réforme de l'orthographe, car les puristes, pris entre deux feux, et de deux maux prêts à choisir celui qu'ils jugent le moindre, préfèreraient encore la graphie *gajure* à la prononciation *gage-eure*.

« La prononciation [*gage-eure*] est gravement incorrecte, dit par exemple Dupré. La réforme de l'orthographe serait ici bienfaisante. Il vaudrait évidemment mieux écrire *gajure*. »

Peut-être ne suivrons-nous pas jusque-là le grammairien.

gamin, gamine. *Gamin* ne veut pas dire *enfant*, ni dans le sens d'*être humain de très jeune âge*, ni dans le sens de *fils*, ou, au féminin, de *fille* (de quelqu'un). Les deux termes ne sont nullement interchangeables, ils n'ont pas la même extension de sens, ils n'appartiennent pas au même registre de langue. Le mot *gamin* a toujours eu une signification spécialisée, infiniment plus étroite, sémantiquement et socialement, que celle du mot *enfant*.

Gamin désigne d'abord, selon Littré, 1. [*Un*] « Petit garçon qui aide les ouvriers dont l'art a quelque analogie avec celui du maçon, les poêliers, les fumistes, les briquetiers »; puis, « 2. Terme populaire. [*Un*] Petit garçon qui passe son temps à jouer et à polissonner dans les rues. Le roi de notre époque, c'est le gamin, *Fr. Soulié*, Si jeunesse savait, § XII. Au féminin, gamine, se dit familièrement d'une petite fille espiègle et hardie./ Adj. Vous êtes un peuple gamin, *Fréd. Soulié, ib* ». Pour le *Grand Robert*, un gamin est « 1° Vieilli. [*Un*] Petit garçon qui sert d'aide, de commissionnaire à un artisan, un commerçant, etc. » et 2° [*Un*] Petit garçon ou petite fille "qui passe son temps à polissonner dans les rues" (Laveaux). » Le même *Grand Robert* donne également comme *Pop.* le sens « (Marquant la filiation). Fils ou fille encore jeune ». Il ne s'agit pas tout à fait d'un terme d'argot*, mais il relève d'un niveau de langage étroitement circonscrit, et qui devrait le rester. Dupré le donne pour « dialectal ». Dans les acceptions très élargies où nous le voyons prospérer, *enfant, fils*, et maintenant *élève, "jeune"*, c'est typiquement un mot de classe dont la généralisation de fait marque le triomphe langagier, et donc culturel, politique, social, du milieu dont il est issu dans les sens qui lui sont donnés. Littré et le *Robert* le disent *populaire*, on vient de le voir; on le dirait plus justement de nos jours *petit-bourgeois*; et l'extension pour ainsi dire sans limite qui lui est donnée est utile pour mesurer celle de la classe qui l'a porté, et imposé. Qu'"enseignants", ministres et travailleurs sociaux soient unanimes à parler des *gamins* pour désigner aussi bien les lycéens, les apprentis, les jeunes délinquants ou les fameux "mineurs isolés" montre assez bien la renonciation à la forme et à la juste distance qu'on aurait pu croire devoir présider à l'éducation aussi bien qu'à l'administration de la justice ; et d'abord au respect dû à tout être humain quel que soit son âge. Ceux qui parlent des *gamins* pour évoquer les bénéficiaires supposés du système scolaire sont les mêmes qui appellent des *papys* et des *mamies* les pensionnaires des maisons de retraite, quand ce ne sont pas toutes les personnes de plus de cinquante ans ; et pour qui les mères sont nécessairement des *mamans** et les pères des *papas*. Abolisseurs de distances et promoteurs de la familiarité niveleuse, ils sont les instruments plus ou moins conscients (mais plutôt moins que plus, en général, car ils en sont les premières victimes) de la liquéfaction écrabouilleuse de la société et de l'espèce, autant dire de la MHI*.

Qu'est-ce qui z'ont b'soin, les gamins ? C'qui z'ont b'soin avant tout c'est h'un papa et une maman.

Ça sera pas facile, mais je veux dire aux papas et aux mamans que l'établissement il sera prêt à accueillir leurs gamins à la date fixée par le gouvernement.

Que les gamins ils soient pas capables de comprendre les exigences de sécurité, c'est juste pas vrai.*

Que les papys et les mamies ils puissent avoir les gamins en présentiel pour les Fêtes, c'est quand même pas trop demander, je crois.

Moi j'vois j'ai la gamine elle rame, avec Parcoursup. Enfin c'est surtout l'ordi, qui rame.

garde, avoir garde de, n'avoir garde de, se garder de, se garder de ne pas, se donner garde de, prendre garde que, **etc.** Le mot *garde* se trouve au centre d'une constellation d'expressions verbales extrêmement nombreuses et complexes, souvent archaïques, où abondent les chausse-trappes.

Pour commencer, *avoir garde de* et *n'avoir garde de*, un peu comme *faire long feu** et *ne pas faire long feu*, sont employés tous les deux dans le même sens, ce qui ne laisse pas d'être assez troublant. Ce sens est à peu près *être bien décidé à s'abstenir de...*, *n'avoir aucunement l'intention de..., être bien éloigné de..., se garder bien de..., avoir soin de ne pas...* La tournure *n'avoir garde de...*, bien qu'assez illogique, est de meilleure langue. *Avoir garde de...*, plus immédiatement compréhensible, un peu plus répandu, est condamné par certains puristes mais se rencontre chez d'excellents auteurs du passé. Littré, dans son *Supplément*, cite un exemple emprunté à Théophile Gautier.

Krystoffer Nyrop, le grand linguiste et philologue danois, dans sa monumentale *Grammaire historique de la langue française*, qualifiait drôlement de "fossile" le *ne* explétif de *n'avoir garde*. Quant à Damourette et Pichon, dans leur non moins monumental *Essai de grammaire de la langue française*, ils conviennent qu'il s'agit d'une bizarrerie, mais ils prétendent qu'elle s'explique aisément : « *se garder*, c'est prendre des précautions pour éviter le danger ; *n'avoir garde*, au sens originel, c'est ne même pas prendre de précautions, tant on considère le péril comme négligeable. »

« Je n'aurais garde de vous contredire » (je n'en ai aucunement l'intention, je m'en garderai bien).

Se donner garde de, se donner de garde de signifiaient également *avoir bien soin de ne pas*, mais sont à peu près sortis de l'usage. On peut le regretter, à lire par exemple cette belle phrase de Voltaire à propos de Virgile, rapportée par Littré : « On sait qu'il ordonna, par son testament, que l'on brulât son Énéide, dont il n'était point satisfait ; mais on se donna bien de garde d'obéir à sa volonté ».

Se garder de... veut dire *faire bien attention à ne pas..., veiller à ne pas..., avoir soin d'éviter de..., s'abstenir de...* Une erreur consiste à mettre l'infinitif qui suit à la forme négative. Si ce que l'on veut exprimer c'est *ne vous penchez pas*, il faut dire « gardez-vous de vous pencher » et non pas *gardez-vous de ne pas vous pencher*. Bien entendu, on peut parfaitement dire *gardez-vous de ne pas vous pencher*, mais le sens sera différent (*penchez-vous*) : « Quand vous serez là-haut, gardez-vous de ne pas vous pencher un peu, vous manqueriez la plus belle vue qui soit sur le baptistère, juste au-dessous ».

Prendre garde signifie *faire attention à..., prendre la précaution de..., remarquer, garder en tête, ne pas oublier, veiller à....* « Je pense qu'il était là, mais je n'ai pas pris garde à sa présence ». « Il est retors, prenez-y garde. »

Prendre garde de et *prendre garde de ne pas* ont dangereusement le même sens, eux aussi. Tous les dictionnaires donnent le même exemple, *prenez garde de tomber* et *prenez garde de ne pas tomber* qui tous les deux signifieraient *faites bien attention, ne tombez pas*. Dupré remarque que *prenez garde de ne pas tomber* « signifie donc théoriquement : "ayez bien soin de tomber". Mais en réalité, ajoute-t-il aussitôt, cette inversion de sens ne se fait pas et *prendre garde* + infinitif négatif a le même sens que *prendre garde* + infinitif positif. » Il conclut même en faveur de *prendre garde de ne pas*, qui aurait selon lui le mérite d'éviter toute équivoque. C'est faire preuve d'un bel optimisme, et l'on pourrait passer sa vie dans ce lacis sans parvenir à y mettre d'accord les mots, les choses et les sens.

Prendre garde de et *prendre garde à* ont en général des sens opposés. *Prendre garde à*, écrivait Étienne Molard en 1810 (*Le

Mauvais langage corrigé), « c'est "être attentif à faire"; *prendre garde de*, c'est "faire attention de ne pas faire" ».

Prendre garde que est admis par tous les grammairiens. Mais le sens de cette tournure varie aussi du noir au blanc selon qu'elle est suivie d'un indicatif ou d'un subjonctif, d'une part, d'une subordonnée positive ou négative d'autre part.

Prenez garde que précédant une proposition à l'indicatif signifie *gardez bien en tête que..*, *n'oubliez pas que...* : « Prenez garde que les chemins sont boueux, et qu'il vous faudra sans doute deux fois plus de temps que d'habitude pour atteindre le plateau ».

Commandant une subordonnée au subjonctif, *prendre garde que* signifie *éviter*. La subordonnée est alors à la forme négative : « Prenez garde, le jour que vous choisirez pour partir, que les chemins ne soient boueux. Il vous faudrait alors deux fois plus de temps. » Si la subordonnée au subjonctif est positive, *prendre garde que* change encore de sens, et signifie cette fois *s'assurer que* : « Prenez garde, quand vous vous choisirez de partir, que les chemins soient boueux. Vos poursuivants mettront deux fois plus de temps à vous rejoindre. »

L'extrême complication, les approximations voire les contradictions pures et simples des règles d'usage concernant les diverses locutions verbales construites autour du mot *garde* font que ces locutions, pourtant très présentes dans la langue classique, et souvent d'une belle saveur, ont découragé l'usager et tendent à tomber en désuétude. Le public se garde d'y recourir, crainte de s'embrouiller irrémédiablement.

Que *prendre garde que* soit admis de toute part, et cela depuis toujours, rend plus difficile de résister, comme il arrive de le souhaiter, à *faire attention que*, lui-même largement accepté, et même par l'Académie française; mais aussi à *être d'accord que*, dont on a pourtant le plus grand mal à s'accommoder. Ce sont là de ces antilogismes où la langue prodigue sa grande leçon de renonciation. Sur des dizaines de points, il est impossible de s'en tenir sans aveuglement volontaire à un parti cohérent.

génocide à l'homme. L'expression *génocide à l'homme,* dont il sera également traité dans l'article suivant, comme de l'horreur qu'elle désigne, est souvent mal comprise, ainsi qu'en témoignent les difficultés, voire la quasi-impossibilité, qu'on éprouve à la traduire. Elle n'est pas précisément destinée à évoquer un génocide *de* l'homme, tel n'est pas son sens, d'autant que tous les génocides sont *de* l'homme ; et pas davantage ne fait-elle allusion à un génocide *par* l'homme, ce qui n'aurait rien de bien spécifique non plus, car, de même, tous les génocides sont *par* l'homme, voulus par l'homme, accomplis par lui. Le génocide à l'homme est bien sûr, comme tous les autres, un génocide de l'homme (l'homme est sa victime) et un génocide par l'homme (l'homme est son coupable), mais le trait particulier auquel il doit son nom est que l'homme est son *instrument,* son moyen, on dirait presque son moyen technique. Il est génocide à l'homme comme d'autres avant lui ont été *génocide au gaz* ou génocide *à la machette.* C'est un génocide par le truchement et par le moyen de l'homme, un génocide *sous* l'homme, un génocide par submersion, l'éradication de peuples ou de races sous la masse d'autres peuples et d'autres races. C'est par excellence le génocide par substitution, le génocide par submersion migratoire : un peuple, une race, une culture, une civilisation, sont enterrés vivants sous la masse de ce qui n'est pas eux, la masse humaine de l'invasion migratoire.

*génocide, génocide culturel, génocide par substitution. Géno-
cide*, contrairement à ce qui se passe pour *parricide*, ou *régicide*,
ne s'applique pas également au crime et au criminel, mais seulement au crime : on ne dit pas *un génocide* pour désigner l'auteur
d'un génocide, s'il peut jamais n'y en avoir qu'un seul, ou telle ou
telle personne qui y aurait participé. En revanche, et cette fois
comme il en va pour *parricide*, ou *régicide*, *génocide* s'applique
aussi bien à la tentative qu'à l'acte lui-même, perpétré jusqu'au
bout. Dieu merci, les génocides menés à terme, et qui, d'un
peuple, n'auraient laissé subsister personne, absolument personne, sont rarissimes, dans l'histoire. On ne peut néanmoins
imposer qu'il soit dit ou écrit chaque fois *tentative de génocide*,
ce qui, dans l'immense majorité des cas, serait certes plus exact
mais, entre autres inconvénients, risquerait de paraître diminuer
l'horreur du crime commis, ou, donc, entrepris. Cependant le
terme est si disputé, sa possible conversion en pouvoir, en prestige, en légitimité et en autorité est si manifeste, les revendications quant à son usage si nombreuses et parfois tellement
abusives (en dehors des grands génocides universellement reconnus, ou presque), que la loi internationale a cru devoir s'en
mêler et que l'emploi du vocable est sévèrement réglementé.

Ainsi je crois comprendre que l'expression *génocide culturel*
est considérée comme juridiquement impropre, au moins selon les critères de l'Organisation de Nations Unies et de diverses juridictions internationales. S'agissant de l'ONU la ju-
risprudence est assez floue et contradictoire, comme il arrive,
la Déclaration des Droits des peuples autochtones, sans utiliser expressément la tournure, abondant en formules qui paraissent tout à fait équivalentes. De toute façon, il en va là à
peu près comme pour le mot *race** : il s'agit pour chaque locuteur, ou scripteur, de décider s'il entend ne s'exprimer jamais
qu'en pleine conformité avec le droit — c'est-à-dire avec un

état du rapport de forces social, économique, financier, politique, géopolitique, ethnique — ou bien avec la langue et les langues dans leur profondeur, leurs figures de style, leurs effets littéraires, leurs écrivains, poètes et philosophes. *Génocide culturel* est évidemment une image, une métaphore, parfaitement compréhensible comme telle. Faut-il n'écrire et ne parler qu'à la manière de commissions de l'ONU, ou de l'Assemblée nationale française, ou bien à la façon de Pasolini, le principal promoteur du syntagme *génocide culturel*, au point qu'on lui en attribue parfois l'origine ?

Il est écrit — et après tout ce n'est pas si surprenant — que les poètes tiendront une grande place dans le sort de ce mot redoutable, *génocide*, et des variations qu'il suggère, ou commande. Si *génocide culturel*, en effet, doit beaucoup à Pasolini, *génocide par substitution* doit tout à Aimé Césaire, et d'abord la vie. C'est le poète communiste noir, et maire de Fort-de-France, à la Martinique, qui a forgé et le premier utilisé l'expression, pour désigner et fustiger l'afflux aux Antilles françaises soit de populations venues de territoires voisins, la Guyane, Saint-Domingue, Haïti, d'autres Antilles, soit de Français métropolitains, fonctionnaires, en particulier, touristes ou retraités.

L'utile formule, que j'emprunte, me paraît plus pertinente pour nommer et dénoncer le phénomène en cours de très loin le plus important de ceux qui affectent la France depuis une génération ou deux, et la plus grande partie de l'Europe avec elle : l'immigration de masse, la submersion migratoire, le changement de peuple et de civilisation, le Grand Remplacement. Toutes ces façons de dire sont à peu près synonymes, en l'occurrence, et elles désignent toutes le même crime contre l'humanité, la destruction des Européens d'Europe et de leur civilisation, par le truchement du Petit et du Grand Remplacements*
— le génocide par substitution est aussi et peut-être d'abord,

chronologiquement, un génocide culturel, une imbécilisation de masse.

Les temps modernes avaient connu le génocide aux fers, le XXe siècle, très inventif en la matière, le génocide au gaz, le génocide par balles, le génocide à la machette ; il revenait au XXIe d'inventer, et de promouvoir énergiquement, le génocide à l'homme. En un moment de l'histoire où il devient évident pour tous que la Terre n'en peut plus de l'homme, précisément, que la croissance démographique est la cause principale et presque unique de toutes les calamités qui accablent la planète, que toutes les prétendues politiques écologiques sont parfaitement vaines et caduques de naissance aussi longtemps qu'elles ne font pas face en premier lieu au drame de la surpopulation qui pollue jusqu'au fond des océans mais d'abord les rivages, les fleuves, les vallées, les montagnes, les villes, les campagnes, l'eau, l'air et tout ce que nous touchons, voyons et respirons, en ce même moment la gestion davocratique du parc humain, la davocratie, les industries de la matière humaine indifférenciée (MHI), imposent, dans leurs soif insatiable de consommateurs toujours plus nombreux, le remplacement des populations les plus vieilles, les plus chères, les plus coûteuses à produire et lentes à se reproduire, les plus sages démographiquement, par les populations qui le sont le moins, c'est-à-dire dont le taux de reproduction est le plus élevé, et la reproduction elle-même le plus rapide. C'est évidemment criminel, mais quel génocide ne l'est pas, qu'il soit *par substitution* ou non ? C'est également criminel du point de vue même des industries de l'homme : car elles font du monde un enfer, auquel on voit mal, si coupées de lui qu'elles soient, comment elles peuvent espérer y échapper elles-mêmes.

gens. Les gens, jusqu'à une époque récente, était une expression assez péjorative. On ne l'employait pas devant les personnes concernées. De nos jours encore, par exemple, une secrétaire polie, parlant à son employeur au téléphone, ne dira pas, de visiteurs qui se tiennent devant son bureau : « Il y a là des gens qui veulent vous parler. » On dit *des personnes.*

Georges Marchais, qui n'était pas admiré au premier chef pour sa maîtrise raffinée de la langue, fut la cause involontaire d'une petite révolution sémantique lorsque, ayant décidé qu'il était temps de renoncer à dire *les masses* ou *les masses laborieuses,* il commença à dire *les gens.* L'expression est d'ailleurs restée dans le langage du Parti communiste. Mais elle s'est largement répandue dans de nombreux autres cercles.

Mes gens, vos gens, étaient jusqu'à la Révolution une façon de parler des domestiques. Cette tournure fait un retour curieux dans le langage militaire. « L'essentiel pour moi c'est de ramener tous mes gens », dit un officier dans une zone de combats. Dans cette acception et dans ce contexte, le mot est concurrencé de nos jours par celui de *personnel.* Mais *personnel,* sans doute sous l'influence de *gens,* s'emploie de plus en plus au pluriel (des personnels), quoiqu'il s'agisse d'évidence d'un terme collectif. Du coup le singulier en vient à désigner un individu : *j'ai un personnel qui a été blessé.* Il est vrai que l'armée, après l'Éducation nationale, compte sans doute parmi les plus gros producteurs de mauvais langage.

Gent. *Gent* est un substantif féminin qui pour son malheur n'a pas l'air de l'être. Il signifie la race, l'espèce, le sexe, le type, le genre. Dans la grande majorité de ses occurrences modernes il sert à désigner l'ensemble des personnes du sexe féminin, la *gent féminine.* À beaucoup il a dû paraître souhaitable que pour remplir cette fonction essentielle il ait l'air plus féminin, justement. Ceux-là croient bien faire, dans ce dessein, en lui ajoutant un e : c'est la fameuse *gente féminine*, une des fautes les mieux repérées, et les plus moquées, et aussi les plus fréquentes, du français contemporain. A pu jouer la proximité avec *jante*, cet objet avec lequel la gent féminine, jadis, passait pour avoir peu d'affinités. Il est probable qu'est intervenue également la ressemblance, à l'oreille, avec l'adjectif *gent, gente*, qui ne sort plus guère de sa naphtaline que pour célébrer les gentes dames et demoiselles, sur un mode à la fois archaïque et ironique, le plus souvent. Au demeurant *gente féminine* s'est si bien inscrit dans le son d'une époque qu'on rencontre assez fréquemment aussi la *gente masculine*, encore moins défendable. Là-dessus paraissent se greffer, sur le tard, des problèmes de prononciation. J'ai relevé une ou deux occurrences de la très singulière *junte*, assez menaçante : *la junte féminine*.

Gers. « Afin d'éviter les excès de complaisance, allons directement aux sujets qui fâchent. En voici un qui est assuré de vous mettre tout le monde à dos : faut-il prononcer *j'erre* ou *gerce* ? *J'erre à travers les champs que gerce la chaleur* [1]

« Il existe sur la question une doctrine officielle, ou plutôt un fragment d'idéologie dominante, sympathique et simple, comme il convient à toute idéologie qui domine efficacement. Sa thèse est celle-ci : les vrais Gascons prononceraient *Gersss* tandis que les étrangers, les Parisiens, ceux qui ne savent rien du pays, prononceraient *Ger*'. C'est là le discours qu'on entend le plus, et de très loin ; c'est le plus largement admis ; et comme

---

1. Ou bien cette autre, nettement moins distinguée : « Avant les repas je dis *Gersss* ; après les repas, je digère. »

quatre-vingt-quinze pour cent des Gersois disent effectivement *le Gersss*, il trouve facilement créance.

« Un éditeur toulousain me citait récemment, comme une grande victoire de l'esprit de terroir, le passage de France Inter de la prononciation *Ger'* à la prononciation *Gersss*, en partie sous son influence, ai-je cru comprendre (c'est un homme qui a le bras long). Mais je suis surpris qu'il ait fallu quelque influence que ce soit pour l'accomplissement de ce haut-fait, d'une part parce qu'il est très vraisemblable qu'on ait dit *Gersss* depuis long-temps, sur France Inter (sur France Culture en tout cas c'est déjà la prononciation majoritaire, comme partout), et d'autre part parce que cette évolution n'est qu'un reflet d'un mouve-ment général de la prononciation française moderne.

« Ce mouvement débute avec l'instruction publique obliga-toire. Quand les Français presque sans exception ont commencé à savoir lire et écrire, ils ont voulu faire plein usage, sinon pa-rade, de leurs connaissances nouvellement acquises ; et ils ont entrepris de prononcer toutes les lettres. C'était on ne peut plus contraire à la tradition, qui dans toutes les vieilles langues tend toujours à l'amuïssement, et au poli progressif du galet. Le point d'honneur culturel, auparavant, avait consisté à savoir prononcer les mots au mot par mot, en tenant compte à chaque fois de leur passé particulier, de leur étymologie et du détail de leur his-toire, y compris de leur histoire orthographique. On savait par exemple qu'un *i* devant un *g* était destiné à le mouiller, et non pas à transformer en diphtongue la voyelle qu'il suivait : qu'il fallait dire *Philippe de Champâgne* *, *Lacassâgne, foire d'empogne* et bien sûr *ognon*, etc. On savait — ou on était supposé savoir — que Talleyrand se prononçait *Taillerand*, Maupeou *Maupou*, Praslin *Pralin*, Lesparre *Lépar*, Castries *Castre* et Broglie *Broÿ* (ou même *Breuil*). On savait que Metz était *Messs*, Aoste *Oste*, Laon *Lan*, Bruxelles *Brusselles*, Auxerre *Ausserre* et Laguiole

Layole. « Ce n'est pas dans les froids pastiches des écrivains d'aujourd'hui, dit le narrateur de *La Recherche,* qu'on retrouve le vieux langage et la vraie prononciation des mots, mais en causant avec une Mme de Guermantes ou une Françoise. J'avais appris de la deuxième (*la servante de la famille*), dès l'âge de cinq ans, qu'on ne dit pas le Tarn, mais le Tar, pas le Béarn, mais le Béar. Ce qui fit qu'à vingt ans, quand j'allai dans le monde, je n'eus pas à y apprendre qu'il ne fallait pas dire, comme faisait Mme Bontemps : Madame de Béar*n.*»

« On savait que les *s* intérieurs étaient pour la plupart la trace d'accents effacés, et que M. Lescuyer devait s'appeler *Lécuyer,* M. d'Estrées *d'Etré* et M. de Lesparre *Lépar.* Le général Lefebvre s'appelait *Lefèvre,* en ce temps-là, Michel Foucault *Foucau*, et le ministre Éric Raoult pas encore *Raoullttt.* Cet ensemble de connaissances témoignait d'un amour profond et véritable de la langue, conçue comme un ensemble infini de cas particuliers, réseau de règles et d'exceptions, et d'exceptions aux exceptions, mais aussi de caprices et d'aberrations. À ce type d'amour véritablement *particulariste,* lui, voici que se substitue depuis un siècle, mais à un rythme très accéléré depuis une dizaine d'années — avec l'effondrement de la culture classique, ou sa réduction au statut de *culture de classe* —, une loi simple et brutale qui croit et qui veut faire croire que *bien parler* c'est prononcer *toutes* les lettres — d'où ces théories affligeantes de personnes qui ne savent même plus prononcer ni parfois écrire leur propre nom (ou celui qu'elles choisissent, comme on veut l'espérer plutôt, comme nom de guerre, de plume, de peigne ou de tiroir-caisse) : toutes ces Ghislaine* devenues absurdement *Jisslaine,* ces Alexis* *Alexisss,* et ces Cyrille* qui croient plus viril, sans doute, de s'appeler *Cyril,* sacrifiant du même coup toutes les nuances poétiques, méthodiques et hagiographiques de leur nom. Si cette tendance s'accuse encore jusqu'à son plein accomplissement logique, bientôt nous serons obligés de dire *Bordeauxxx* ou *Morlaixxx*, et de parler du département du *Doubsss*. Déjà, dans le Gers, on veut nous persuader qu'il est impérieux de dire *Maurouxxx* — étant bien entendu qu'à Mauroux on dit très majoritairement *Maurouxxx* en effet.

« Ces questions-là n'ont l'air de rien — en fait leurs enjeux idéologiques sont considérables ; et leurs enjeux historiques itou, car il ne s'agit de rien de moins, comme toujours, que de la réécriture permanente de l'histoire. Descendons-nous des Gaulois ? Plutôt des Celtes ou plutôt des Francs ? Quelles époques et quelles circonstances doivent-elles absolument ressortir Vercingétorix de son trou ? Lesquelles ne sauraient se passer de Jeanne d'Arc ? Et lesquelles d'Olympe de Gouges ? Après le retour en grâce inespéré de Clovis, est-ce que Pharamond a ses chances ?

« Deux mystifications s'emboîtent — qui n'ont même pas besoin de mystificateurs, d'ailleurs, car l'idéologie se secrète elle-même, selon les exigences sociales et les commodités politiques du moment, sans qu'il lui faille absolument des menteurs délibérés. D'une part il n'y aurait d'*authenticité* que populaire et paysanne, le reste serait artificiel et suspect ; d'autre part nous serions tous issus de la paysannerie. Voilà ce qu'il est sympathique de dire et de penser. Si les Parisiens se ruent en masse au salon de l'Agriculture, c'est parce qu'ils souhaitent retrouver la ferme ancestrale. Seulement, si nous descendons tous des paysans — ce qui est parfaitement honorable, il va sans dire, là n'est pas la question ; et ce qui est forcément vrai, au moins en partie, si l'on remonte à dix ou quinze siècles... —, si nous descendons tous des paysans, et en sommes descendus depuis peu, de préférence, on se demande qui a écrit l'histoire de France... Les paysans l'ont écrite avec leur travail et avec leur sang, certes ; cependant ce n'est pas eux, en général, qui en ont pris les principales décisions — la plupart du temps ils en ont été les acteurs passifs, en quelque sorte, quoique souvent héroïques (et fréquemment ils en furent surtout les victimes).

« Si tous les Français descendent des paysans, on se demande surtout qui a élaboré la *civi*lisation et l'*urba*nité françaises, qui servirent longtemps (ces temps sont largement révolus, certes) de modèle à l'Europe, si ce n'est au monde entier. On se demande qui a voulu et construit les châteaux, « la parure de la France », comme dit André Suarès ; les hôtels particuliers de Paris, de Bordeaux, d'Aix-en-Provence, de Condom ou de Lectoure ; la place des Vosges, la place Stanislas ou les ensembles urbanistiques d'Auch. On se demande qui a écrit les *Essais* de Montaigne, les *Pensées* de Pascal ou les *Maximes* de La Rochefoucauld ; le théâtre de Marivaux ou *À la Recherche du temps perdu*. On se demande qui a peint la *Pieta* d'Avignon, *L'Inspiration du poète* ou *Le Bar des Folies-Bergères* ; qui a composé le Requiem de Gilles, *Harold en Italie* ou le *Prélude à l'après-midi d'un faune*.

« Si "l'idéologie du sympa" l'emporte tout à fait, avec sa conviction "naturelle" qu'il n'est d'*authenticité* qu'en un passé paysan universel largement fantasmé, alors notre histoire culturelle n'est plus au Louvre, au musée de Montpellier ou au musée d'Agen ; elle n'est pas dans les bibliothèques ou dans les salles de concert ; elle n'est pas entre les stalles de la cathédrale d'Auch ou parmi les mosaïques de Séviac — elle est, en mettant les choses au mieux, au musée des Arts et Traditions populaires ou à l'Écomusée de Flamarens. C'est infiniment plus "sympathique", il va sans dire ; mais ce n'est que très partiellement exact ; et si c'était donné comme vérité universelle, ou à tout le moins nationale, ce serait un peu appauvrissant.

« La question de la prononciation de *Gers* est impossible à débattre en toute franchise, sauf à brûler ses vaisseaux et à se rendre horriblement antipathique — à moins qu'on ne le soit déjà, bien entendu, ne serait-ce que par conviction idéologique, pour le coup, par goût du martyre, masochisme social ou parti-pris intellectuel —, parce qu'elle ne peut faire l'économie d'un des principaux tabous de la société française contemporaine, au moins en compagnie polie — je veux dire *la question des classes*. La prononciation *Gersss* est paysanne, populaire et petite-bourgeoise (c'est-à-dire à peu près universelle, maintenant, la petite-bourgeoisie ayant culturellement avalé la France entière, et lui ayant imposé ses usages, ses façons d'être et de parler, et donc de penser). La prononciation *Ger'* est aristocratique, "savante", cultivée et bourgeoise[1]. On dit *Gersss* comme on dit *moinsss*, on dit *Ger'* comme on dit *vers* ou des yeux *pers*. Ce n'est pas une question d'origine régionale, comme on le prétend par pudeur et par abus (et comme on finit par le croire, car la sincérité, c'est souvent de se convaincre de ce que l'on prétend). C'est une question d'origine de classe, et de *niveau de discours*. Précisément pour cette raison, lors des échanges quotidiens, les tenants de la prononciation *Ger'* sont obligés de se taire, par politesse, par prudence ou par décence sociale, lorsqu'ils se font corriger, ce qui arrive dix fois par jour, et qu'ils se font traiter de *Parisiens* (d'autant qu'ils le sont quelquefois, pour tout arranger). Mais dans le silence des livres... (il est bien en-

---

1. Une nuance intéressante, éminemment "bathmologique", est apportée par Mme Isabelle Edange, propriétaire du château de Lacassaigne, près de Lectoure, descendante et héritière de l'illustre maison de Luppé. Elle dit le *Gersss* et elle s'en targue : « Nous avons toujours tout fait comme nos paysans ». C'est là à sa perfection le beau vieux mythe légitimiste (qui d'ailleurs n'est pas sans quelque fondement) : immarcescible alliance de la vieille noblesse terrienne et de la paysannerie traditionnelle, sous-entendu *contre* les bourgeois, les acheteurs de biens nationaux et "l'orléanisme" en général (on voit à Laccassaigne une lithographie représentant le comte de Chambord).

tendu qu'on en parle ici, de toute façon, comme Malinowski de la Kula, et des mœurs des îles Trobriand).

« Le premier parti est parfaitement légitime, mais le deuxième ne l'est pas moins. Il y aurait quelque abus à vouloir le bannir, comme à vouloir à tout prix que tout le monde dise une *maman** pour une *mère*, un *militaire* pour un *soldat*, un *papy* pour *un vieux monsieur* ou pour *un homme âgé*, un *gradé* pour un *officier*, *Jissslaine* pour *Ghislaine**, les *de** *Galard* pour *les Galard* et *le centre-ville** *d'Auch* pour le *centre d'Auch*. Quelque abus et quelque imprudence : car ce parti langagier qu'on ne sait comment appeler (jadis c'étaient les autres qu'il fallait qualifier (*"régional"*, *"familier"*, *""populaire"*, etc.), tandis que lui allait de soi, allait sans dire, c'est-à-dire sans se nommer), ce parti langagier en voie de disparition (*académique*? *bourgeois*? *savant*? *littéraire*? *national*?), représente symboliquement toute une tradition de notre culture, qui n'est pas moins respectable que les autres, pas moins ancienne, pas moins ancrée dans le fond des provinces (même si elle est plutôt jacobine, culturellement), et plus féconde pour l'esprit que plus d'une, plus fertile en grandes œuvres, même si moins sympathique peut-être, et certainement moins *sympa**.

« Le duc de Montesquiou-Fezensac n'est pas moins gascon que les Sourbès, les Candelon ou les Solbiatti, il dit le *Ger'* et pas le *Gersss*. A quoi l'opposition réplique, pas démontée pour si peu, que cela ne prouve rien, sinon que le duc est *parisianisé*. Mais la culture et la civilisation, en France, au moins depuis deux ou trois siècles, ont presque toujours impliqué — encore une opinion antipathique (on aura prévenu le lecteur), en tout cas très contraire à "l'idéologie du sympa" — le *passage*, au moins, par Paris, et par l'état *national* de la culture et du langage. J'admire beaucoup l'obstination du député-duc à dire le *Ger'*, un des derniers, car je me dis que chaque fois il perd une cinquantaine de voix. J'ai tort de me le dire, toutefois, car il ne semble pas s'en porter plus mal, politiquement.

« D'ailleurs l'autre député du département, M. Rispat, qui plus est président du Conseil général, et maire de Lupiac — comme on a eu déjà l'occasion de le rappeler — dit également le *Ger'*. Mais lui ce serait parce qu'il est de l'Aveyron ! Argument qui ne va pas sans beaucoup de mauvaise foi, car dans l'Aveyron on est au moins aussi porté que dans le Gers à prononcer toutes les lettres.

« Enfin... Paix aux châteaux, paix aux chaumières » (*Le Département du Gers*, P.O.L, 1997).

La même question est abordée à plusieurs reprises dans *P.A.*, en termes assez voisins, notamment aux paragraphes 972, 973 et 975 :

« 972. On se demande à n'en plus finir s'il convient de dire le *Gersss*, ainsi que le fait quatre-vingt-quinze pour cent de la population du Gers, ou bien le *Ger*. Comme la notion de classe ne saurait intervenir dans cette discussion, non plus qu'en aucune autre on l'a vu, on dit que les vrais Gersois disent le *Gersss* et que les autres disent le *Ger'*. Les Galard et les Montesquiou disent le *Ger*, pourtant, et quelques bourgeois cultivés aussi, qui ne sont pas moins gascons que les Espinousse, les Sorbès ou les Solbiati. C'est une question d'origine de classe, ce n'est pas une question d'origine régionale. Cependant comme la classe est taboue, en tant qu'explication du monde, ou seulement de l'un de ses détails, on la remplace par n'importe quoi, si l'on est obligé de donner des motifs : par la *région* le plus souvent, ou bien par la *génération*.

« 973. Si j'aime la musique* classique, ce serait parce que je n'ai pas vingt ans. J'aimais la musique classique à vingt ans, je n'aimais pas Sylvie Vartan. Musique classique, musique de classe (et d'une classe qui d'ailleurs ne l'appelle pas *classique*, et *grande musique* encore moins)[1].

« 975. On voit que le concept est largement culturel, autant qu'économique ou social. C'est bien pour cette raison qu'il sera difficile de s'en passer — d'autant qu'il serait intéressant de savoir, en toute indépendance d'esprit (or ce n'est guère possible, apparemment, qu'entre les galaxies, ou bien dans le tombeau de ce livre), quelle classe, quelle culture et quelle culture de classe, produisent les individus les plus précieux, pour eux-mêmes et pour les autres, et proposent, du temps imparti à chacun sur la terre, l'emploi le plus digne, à la fois, et le plus judicieux. »

Ces considérations antipathiques valent à l'auteur de nombreuses lettres, dont celle-ci, la plus savante : « En revanche, je ne suis pas du tout d'accord avec vos § 133, 184, 188 et 972. Pour ce qui est du mot "Gers" il faut bel et bien prononcer *Gersss*. Votre argument selon lequel la distinction *actuelle* (j'insiste) repose sur un problème de classe sociale est exacte, mais s'il est vrai que les aristocrates disent *Ger*, cela ne signifie pas qu'ils ont raison du point de vue étymologique. On doit dire *Nant'* et pas *Nantès*, *Chamoni* et pas *Chamonixxx*, etc. Mais pour *Gersss*, vous vous trompez sur toute la ligne. D'où vient votre erreur ? De votre méconnaissance d'un phénomène linguistique fondamental. Quand vous parlez de "l'esprit millé-

---

1. « 975. ... mais bel et bien musique tout court. Dans cette terminologie, ce sont les autres musiques qui doivent être qualifiées. Le vocabulaire de la musique classique et de ses amateurs, cependant, a été annexé par les tenants des musiques populaires, dernièrement, qui désormais appellent musique tout ce qui chante ou qui danse. Ceux-là vous disent : "J'aime la musique", il faut comprendre qu'ils aiment le rap ou le reggae, la techno, la house ou la chansonnette. Quant à "moi j'aime toutes les musiques", cela doit s'entendre, en général, toutes les musiques sauf le classique (ou nettement moins). Et si l'on se rend à un concert, ce peut très bien être au Zénith. »

naire du français, qui comme toutes les vieilles langues tendait à l'amuïssement", vous avez sans doute raison si vous parlez des caractéristiques phoniques de la langue d'oïl… Mais dans le cas de la langue d'oc, qui était elle aussi une langue à part entière, avec son fonctionnement spécifique (et c'est la raison pour laquelle dire que le français est une langue millénaire relève du mensonge, voire de la propagande), c'est une autre affaire. Pas d'amuïssement en oc. L'emprunt au latin a suivi des voies différentes. Ainsi, il faut dire *Gersss, Tarnnn, Béarnnn*, ne vous en déplaise, et les aristocrates sur lesquels Françoise, dans *La Recherche*, prend modèle, sont les descendants de ceux qui ont imposé la langue d'oïl sur la scène politique ; c'est alors que la langue d'oïl est devenue le français, et cela, pas avant le XVIe siècle. Au Moyen-Âge, les deux langues (oc et oïl) coexistaient et se disputaient encore la suprématie. Froissart, qui écrivait en langue d'oïl, ne dit pas *Béar'* quand il évoque "les landes de *Berne*, qui sont assez plaines". *Berne*, c'est notre Béarn. »

Ce docte correspondant a raison sur bien des points, et par exemple quand il juge abusif de parler de « l'esprit millénaire du français ». En revanche il a tort de penser que Françoise, la cuisinière de la famille du Narrateur, dès le temps d'Illiers, *prend modèle sur les aristocrates*, alors qu'elle n'a jamais rencontré le moindre, à cette époque. Mais surtout il l'écrit lui-même : « la langue d'oïl est devenue le français ». La langue *cultivée*, que ce soit dans le Gers ou dans l'Indre-et-Loire, a toujours été le français de France, le français *jacobin* si l'on veut, la langue nationale. Et la langue nationale ne dit pas le *Gersss* (ou ne disait pas le *Gersss* avant son actuelle "prolétarisation" (ou son "désembourgeoisement", si l'on préfère)).

Ghislain, Ghislaine, Jisslain, Jisslaine. *Ghislain* et *Ghislaine* étaient des prénoms aristocratiques et grand-bourgeois qui par un tour inattendu sont devenus populaires et petits-bourgeois. Cette évolution fut si rapide que les deux prénoms ont un peu souffert du voyage et qu'ils ont changé de prononciation en même temps qu'ils changeaient de connotation sociale : à l'arrivée, ils étaient devenus *Jissslain* et *Jissslaine.*

On aime à penser que la plupart des *Jissslain* et des *Jissslaine* ne s'appellent pas vraiment comme cela, et qu'ils ont pris ce prénom comme nom de guerre, ou de plume, ou de peigne, car il serait un peu triste que quelqu'un ne sache même pas prononcer son véritable prénom. Or on peut tourner la chose de quelque façon qu'on le souhaite, il n'y a aucune espèce de possibilité pour que *Ghislain* et *Ghislaine*, où le *h* durçit manifestement le *G*, et où le *s* est un classique *s* intérieur français, comme dans *Rouget de Lisle*, dans *Estrées* ou dans *Estienne d'Orves*, aucune possibilité pour que ces prénoms se prononcent autrement que *Gui-lain* et *Gui-laine.*

glauque. Il est arrivé à *glauque* la même mésaventure qu'à *formidable** : c'est un adjectif qui a complètement changé de sens. Mais l'histoire est plus triste dans son cas, car *formidable* a progressivement dépouillé tout ce qu'il avait d'effrayant, tandis que *glauque* a revêtu avec le temps des connotations de plus en plus péjoratives, auxquelles rien ne le prédisposait.

À l'origine glauque est le nom d'une couleur, une très belle couleur, un vert pâle et lumineux mélangé d'irisations bleues, et qui rappelle la mer quand le ciel est un peu couvert. Le glauque est très proche du pers. Athéna, avant d'être en français la déesse aux yeux pers, était la déesse aux yeux glauques. C'était un grand compliment. Aujourd'hui, si l'on félicitait quiconque de ses yeux glauques, cette personne, à moins qu'elle ne soit très lettrée, serait certainement offensée.

Dans le courant du XIXe siècle, la signification de glauque a glissé de vert pâle à verdâtre, autant dire à vert trouble, ou impur. Puis toute référence au vert s'est perdue, au moins dans l'usage commun. On n'a plus retenu que l'impureté, et la mélancolie, ou la vague menace, ce qui trouble. Une lumière glauque était une lumière blême. Plus récemment encore, et en quasi argot, glauque est devenu synonyme de sinistre, ou de très ennuyeux.

Ils ont fait un truc après le vernissage, dans l'atelier de Sophie. On y est passés tard mais y avait plus personne, c'était vraiment glauque.

Elle elle est sympa mais alors son frère, tu verrais, il est complètement glauque, comme blaireau.

global (au). Il s'agit d'une de ces expressions dont on a un peu de peine à imaginer et à admettre qu'elles existent vraiment mais qui sont bel et bien attestées. Sans doute celle-ci est-elle apparue sur le modèle de *au final*, déjà peu recommandable. Il se pourrait qu'elle fût également apparentée au très pénible *à l'international*, qui lui-même forme une espèce de couple avec *en interne*, peut-être à cause de la simultanéité de leur lancement.

glottophobie. Le mot *glottophobie* — à ne pas confondre avec *glossophobie*, terme qui désigne, lui, l'horreur ou la terreur de parler en public ; et moins encore avec *grossophobie*, qui sert à fustiger, dans un registre semi-plaisant, les personnes ou les institutions qui n'aiment pas les gros, ni surtout les grosses — le mot de *glottophobie*, donc, sert à attirer l'attention, et certes pas de façon favorable, sur les sombres agissements et le criminel état d'esprit des personnes qui réprouvent, chez les autres, et peut-être aussi chez eux-mêmes, mais c'est sans doute moins coupable, les fautes de grammaire, de vocabulaire ou d'accent. C'est moi qui parle de *fautes*, naturellement, car il est probable que l'inventeur du terme et du concept, M. Philippe Blanchet, professeur des universités à l'Université Rennes 2, spécialiste de sociolinguistique, de communication plurilingue et interculturelle et de didactique des langues, n'envisage pas sans horreur et indignation pareille notion : si faute il y a, et pas grammaticale, idéologique, ce qui est autrement grave, c'est celle des individus et des institutions qui se permettraient de discriminer entre les êtres selon leur degré de correction langagière ; l'histoire ne dit pas si c'est à la rigueur tolérable chez l'avocat.e qui envisage d'engager un.e secrétaire ou chez l'industriel.le qui songe à faire choix d'un.e standardiste.

Mais le mieux est de laisser la parole à M. Blanchet lui-même, ou à son éditeur :

« Les discriminations fondées sur la langue sont largement ignorées alors qu'elles sont très répandues. On méprise, on rejette ou on prive de leurs droits à l'égalité des millions de personnes parce qu'elles ne parlent pas la langue des dominants à la façon des dominants, par exemple le français dans sa variété académique. Philippe Blanchet a donné un nom — glottophobie — à ces discriminations linguistiques et a attiré l'attention sur leurs conséquences aussi profondes que massives. Exemples à l'appui, il en montre ici les mécanismes pour mieux la révéler et la combattre. Cette deuxième édition mise à jour retrace les évolutions récentes des textes règlementaires depuis la parution de la première édition en janvier 2016. »

Des textes réglementaires pour lutter contre la glottophobie et la châtier ? Bigre ! C'est que ce n'est plus du tout une plaisanterie ! Ainsi il devient criminel, ou du moins pénalement répréhensible, de gratifier d'une préférence, même et surtout professionnelle, quelqu'un qui a une bonne maîtrise de la langue sur quelqu'un qui ne l'a pas ; et peut-être même, faisant tout à fait abstraction des personnes, de gratifier d'une préférence les formes correctes du langage (M. Blanchet dirait *académiques*) sur ses formes incorrectes (je ne sais ce que dirait M. Blanchet, mais certainement pas *incorrectes*). C'est au fond l'aboutissement triomphal de tous les points de vue bourdieusiens conjugués : les formes correctes n'étant qu'un privilège de classe, et naturellement de race, disons globalement *d'origine*, il n'est d'autre moyen d'abolir ce privilège, et d'établir l'égalité, qu'en récusant véhémentement le concept de correction, qui n'est qu'une arme entre les mains des puissants, et plus précisément des *dominants*.

Ce qui est dit là au sujet de la langue vaut tout autant pour l'ensemble de la culture. Et pareils raisonnements et types de raisonnement permettent de mieux comprendre l'un des deux ou trois phénomènes les plus importants de l'époque contemporaine : la destruction du système de transmission, l'effondrement de l'École, l'hébétude qui gagne. S'il est généralement admis que les formes académiques de la grammaire, du vocabulaire et de la prononciation ne sont rien d'autre que des instruments de la domination des dominants, il devient très difficile, et même à peu près impossible, objectivement, de les enseigner non seulement aux dominés et à leurs enfants, qui seraient bien fous d'aller se parer des moyens de leur propre asservissement, mais aussi aux dominants et à leurs héritiers, qui n'ont aucune raison, dès lors qu'on leur montre bien combien c'est mal, d'acquérir, si tant qu'ils en aient besoin, les procédés de leur propre et injuste prépotence.

À vrai dire, et bien que je sois là, comme souvent, tout à fait en dehors de mon domaine de compétence (quel qu'il soit), il me semble qu'il convient de distinguer deux degrés assez inégalement condamnables de la glottophobie. S'il s'agit, en usant de ce terme, de pointer du doigt l'irrépressible manie qu'ont certains de corriger le parler ou les écrits des tiers à peine leur tombent-ils dans l'oreille et sous les yeux, et en s'adressant immédiatement aux "coupables" eux-mêmes, de préférence devant témoin, c'est bien à condamner en effet : la peste soit des pions, surtout hors des collèges. S'il s'agit en revanche, plus fondamentalement, de fustiger ceux qui tâchent de maintenir, exemples à l'appui, pour le principe, chez les locuteurs publics, dont c'est le métier de parler ou d'écrire, chez les écrivains, chez les élèves et les étudiants, parmi le public des examens et des concours, entre les candidats à tel ou tel poste, une certaine exigence de maîtrise des formes admises et éprouvées du langage, j'avoue que cette prétendue phobie ne me semble pas du tout blâmable, et cela d'autant moins que j'en suis sans nul doute gravement atteint moi-même.

Les ennemis de la glottophobie, qui pour plus de sûreté ont créé eux-mêmes leur ennemi, procèdent comme tous les destructeurs en société pan-médiatique, où c'est l'opinion qui compte avant tout, le sentiment qu'on a des choses plus que les choses : ils proclament déjà détruit, né détruit, ce qu'ils projettent de faire disparaître — ce sont des objets qui n'existent pas. Selon cette façon d'argumenter, il est absurde de vouloir défendre le peuple français, par exemple, ou la culture française et a fortiori, la race française, parce que non seulement ils n'existent pas mais ils n'ont jamais existé. De même il est absurde (et idéologiquement criminel, il va sans dire, en même temps que d'une rare bêtise) de vouloir défendre la langue française, qui elle non plus n'a jamais existé, sinon comme un flux perpétuel, une création de tous les instants.

On remarquera que les deux partis sont hermogéniens, ici : pour les antiglottophobes la langue est une sécrétion permanente de ses usagers, et d'autant plus vivace et porteuse d'avenir que ceux-ci sont plus nouveaux, par la classe ou par la race (c'est moi qui parle, on l'entend bien) ; pour les glottophobes supposés, accusés de l'être, et tout convaincus qu'ils puissent être d'autre part, avec Cratyle, qu'elle est un réservoir plurimillénaire de signes, de messages, de pulsions ataviques, elle est aussi le résultat de soins constants, de réflexions, d'échanges, d'humbles soumissions convenues à la raison, à la logique, à la beauté et à la poésie. Les glottophobes se croyaient vertueux, presque héroïques, au moins Léonidas aux Thermopyles. Et voilà qu'ils sont vertement dénoncés comme d'affreux fascistes, ridicules combattants d'une mauvaise cause perdue de naissance, et même de nazis-grammairiens, nazis de la grammaire, *grammar-nazis*, en anglais dans le texte. Ils pourront toujours prétendre ne pas comprendre, lorsque plus personne ne se comprendra, au sein du bidonville global.

gosse. *Gosse*, au même titre que *vélo* ou que le verbe *rigoler*, fait partie de ces mots dont les enfants de la bourgeoisie se voyaient interdire l'usage comme "vulgaire", il n'y a pas beaucoup plus d'une ou deux générations de cela. Aujourd'hui les enfants ne se voient plus interdire grand-chose, en fait de vocabulaire, et pas pour des raisons de "vulgarité" — il faut au moins la grossièreté pour que certains parents envisagent une prohibition. De toute façon, ce que des parents de cette sorte peuvent tâcher d'écarter de leurs enfants, l'école se charge de le leur apporter.

Nombre d'"enseignants" sont très attachés à *gosse*, justement, de même qu'à *gamin*, qui est à peu près du même niveau de langue.

Les gosses, faut pas croire, i sont à la recherche d'une règle, quelque part.

C'est pas avec des classes de trente-cinq gamins qu'on va pouvoir faire un vrai travail de prof, c'est pas vrai ça.

J'vois j'ai ma belle-sœur eh ben elle a son gosse ils lui ont pas pris, en CM2.

Dupré estime que *gosse* « est maintenant de tous les styles ». On se permettra de ne pas le suivre dans cette opinion. *Gosse* continue d'avoir des connotations sinon argotiques du moins très familières qui devraient le rendre tout à fait impropre à désigner, dans la bouche d'instituteurs ou de professeurs, les enfants dont ils ont la charge. *Gosse* apparaît d'autre part dans de nombreux syntagmes figés qui sont d'un usage tout à fait courant, mais qui continuent d'appartenir au registre relâché, ou plaisant : *un beau gosse, un sale gosse, un gosse de riches*, etc.

gradé. *Gradé* est de ces mots, comme *vélo*, ou *gosse*, dont les enfants de la bourgeoisie d'autrefois, si l'on peut risquer le quasi-pléonasme (au moins dans le domaine du langage), et *a fortiori* ceux de l'aristocratie militaire, s'ils les employaient, se voyaient aussitôt reprocher ou interdire l'emploi, comme *vulgaire* et *ne se disant pas* (sous-entendu, naturellement : *dans notre milieu*). On ne disait pas *un gradé*, on disait *un officier* (ou *un sous-officier*). On ne disait pas *les gradés*, on disait *les officiers*.

Gradé appartenait à la langue des classes sociales où l'on était sergent ou maréchal-des-logis toute sa vie. C'était, et c'est encore, bien entendu, un mot de la langue militaire. Même dans ce cadre restreint, dont la langue bourgeoise considérait qu'il n'avait pas à sortir, il était d'un usage limité, ou plutôt d'une acception restreinte : « Il ne se dit guère que des grades inférieurs, dit Littré, de ceux qui sont marqués par des galons ». Le *Grand Larousse encyclopédique* est encore plus précis. « Gradé : "Homme de troupe pourvu d'un grade" : *Rassembler les gradés d'une compagnie.* (Cette expression s'applique en particulier aux caporaux et caporaux-chefs, appelés parfois *petits gradés*)" ». Ici concourent, on le voit, à établir des règles plus ou moins durables et plus ou moins périmées (comme elles) deux hiérarchies qui se recoupent ou chevauchent en partie, ainsi que le font la plupart des hiérarchies : la hiérarchie sociale et la hiérarchie militaire. Comme souvent s'agissant de la langue nous ne sommes plus dans la grammaire, pas même dans le vocabulaire proprement dit, nous sommes dans le système des classes (ou ce qu'il en reste) — à mesure qu'il change, la langue aussi.

grand n'importe quoi (le). Parmi les scies* d'une époque, ou seulement d'une période, la plupart exaspèrent, elles sont là pour ça (*jeter le bébé avec l'eau du bain, jouer dans la cour des grands, revoir sa copie*); mais quelques autres, on ne sait trop pourquoi, peut-être parce que leur bêtise est plus visible, plus patente, plus désarmée, ou bien par l'énormité de leur idiotie, ou encore par l'audace de leur indifférence grammaticale, séduisent, amusent, retiennent, au point qu'on est souvent tenté de les adopter, et qu'on le fait plus souvent, peut-être, qu'il ne faudrait. J'ai pour ma part un grand faible pour *c'est moi ou...*, *crois moi que...*, *t'inquiète* ou *t'inquiète pas que...*, et pour *le* *grand n'importe quoi*, donc, c'est du *grand n'importe quoi* (*là*). J'en ignore la raison mais je trouve cette formule irrésistible et je ne peux croire à mon bonheur lorsque quelqu'un, autour de moi ou dans l'espace public, la profère innocemment :

Non mais c'est du grand n'importe quoi, là.

Moi-même, dans mon enthousiasme, y ai recours assez souvent, mais pas du tout innocemment, je crois ; je veux dire que je suis bien conscient qu'elle est dans ma bouche une citation, et que, l'employant, je fais, pour rire, comme les gens qui disent *non mais c'est le grand n'importe quoi, là...* Mais peut-être eux-mêmes, déjà, font-ils *comme les gens qui...* On aime ce qu'on s'aime aimant, on imite ceux qu'on s'aime imitant. La langue est soumise à un grand principe mimétique. On parle toujours plus ou moins entre guillemets. Mais on n'a que trop tendance à l'oublier, d'autant que les autres s'en avisent mal.

grave. *Grave* a connu un succès exceptionnel, en France, dans le langage de la jeunesse, aux dernières années du deuxième millénaire. Alain Rey indique que « l'emploi récent pour "abruti, idiot" est en fait un abrègement oral de *gravement atteint* ». Mais l'adjectif est d'un usage si large, désormais, que l'éventail de ses significations dépasse très largement celle d'*abruti*. D'autre part il fait couramment fonction d'adverbe. *Grave de chez grave* est une forme superlative.

En contempo la prof elle est grave.

J'en suis morgan mais grave.

I'm prend la tête grave.

Ça va kiffer grave (*Télérama*, mercredi 19 octobre 1999).

guillemets. Les guillemets servent à introduire ou à clore une citation. Ils impliquent toujours une distance prise. Celui qui les utilise exprime par eux que ce n'est plus lui qui parle ou qui écrit, qu'il n'assume plus la responsabilité directe de ce qui est dit, qu'il ne donne pas de garantie personnelle de la véracité de la phrase ou de l'expression.

Dans l'usage moderne, surtout le plus courant et le plus trivial, ces nuances et ces implications semblent souvent totalement ignorées. On pourrait croire, dans bien des cas, que les guillemets ont une fonction purement décorative. Ainsi quand on lit sur une camionnette *Granmicheli Jean-Pierre « plombier-zingueur »*, on peut supposer que l'artisan n'est pas très assuré de sa carrière, ou de ses compétences professionnelles. Mais ce n'est sans doute pas ce qu'il a voulu dire.

D'autres fois c'est l'adresse qui est entre guillemets. Les guillemets paraissent pouvoir s'abattre sur n'importe quelle partie du discours. Quand l'adresse est celle d'un correspondant, les guillemets lui confèrent un tour ironique, comme si l'expéditeur doutait de ce qu'on lui donne à écrire. *M. Pierre Mocquart, « Grand Hôtel », Annecy,* laisse à penser que dans l'esprit de l'expéditeur le Grand Hôtel pourrait bien être un trou à rats.

Nous disposons en français d'au moins deux sortes de guillemets, les guillemets « français », qui seuls ont cours officiel, et les guillemets "anglais", qui tirent grand avantage de leur facilité d'accès sur la plupart des ordinateurs, où souvent ils sont seuls à être figurés. Mais cette abondance de biens ne nuit pas, et l'on peut très bien s'accommoder des deux espèces, quoique certains puristes désapprouvent leur cohabitation. Elle est presque inévitable, pourtant, en cas de citation à l'intérieur d'une citation. La citation englobante est mise entre guillemets « français », la citation englobée entre guillemets "anglais". S'il y a un troisième degré, on a recours à l'apostrophe (' '). Jacques Drillon, dans son *Traité de la ponctuation française*, donne un exemple tiré de Michel Onfray (qu'il cite en gras, sans quoi il faudrait encore un degré de plus) :

Le lecteur est averti de la hiérarchie des problèmes telle qu'elle est pratiquée par le philosophe [*Nietzsche*] : « Il est une question qui m'intéresse tout autrement, et dont le "salut de l'humanité" dépend beaucoup plus que de n'importe quelle ancienne subtilité de théologien : c'est la question du régime alimentaire. Pour plus de commodité, on peut se la formuler ainsi : "Comment au juste dois-tu te nourrir pour atteindre au maximum de ta force, de la *virtù*, au sens de la Renaissance, de la vertu 'garantie sans moraline'." (refermer tout cela n'était pas facile, on le voit. Encore manque-t-il quelque part un point d'interrogation).

Même en dehors de ces cas de citations en abyme, ou en cascades, la distinction entre guillemets français et anglais est utile, et l'on pourrait plaider pour leur coexistence. Il y a entre eux une différence de sens, ou du moins de ton, qui est à peu près celle-ci : les guillemets français sont plus solennels, ils sont d'un maniement plus lourd, ils peuvent être réservés aux "vraies" citations, celles qui comportent une phrase entière ou plusieurs phrases, et qui surtout sont tirées d'un auteur ou d'un locuteur particulier, dont on rapporte les termes exacts. Les guillemets anglais, par comparaison, sont des chevau-légers. Ils peuvent servir à accompagner un seul mot, ou deux ou trois, une expression dont l'origine n'est pas aussi précisément localisée, et que l'auteur du texte principal n'assume pas entièrement.

Jacques Drillon écrit : « Mais la plus grande confusion règne en cette matière, surtout lorsqu'on mélange guillemets et tirets, italiques et romains… »

Guillemets "anglais", guillemets « français » : c'est une façon de les désigner; d'autres auteurs leur donnent d'autres noms...

Les guillemets en général, mais les guillemets *anglais* en particulier, sont souvent en rivalité avec les italiques.

Quand on cite des vers, il est fréquent de les mettre en italique plutôt qu'entre guillemets — peut-être pour éviter qu'une forme où tout est mesuré soit affectée par des signes parasites.

*

Vingt ans plus tard, je reprends et confirme la semi-proposition avancée ci-dessus et la formule "officiellement", bien qu'elle soit contraire à la tradition et aux vœux de beaucoup d'imprimeurs, protes et correcteurs français : la coexistence reconnue, admise, au sein du système français, des deux sortes de guillemets, avec une stricte répartition des rôles : nobles, solennels et un peu lourds guillemets français (« ... ») pour les vraies citations, les citations de plein exercice, la fonction de ces chevrons renversés étant alors de signifier très nettement, de la part de l'auteur du texte principal, "ce qui est placé là entre « ... » n'est pas de moi, c'est de quelqu'un d'autre, que je vais désigner clairement si je le puis et si ce n'est pas évident, et dont je rapporte les mots aussi exactement qu'il est en mon pouvoir"; légers, flottants, familiers guillemets "anglais" pour les semi-citations, les propos rapportés sans stricte exactitude, les références à des façons de dire, les prises de distance ironiques ou désapprobatrices.

Ce "système", naturellement, ne sera jamais aussi rigoureux que je souhaiterais qu'il le fût et qu'il serait souhaitable, ou peut-être pas, qu'il le soit. Il y aura toujours des problèmes de confins, d'une part entre les guillemets français et les guillemets anglais (peut-on considérer qu'il s'agit là d'une "vraie" citation, ou seulement d'une référence à une façon de dire ?) ; d'autre part, et sans doute beaucoup plus nombreux, car la frontière est beaucoup plus floue, entre les guillemets anglais et l'italique : faut-il "parler" par exemple d'une "vraie" citation ou d'une *vraie* citation ? Il me semble que les guillemets anglais témoignent d'un peu plus d'ironie, si besoin est, que le simple italique.

On notera que les guillemets anglais sont bien commodes pour remplacer l'italique là où celui-ci n'est pas possible, comme en général sur les réseaux sociaux.

H

haine. Le mot *haine*, avec la formidable charge d'effroi et d'horreur qu'il enferme, tient une place essentielle dans l'arsenal de dissuasion et d'élimination dont disposent le remplacisme global, les industries de l'homme, autant dire le système davocratique et le négationnisme de masse, pour se débarrasser de leurs adversaires et les faire taire à jamais. Le terme, employé seul ou bien dans la redoutable combinaison *incitation à la haine*, a même acquis avec le temps une portée juridique sans précédent, dont il sera difficile de se libérer, même après un hypothétique retour à l'État de droit. Autant il est aisé de reconnaître la haine quand elle s'est traduite en attentat, meurtre, viol, vol et autres voies de fait, autant il serait ardu, pour des juges qui ne seraient pas inféodés au système remplaciste génocidaire, de l'identifier dans les esprits, en dehors de tout passage à l'acte. Certes il peut y en avoir dans les écrits et les discours, dans les propos, les "statuts" et les simples tweets, mais à ce jeu la production des occupants l'emporte à mille contre un, en

quantité, sur celle des occupés ; et la leur n'est guère sanction-
née. Même les indigènes que le négationnisme de masse n'a
pas suffisamment hébétés pour qu'ils acceptent sans broncher
la submersion migratoire, la conquête et le génocide par substitution, même ceux-là, sauf exceptions inévitables et très re-
grettables, ne voient pas ce que la haine viendrait faire dans leur
combat, et ne comprennent pas pourquoi le pouvoir davocratique, ses journalistes et des juges, veulent à toute force leur en
attribuer — et, de fait, le remplacisme global, avec la haine dont
il vous poursuit pour vous la prêter, fait penser à ces banques et
organismes de crédit qui vous harcèlent pour vous proposer des
prêts, dont on sait bien qu'on ne pourrait jamais les rembourser,
et qu'ils causeraient votre perte. La dictature remplaciste a beau
jeu de voir de la haine chez ses opposants, et de la faire très lour-
dement condamner par ses tribunaux, puisque ce qu'elle appelle
haine, c'est la plus légère objection au génocide par substitution.

Il est à croire que la haine est une très précieuse jouissance,
pour les personnes qui sont portées sur ce sentiment ; cependant on voit bien que la volupté suprême, pour le haineux, c'est
la haine vertueuse, la haine bien pensante, la haine approuvée et
même encouragée par toute une société : tous les plaisirs d'une
passion coupable, joints à tous les conforts d'une fureur applau-
die. La haine a longtemps cherché l'objet idéal qui lui offrît ces
deux bonheurs amalgamés. Un beau jour l'illumination lui vint :
mon Dieu, mais c'était bien sûr ! Ce qu'il lui fallait haïr avant
tout, c'était la haine. Il lui suffisait pour cela d'appeler *haine* les
objets de son exécration, quels qu'ils fussent, et si peu emplis
de haine qu'ils semblassent. On pourrait en exagérant à peine
définir la haine comme ce que déteste la haine, de même que
la bêtise est ce que vomit la bêtise (alors que l'intelligence s'en
soucie assez peu), et la vulgarité ce qu'abomine la vulgarité (qui
laisse la distinction assez indifférente). *Çui-là qui dit qui est*, en

somme : il suffit d'observer les visages et de scruter le langage des pourfendeurs réguliers de la *haine*.

heures (*six heures et demie, dix-huit heures trente*). Dans le français contemporain coexistent deux manières de dire l'heure ou d'évoquer les heures, manières qui naguère encore étaient très inégales socialement et culturellement.

La première, longtemps la seule admise en société "distinguée", et la seule utilisée par la littérature, divise les vingt-quatre heures de la journée en deux fois douze, et compte chaque fois de zéro à douze en précisant *du matin* pour le premier groupe, *de l'après-midi* ou *du soir* pour le deuxième : *trois heures du matin, onze heures du matin, quatre heures de l'après-midi, sept heures du soir, onze heures et demie du soir,* etc. Quand le contexte est suffisamment clair, on s'abstient de préciser s'il s'agit *du matin* ou *du soir.* Il n'y a pas de *zéro heure* ni de *douze heures*, qui sont respectivement *minuit* et *midi.* D'autre part chacune des heures est divisée en demies et en quarts : *onze heures et quart, onze heures et demie, midi moins le quart.* Pour la deuxième moitié de chaque heure, on indique le moment exact à partir de l'heure à venir, en précisant le nombre de minutes en moins, sauf pour le quart d'heure, qui garde ce nom : *deux heures moins vingt-cinq, dix heures moins cinq, huit heures moins le quart.*

La deuxième méthode est infiniment plus logique et plus commode. Elle nomme les heures de zéro à vingt-quatre, et les minutes de zéro à soixante : *huit heures, douze heures trente, quatorze heures dix-sept, vingt-deux heures quinze.* C'est une méthode ingénieuse, d'origine technique et d'un emploi qui fut longtemps exclusivement administratif. Elle avait cours surtout à propos des horaires de chemin de fer : « l'express de vingt-deux heures quarante », « mon train est à dix-sept heures vingt-deux. » Aussi n'était-il pas rare qu'on jugeât que se servir d'elle, en dehors de ce contexte ferroviaire, c'était user d'un "français de chef de gare". Elle continue d'avoir une mauvaise réputation sociale et littéraire. En un mot elle passe ou elle passait (il faudrait réécrire tout ce livre à l'imparfait) pour "vulgaire".

Mais comme beaucoup de façons de s'exprimer qui passent ou qui passaient pour "vulgaires" elle se répand rapidement dans l'ensemble du corps social. Elle s'est déjà assuré une sorte d'exclusivité pour tout ce qui présente un caractère officiel, public ou semi-public. Un vernissage a lieu à *dix-huit heures trente*, un cours à *quinze heures*, un concert à *vingt heures trente*. Même dans le cadre d'activités purement privées, dès lors qu'elles revêtent un caractère collectif ou si peu que ce soit de solennité, c'est le système moderne de préciser les heures qui l'emporte : "Mme X. recevra à partir de dix-sept heures", "le docteur Dumonchel vous propose un rendez-vous à quatorze heures trente". L'ancien système ne garde plus comme champ d'application que l'aire de l'intimité : "Les jours ont beaucoup raccourci, à six heures il fait presque nuit maintenant". "Je voudrais voir le *journal* à la télévision mais je vous appellerai aussitôt après, vers neuf heures moins le quart si ça vous convient". "Prenez votre temps, de toute façon nous ne dînons jamais avant neuf heures".

Selon les milieux, "l'élégance" a partie liée avec la tradition ou bien avec la nouveauté (en l'occurrence très relative). Dans les milieux socialement et culturellement conservateurs, seule la manière ancienne de préciser les heures est considérée comme appropriée (sauf cas particuliers). Dans les autres, il arrive au contraire qu'une personne, ayant indiqué une heure selon l'ancien système, se corrige et la précise selon le nouveau, croyant alors mieux dire : *Il pouvait être environ sept heures sept heures et demie — dix-neuf heures dix-neuf heures trente, plutôt.*

En littérature, le comptage "moderne" continue de détonner un peu. On imagine mal la marquise sortir à dix-sept heures. Il est vrai que la marquise ne sort plus beaucoup. Le roman policier, assez logiquement, adopte les façons de dire des rapports de police. Et le roman policier, quand bien même il ne serait que le *polar*, c'est aussi la littérature, maintenant. Il a ouvert la voie. La sortie à dix-sept heures a un bel avenir devant elle.

L'extraordinaire opinion selon laquelle les journalistes et présentateurs de télévision seraient tous issus des "milieux culturellement favorisés" est emphatiquement contredite par leur façon de parler en général, et par leur goût presque exclusif pour la manière "moderne" d'annoncer les heures. Si cette opinion était juste, jamais le journal télévisé de début de soirée n'en serait arrivé à être communément appelé *le vingt heures*, ni un autre *journal* de la mi-journée *le douze-treize* — noms qui ne peuvent que répugner profondément aux derniers rescapés de classes cultivées de jadis. Mais par "milieux culturellement favorisés" il est probable que ne sont plus désignés aujourd'hui que les milieux où l'on peut assurer aux enfants, sans trop d'efforts, une scolarité à peu près normale (si peut être appelée de la sorte la scolarité la plus habituelle de nos jours...).

hui. Une des raisons qui font du pléonasme *au jour d'aujourd'hui** une très mauvaise plaisanterie, surtout lorsqu'il n'est pas perçu comme plaisanterie, c'est qu'*aujourd'hui* est *déjà* un pléonasme, *hui* à lui tout seul signifiant *ce jour, aujourd'hui, le jour où nous sommes*. « Hui a vieilli, on dit *aujourd'hui*, notait déjà Littré ; il est malheureux qu'on ait changé ce mot pour un équivalent si lourd ». Que dirait-il d'*au jour d'aujourd'hui*! Il est probable que *hui* a souffert de sa trop grande proximité sonore avec *oui*, qui entraînait des confusions. Le pauvre adverbe abandonné a retrouvé une grande utilité dans les tweets, surtout lorsque ceux-ci étaient limités à cent quarante signes : il permettait de dire *aujourd'hui* en trois lettres. Je propose que pour lui témoigner notre reconnaissance de ce service, on essaie de le relancer. « Il n'est plus question, dit Dupré, de regretter la disparition de ce monosyllabe. » Eh bien si. Moi je la regrette. Et je ne m'y résous pas. Vive *hui* !

Table des matières

Made in United States
North Haven, CT
04 April 2023

35001329R00222